U0217389

國家古籍整理出版專項經費資助項目

栖芬室

栖芬室藏中醫典籍精選·第三輯

衆妙仙方

【明】馮時可　輯

中國中醫科學院中醫藥信息研究所組織編纂

牛亞華◎主編　　牛亞華◎提要

北京科学技术出版社

圖書在版編目（CIP）數據

栖芬室藏中醫典籍精選・第三輯．衆妙仙方/牛亞華主編．—北京：北京科學技術出版社，2018.1

ISBN 978－7－5304－9249－9

Ⅰ．①栖…　Ⅱ．①牛…　Ⅲ．①中國醫藥學—古籍—匯編②方書—中國—明代　Ⅳ．①R2-52②R289.348

中國版本圖書館CIP數據核字（2017）第213664號

栖芬室藏中醫典籍精選・第三輯．衆妙仙方

主　　編：牛亞華
策劃編輯：章　健　侍　偉　白世敬
責任編輯：呂　艷　周　珊
責任印製：張　良
出 版 人：曾慶宇
出版發行：北京科學技術出版社
社　　址：北京西直門南大街16號
郵政編碼：100035
電話傳真：0086-10-66135495（總編室）
0086-10-66113227（發行部）　0086-10-66161952（發行部傳真）
電子信箱：bjkj@bjkjpress.com
網　　址：www.bkydw.cn
經　　銷：新華書店
印　　刷：虎彩印藝股份有限公司
開　　本：787mm×1092mm　1/16
字　　數：497千字
印　　張：42.5
版　　次：2018年1月第1版
印　　次：2018年1月第1次印刷
ISBN 978－7－5304－9249－9/R・2417

定　　價：950.00元

《栖芬室藏中醫典籍精選》編纂委員會

顧　問　余瀛鰲

主　任　李宗友

副主任　王映輝　張華敏　李海燕

主　編　牛亞華

副主編　李鴻濤　張偉娜

委　員　程　英　佟　琳　彭　莉　符永馳　李　斌　孫海舒
　　　　李　兵　王　蕊　范佛嬰　刘振遠　付書文　張一鳴
　　　　李　辰　王亞楠　李　婕

前言

范行準先生是中國醫史文獻研究的開拓者之一，其成就之巨大，至今難以逾越；他也是著名藏書家，其栖芬室以收藏中醫古籍聞名於世。與一般藏書家不同的是，范行準先生搜求醫籍的初衷并非只爲藏書，而是爲開展醫史研究收集資料，因此，他的藏書除注重醫籍的版本價值外，更重視文獻的稀缺性和學術性。他説：『予之購書，善本固所願求，但應用與希覯孤本，尤亟於善本也。』足見他對購求孤本和稀見本比善本更爲迫切。他的藏書不僅有元明善本，還有大量的孤本、稀見本、稿抄本，這更是其藏書的一大特色；他還特别注重圍繞某個專題進行搜集，如爲了研究中國免疫學史，他搜集了大量疫病、痘疹和牛痘接種的相關文獻；他在本草、成藥方、中西匯通醫書的收藏方面，亦有獨到之處。

長期以來，研究者一直期望將栖芬室藏中醫古籍珍本系統整理，影印出版。在國家古籍整理出版專項經費的資助下，我們已甄選栖芬室藏元明善本、稿抄本以及最具特色的『熟藥方』，并加以編輯整理，邀請專家撰寫提要，且分别於二〇一六和二〇一七年相繼影印出版了栖芬室藏中醫典籍精選第一輯和第二輯，受到學界歡迎。上述兩輯出版的著作，僅爲栖芬室藏書的一部分，除此之外尚有許多醫籍值得醫界研究和利用。此次我們又獲得了國家古籍整理出版專項經費的資助，選取了十餘種明清孤本、善本和有實用價值的醫籍影印出版，是爲栖芬室藏中醫典籍精選第三輯。

作爲『栖芬室藏中醫典籍精選』項目的收官之作，本輯在書目的選擇上尤難決斷，栖芬室所藏珍本甚多，内容廣泛，難免顧此失彼。我們希望所選書目既能兼顧臨床實用與文獻價值，又能體現栖芬室藏書的特色和范行準先生的藏書理念。

基於上述考慮，本輯入選書目大多臨床實用與文獻價值兼具。如醫略正誤概論是少見的針砭時弊的作品，該書十分注重常見病尤其是熱證的鑒别診斷，是關於熱證最全面的論著。女醫雜言是罕見的女性醫家的著作，也是較早的醫案著作，所記案例均爲女性病人，内容細緻入微。衆妙仙方是明代官吏馮時可在廣西爲官時，發現當地缺醫少藥，迷信巫術，爲改變這種狀况而作，收方切合實用。新編名方類證醫書大全、慈惠小編、脉微等均具有較高的臨床價值。

在版本和文獻價值方面，本輯所收有不少爲海内外孤本，如上述的醫略正誤概論、女醫雜言、慈惠小編及秘傳常山敬齋楊先生針灸全書等爲天壤間僅存之碩果，且其中一些還入選了國家珍貴古籍名録，其版本和文獻價值自不待言。有些入選醫書雖然現存不止一種版本，但也獨具特色。如衆妙仙方，現存三種版本，本次所選爲萬曆刊本，印刷年代雖在三種版本中最晚，但經比對發現，該版本與其他兩種版本有較大差异，應是其初刊本的翻刻本，反映了該書最初的狀態，對研究該書版本及修訂演進有重要價值。再如醫説，版本衆多，民國至今，我國已出版的影印本多達二十餘種，但是，這些影印本所據底本僅宋刊本、四庫全書本和顧定芳本三種。本次選用的張堯德刻本，經籍訪古志補遺評價其爲『依顧定芳本而改行款字數者，然比之顧本，仍能存宋本之舊』。該版本序、跋最全，存本亦少，對於考察醫説的版本源流以及校勘均有重要價值。

栖芬室藏書中，有不少和刻本中醫典籍，本次選編的熊宗立新編名方類證醫書大全爲這類書的代表，該書刊刻於日本大永八年（一五二八），是目前已知的日本翻刻的第一部中國醫籍，也是日本博多本的代表作，本身具有很高的版本價值。其底本是明成化三年（一四六七）熊氏種德堂刻本，翻刻本連原刻本的牌記都原樣照刻，而原刻本國内已無存。有學者曾將該翻刻本與日本藏明成化三年原刻本對比，認爲二者的版式、行款俱同，從該和刻本還可以窺見原刻本之面貌。該和刻本後有日本著名學者幻雲壽柱的校勘記，這是中日醫學交流的重要見證。

范行準先生因明季西洋傳入之醫學一書蜚聲學界，其藏書中亦不乏中西匯通著作，如徽牘八編·内鏡收載了一些西方傳入的解剖生理學知識，是現在所知最早的中西匯通醫書，國内僅兩家圖書館有藏，亦屬珍貴。近年來，該書引起學界關注，屢被引用，但對其系統的研究工作還有待開展。

栖芬室藏書中，還有一些醫學學術價值雖然不高，但却能據以了解醫學在市井平民間傳播方式的普及性書籍，繡像翻症即屬此類。關於該書，范行準先生曾在栖芬室架書目録按曰：『「翻症」之自來未聞，嘗殫思不得其解，頃重整書目，又觸及此書，忽悟「翻」乃「番」之借字，諸言霍亂由外番傳入，故亦稱「番痧」。而因患者嘔吐猝倒，北方稱爲翻倒，因有「翻症」之稱。』該書後附售賣各種成藥的名單，因而范行準先生『疑亦當時藥肆宣傳品』。書中用動物和人的形象表示疾病的症狀，如『烏鴉狗翻症』上方繪一鴉一狗，下方繪一跌倒地上、口吐穢物的病人。文字則書寫症狀、治法，形象生動。中國中醫古籍總目收載有該書的三種版本，最早爲同治年間刊本，本次影印者爲更早的咸豐元年文林堂刻本，爲中國中醫古籍總目所漏載。

在第一輯的前言中，我們已對范行準先生和栖芬室藏書做了介紹，但是在本項目即將完成之際，仍情不自禁感念先賢保存中醫古籍的豐功偉業。范行準先生出身貧寒農家，本是放牛娃，斷續讀過兩年小學，靠自學考入上海國醫學院，在師友接濟下才得以完成學業。寒門子弟，本應與藏書家的名號無緣。但是，范行準先生對醫史文獻研究産生了濃厚興趣，爲此他開始搜求醫籍，以供學術研究之用。抗日戰争爆發後，珍貴圖書散落市井，他又『念典章之覆没，感文獻之無徵』，終日流連於書肆冷攤，節衣縮食，不惜典當借貸，購買醫籍，竟憑一己之力，使大量珍貴醫籍免遭兵燹之厄，存留至今，爲我們所用。

范行準先生是公認的藏書家，但他却不願以此自詡，他説：『有人曾經稱我爲藏書家，老實説我是不太喜歡這個詞的，我認爲「書」是供人閲覽和參考，而决不是讓人來觀賞的，否則無論多麽珍貴的書都會成爲一堆毫無價值的廢紙。』中國傳統的藏書家往往將自家藏書作爲案頭的清供與把玩件，不輕易示人，但范行準先生則視『書物爲天下公器』，在自己頭腦尚清醒之時，即將栖芬室藏中醫典籍悉數獻出。這些藏書不僅價值連城，而且耗費了他畢生心血，亦讓他在感情上難以割捨。他説：『這些書籍跟隨了我三十餘年，它們和我朝夕相處，是我的良師益友，我也把它們當作自己的孩子來愛護，現在讓我一下子離開它們，我心中自然是异常地難捨難分，但是在我有生之年能够看到我酷愛的書籍將爲整個社會、整個中醫事業做更大的貢獻時，我感到無限的幸福和光榮。』

『爲整個社會、整個中醫事業做更大的貢獻』是范行準先生生前的崇高願望，棲芬室藏中醫典籍精選的整理出版，正是以實際行動繼承范行準先生的遺志，以期爲發展中醫藥事業貢獻力量。

棲芬室藏中醫典籍精選總計三輯，它能够順利出版，有賴國家古籍整理出版專項經費的資助，中國中醫科學院中醫藥信息研究所領導和各位專家的支持，以及古籍研究室同事和北京科學技術出版社編輯的辛勤工作。在此一并致謝！

牛亞華

二〇一七年十一月九日於中國中醫科學院

目録

栖芬室藏中醫典籍精選·第三輯

衆妙仙方

提要　牛亞華

内容提要

衆妙仙方係明代官吏馮時可編纂的一部方書。作者馮時可（一五四六——一六一九），字元成，又字元敏，號敏卿，又號文所，華亭（今上海市松江區）人，其父是明代著名御史馮恩。馮恩（一四九一——一五七一）爲嘉靖五年（一五二六）進士，曾因上折譴責大學士張孚敬、方獻夫和都御史汪鋐奸佞不法，觸怒皇帝，被打入死牢，在死刑復審時，拒絶向主審御史汪鋐下跪，而有鐵口、鐵膝、鐵膽、鐵骨之『四鐵』御史之稱。後幸免於死，被流放至廣東雷州，於一五四〇年前後被允許返回故鄉居住。因善於經商，成爲巨富，晚年以大理寺丞致仕。

馮時可是馮恩第八子，隆慶四年（一五七〇）鄉試中舉，隆慶五年（一五七一）連中進士，萬曆二年（一五七四）進京任刑部主事，萬曆九年（一五八一）改任貴州副憲，兩年後因病去職，在鄉賦閑八年。其一五九一年又出任四川提學副使，旋改粤西清軍副使，萬曆甲午年（一五九四）任湖廣按察副使，一五九六年任浙江按察副使，一五九八年秋歸里賦閑。八年後馮時可再次出仕，先後任雲南布政司右參議、湖廣布政司右參政，在萬曆丙辰年，再次左遷貴州參議，歸家後三年而卒。其一生沉浮宦海四十餘載。

馮時可交游甚廣，與王世貞、汪道昆、湯顯祖、黄汝亨、鄒元標等均有過從，與邢侗、王穉登、李維楨、董其昌等結爲文學『中興五子』。一生勤於著述，僅詩歌即達二千餘首，著作計有數十種，主要有藝海洞酌、左氏釋、雨航雜録、篷窗續録、滇行紀略、林間社約、馮元成選集等，可謂豐産作家。但後世對其學術成就評價不一，有人將其與王世貞、李維楨并列，譽爲晚明『三先生』；亦有人不以爲然，錢謙益詆其『學問尤爲卑靡，踳駁補綴』。馮時可還編著有醫書二種，除衆妙仙方外，尚有上池雜説。

衆妙仙方於史志書目罕有記載，據中國中醫古籍總目，該書現存三種版本，分别爲明萬曆二十三年乙未（一五九五）刻本，明萬曆二十四年丙申（一五九六）馮時可自刻本以及不具年萬曆刻本。三種版本無論是序文還是内容，均有不同。本次影印者爲不具年萬曆刻本。

該刻本前有『重刻衆妙仙方叙』，曰：『會僚長平陵史公重刻衆妙仙方一書，書成自雲間馮觀察君，而梨行西粤，兹再校讎付剞劂，屬余弁諸首。』落款題『賜進士中奉大夫浙江布政司右布政使……温陵洪啓睿叙』，不具年月。洪啓睿（一五五六——一六一六），字爾介，號訒原，福建南平英都人，萬曆十三年進士，萬曆三十三年十一月任浙江布政司右布政使，萬曆三十六年七月升任左布政使，叙中還提到曾爲錢氏人鏡經作序，該序作於萬曆三十四年，由此推知，衆妙仙方重刻於萬曆三十五至三十六年間，也即一六〇七——一六〇八年。又據『梨行西粤』，知所據底本爲廣西之刊本。

洪啓睿序後是馮時可自序，言及著述經過：『往不佞居里，鄒爾瞻氏自白下以簡便方遺之，曰：「願以是廣仁術也。」不佞拜受而笥藏之已。居粤涪陵，方伯文公又惠救急易方，用療所苦，罔不瘳。是年兩粤間沴大戢，憿溷腐濁之氣，中人膚也，往往致濕造熱，令人内若結轖，而外若被酲，先後斃者，幾以澤量，梏櫝積如棊矣。』然而，『粤俗争尚鬼，病則傾橐事祫禳，不急醫，即醫亦多耳學臆斷，不程方。無論内經・靈樞、玉函、金匱與夫桐君所録、雷公所記莫之探，即近代劉朱數家所銓綜者，亦漫不省爲何物。民不幸爲二豎所虐、六賊所侵，不以其身委於茫寐不可測之神，則以其身試於庸下不可托之醫，其能成三折而起一匕者，何幾哉？不佞往以童子侍先廷尉，得案上一帙，嘗操以自衛，茲復參以二書，薈蕞成集。念粵無良醫，不敢秘也，謀付諸劂氏廣其傳，命曰衆妙仙方，襲先名也』。落款爲『賜進士第中憲大夫廣西等處提刑按察司副使吴郡馮時可撰』，同樣不具年月。

據該序文知，馮時可在廣西發現該地人民迷信鬼神，缺醫少藥，認爲作爲地方官，有責任造福一方，於是據其父馮恩所遺衆妙仙方，并參簡便方、救急易方編成是書，仍名衆妙仙方。由此可知，該書首刊應在其任職於廣西時，即當在一五九一年任廣西按察司副使之後到一五九四年任湖廣按察副使之前。

衆妙仙方一五九五年刻本，也有作者自序，言：『不肖生得鄒爾瞻氏及方伯文所惠二書，梓之西粵，西粵素無良醫，用是方而投之劑，往往劇者以愈，死者以生。其後移治鄖襄，其地亦罕良醫，衆庶而有疾，多拱手不治，而依託於神巫，弊鼓喪豚，曾莫之惜。郡大夫雲南楊君患之，請於予……使君能以嘉惠粵西，其獨不能嘉惠鄖襄，遂出是編，付之剞劂。』該序落款爲『湖廣布政使司右參政』，時間爲『萬曆乙未冬十月上浣』。由此可知，一五九五年刻本是其在湖廣任上時所爲。據上文知，該書在廣西確實曾刊刻過，因鄖襄之地亦罕良醫，於是再次刊刻。

范行準先生栖芬室所藏爲廣西初刻本之重刻本，也即所謂的萬曆刻本，該書共四卷五十七門，卷一包括補養、子嗣、稀痘、痰嗽、瘧疾、鬚髮、齒牙、脾胃、痢疾、泄瀉、霍亂、肚腹、痞滿、腫脹、噎膈、嘔吐、咳逆、哮喘、癲癇、咽喉等二十門，卷二有諸風、諸寒、中暑、中濕、黄疸、下血、吐血、出血、遺精、淋濁、疫瘴、諸瘡、眼目、耳、鼻等十五門，卷三含諸毒、諸蟲、折損、危急、體氣、心氣、疝氣、脚氣、痔漏、大小便不通、頭痛、腰痛、脅痛、雜治、産門、婦人雜病、飲食、衣服、雜事、六畜等二十門，卷四只有治痘、小兒雜治、補遺三門。從内容看，本書不僅涉及脾胃、諸風、中暑、咳嗽、哮喘、頭痛等常見疾病，而且載有較多的瘧疾、瀉痢、諸毒、疫瘴、諸蟲等地方性疾病，其中包括多種蛇、蟲、猫、狗咬傷的治法，還有判斷狂犬的方法，有很强的地方特色。所收方藥，除了通行的經驗方外，也有罕見於前代及同時代方書者，如卷一所收五子衍宗丸、玄兔方、六合全鹿丸等，更多的是簡便驗方。此外，該書還有關於飲食相忌相宜、衣服污漬去除等日常生活中應該注意的問題，表明作者希望對落後邊遠地區人民進行生活指導，以使其避免疾病、增强體質。總之，該書收載了一些不見於前代的方劑，對研究明代方劑發展有較高價值；又由於該書針對廣西缺醫少藥的偏僻之地所編纂，有較强的地域特點，其對於了解明代該地區的疾病流行情況、用藥情況亦有幫助。

栖芬室藏本與一五九五年刻本，内容有一定差别。首先，門類數量不同，後者爲六十門，較前者多出卷一咳逆、癆瘵，卷二癰疽，總計三門。其次，同一門類下所收方劑種類數量亦有差别，如卷一補養門，後者多出龜鹿二仙丹等十一首方劑，但是，前者的五仙丸則被删去；子嗣門中，前者所收全鹿丸、固本丸不見於後者；稀痘門中，後者新增了稀痘散。其他各門也互有出入。顯然後者是經作者補充修訂過的，前者反映了該書初版的原始樣貌。後者已於一九八七年、二〇一二年影印出版，本次影印者爲初刻本之重刻本，該版本對於了解作者編纂過程、版本演變以及版本的互校均有價值。

牛亞華

重刻衆妙仙方敘

自余待罪浙藩謬以不文爲役先後敘醫集凡再見其一爲萬閩帥家刻良方其一爲錢醫叟人鏡經語不啻贅矣

會僚長平陵史公重刻衆妙
仙方一書書成自雲間馮觀
察君而梨行西粵茲再校讎
付剞劂氏屬余弁諸首業受
命顧自惟方書之前民用利

民生固也士大夫經術經濟
惠養元元當自有大于此者
公輒爲之更其梓余亦不辭
而娓娓稱說也何居則又爲
之解曰夫士大夫言經術是

經亦不廢術也言經濟則期
以濟人而止濟之所逮秉權
藉勢而行濟之所不逮權不
能周勢不能被必借術以通
其窮俾人得循方而自取以

濟焉語云仁術云仁之方儻其意亦有合歟在昔神黄二帝生當鴻蒙百務未興而屑屑于嘗草茹荼之是急至以身試毒而生死百變此其意

近愚事近怪無亦天生至人以佐造化之不及防民生之必至而二聖人善承天意謂經綸法制代異世殊後有作者不難以義興起而獨是陰

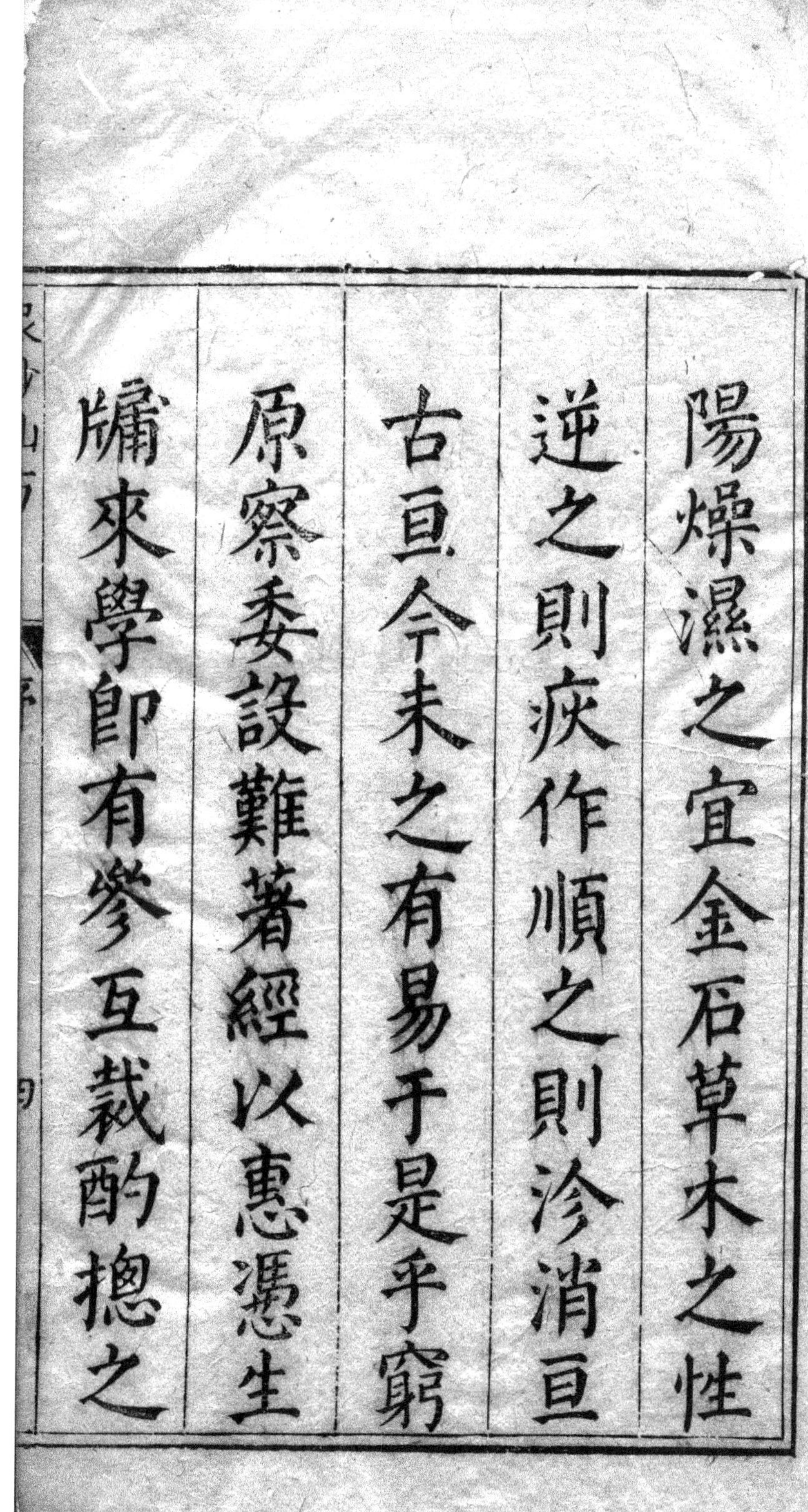

陽燥濕之宜金石草木之性逆之則疢作順之則沴消亘古亘今未之有易于是乎窮原察委設難著經以惠憑生牖來學即有參互裁酌揔之

衆妙仙方　序　四

不離乎方者近是故雖以夫子之聖焉而疾聞其慎不聞其能却也聞其未達不嘗不聞其達而必吐也後人率輕其義既不能防未然追其疾

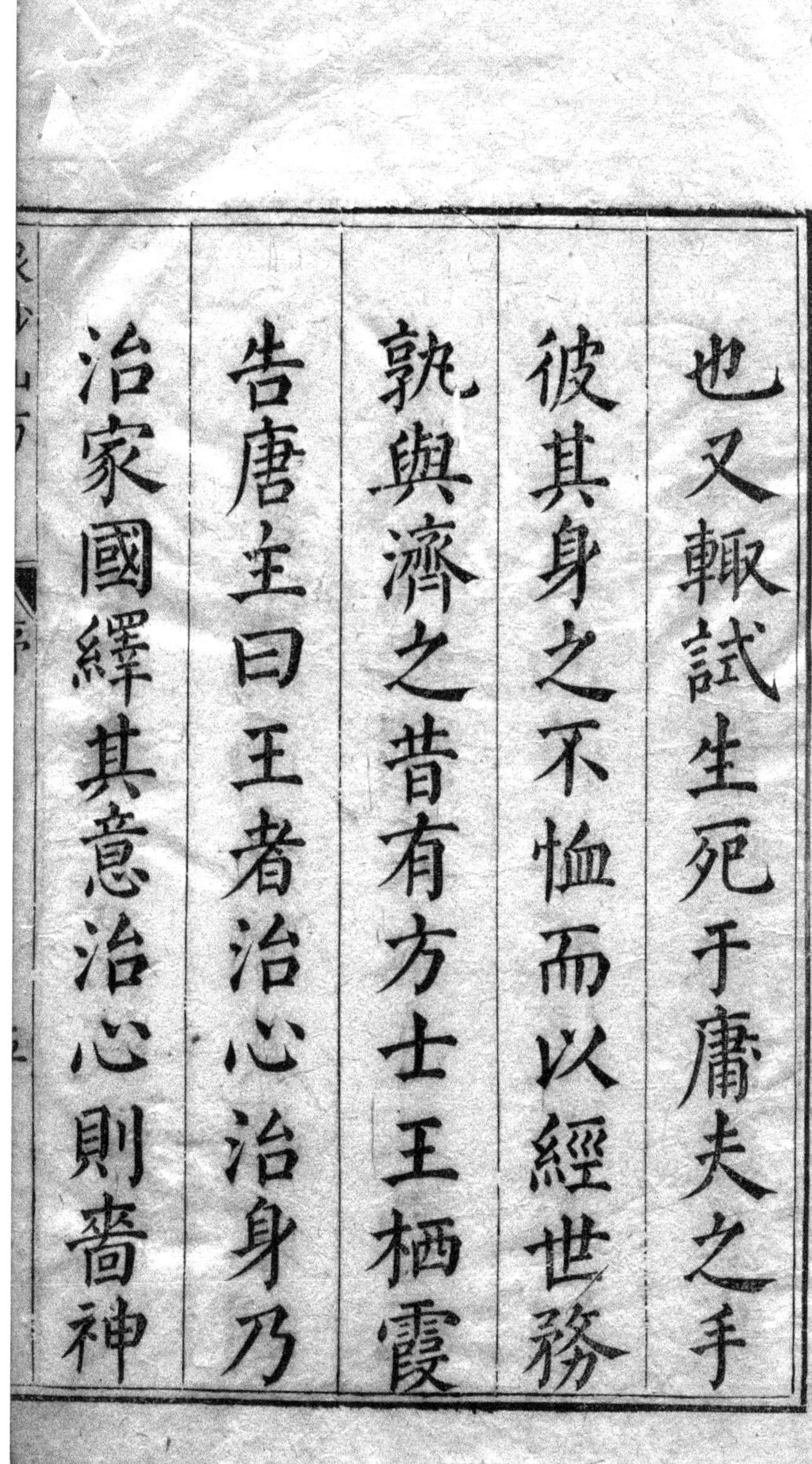

也又輒試生死于庸夫之手彼其身之不恤而以經世務孰與濟之昔有方士王栖霞告唐主曰王者治心治身乃治家國繹其意治心則嗇神

寡欲是矣治身豈其廢醫療
而耑熊經鳥申之爲快哉彼
方術也而言通家國然則醫
亦天下之至要已公少以明
經魁于鄉舉進士讀書中秘

揚袖省垣勸施四方之績爛焉頃拜同卿鷂首且發而拳拳是書不欲秘為篋中之藏無亦念此幷州嘉惠元元無窮已歟書曰重刻志所自也

仍其名不襲美也曰方循迹師意愚智之士皆可由也余無似辱從公後經術經濟遠孫萬萬獨于治身治家國之義不敢菲薄因爲之敘畧若

此
賜進士中奉大夫浙江布政司
右布政使前兩奉
勅巡視海兵邊儲按察使提督
學校副使禮部祠祭司郎中

温陵洪啓睿敘

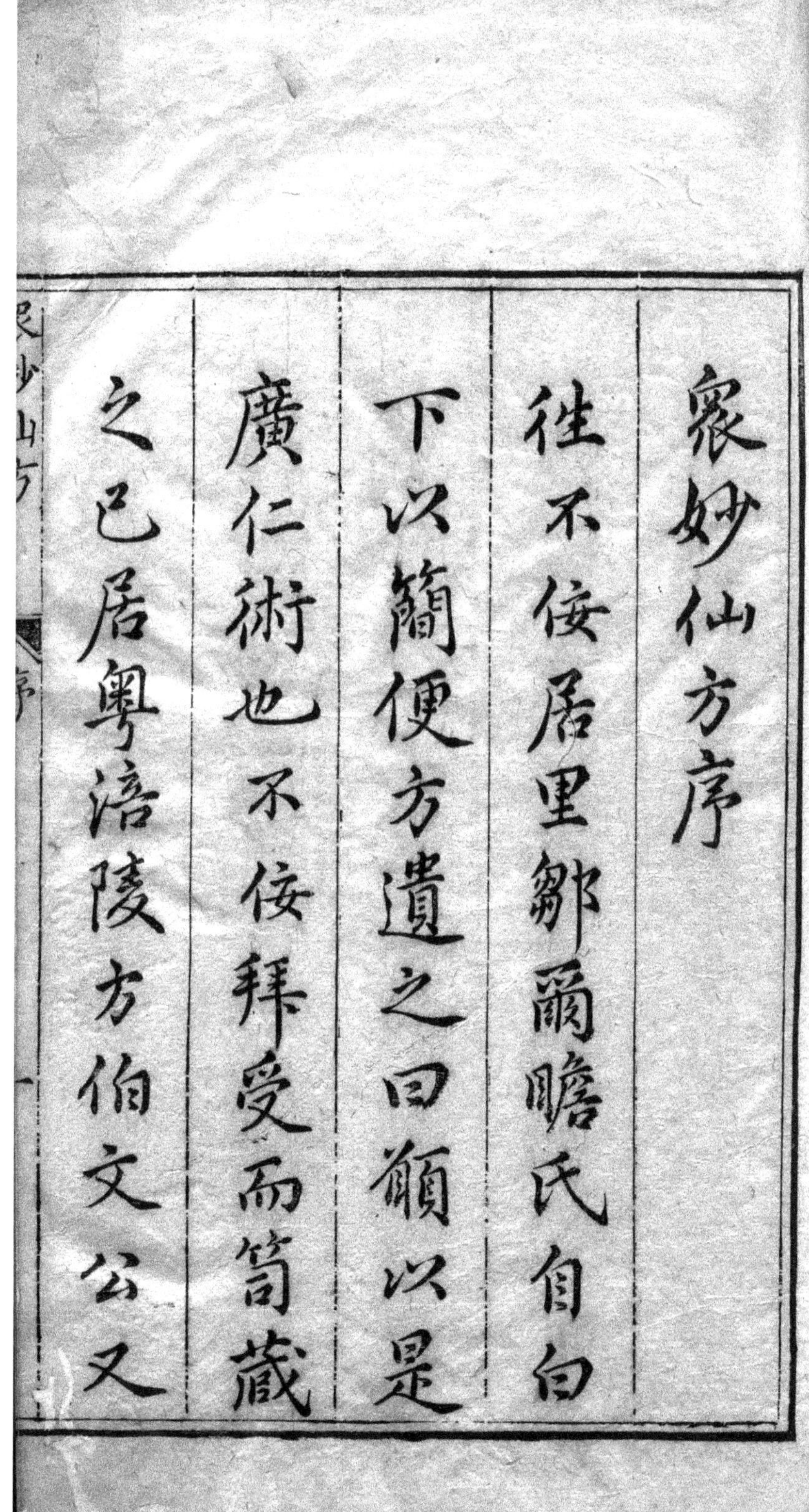

衆妙仙方序

徃不佞居里鄒爾瞻氏自白下以簡便方遺之曰簡以是廣仁術也不佞拜受而笥藏之已居粵涪陵方伯文公又

惠救急易方用療所苦罔不瘳是年兩粵間沴大發憿涵腐濁之氣中人膚也往往致濕造熱令人内若結轖而外若被酲先後斃者幾以澤量

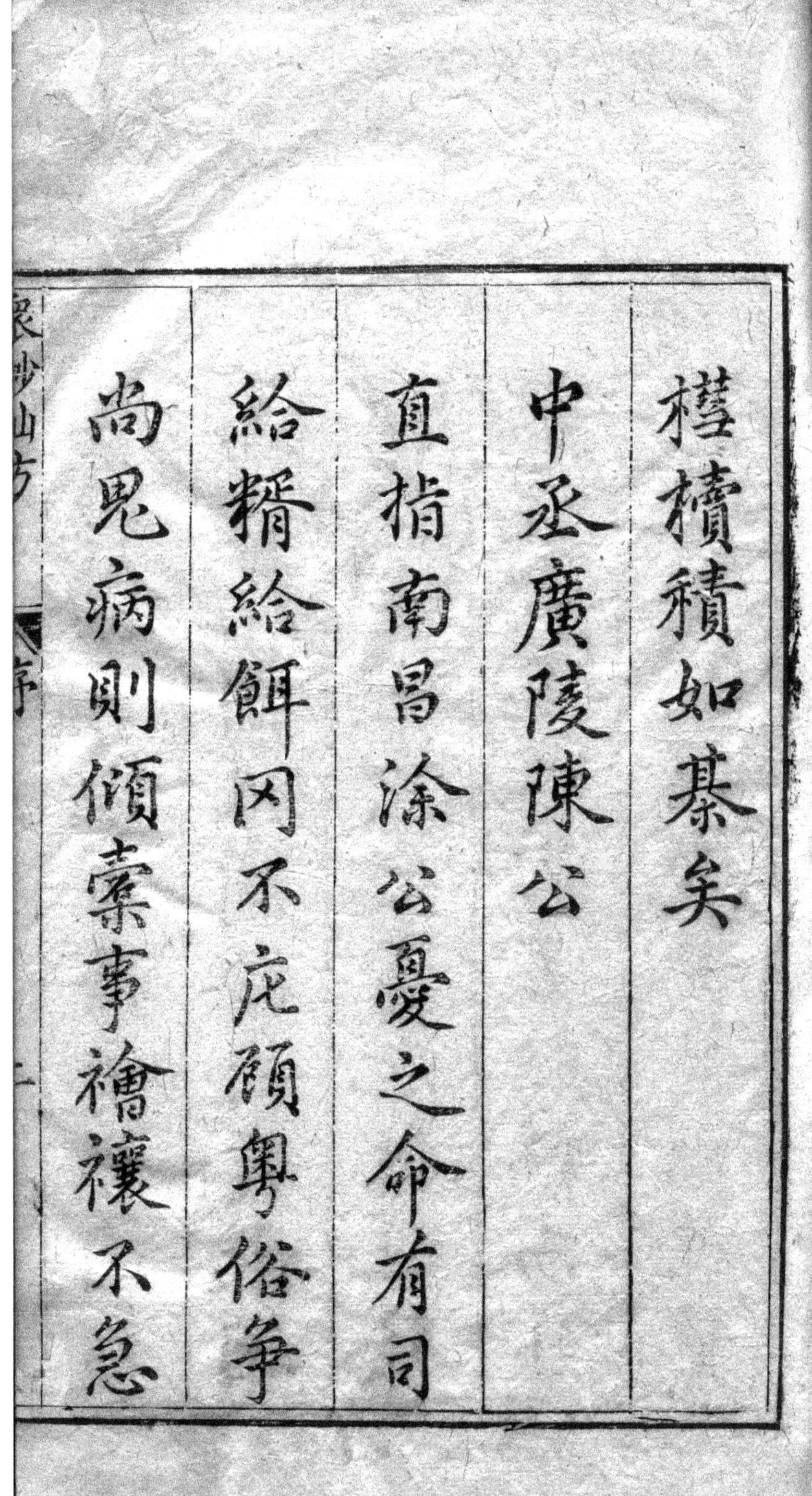

槥櫝積如棊矣
中丞廣陵陳公
直指南昌涂公憂之命有司
給糈給餌罔不庀顧粵俗爭
尚鬼病則傾橐事禬禳不急

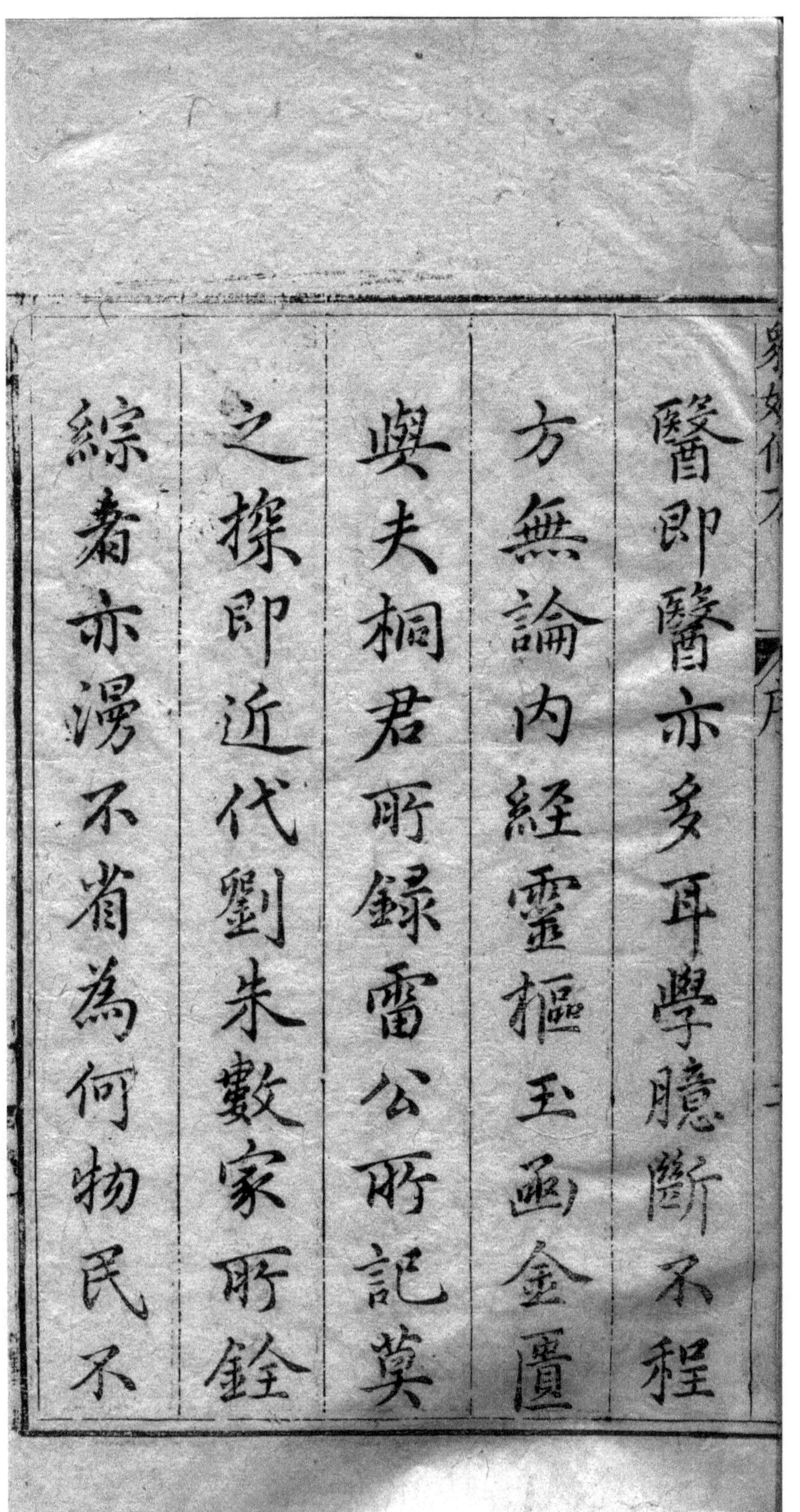

醫即醫亦多耳學臆斷不程方無論內經靈樞玉函金匱嬰夫桐君所録雷公所記莫之探即近代劉朱數家所銓綜者亦漫不省為何物民不

幸為二豎所虐六賊所侵不以其身委於茫寐不可測之神則以其身試於庸下不可托之醫其能成三折而起一亡者何幾哉不佞往以童子

侍先廷尉得案上一帙嘗橼以自衛茲復參以二書薈蕞成集念粤無良醫不敢秘也謀付諸剛氏廣其傳命曰衆妙仙方襲先名也嗟乎良醫

病萬變藥亦萬變以定方而待無定之證又以偏方而廢全備之方病惡乎已妙惡乎見雖然灑水薙草不稱妙乎醫之妙者察脉如望氣接劑

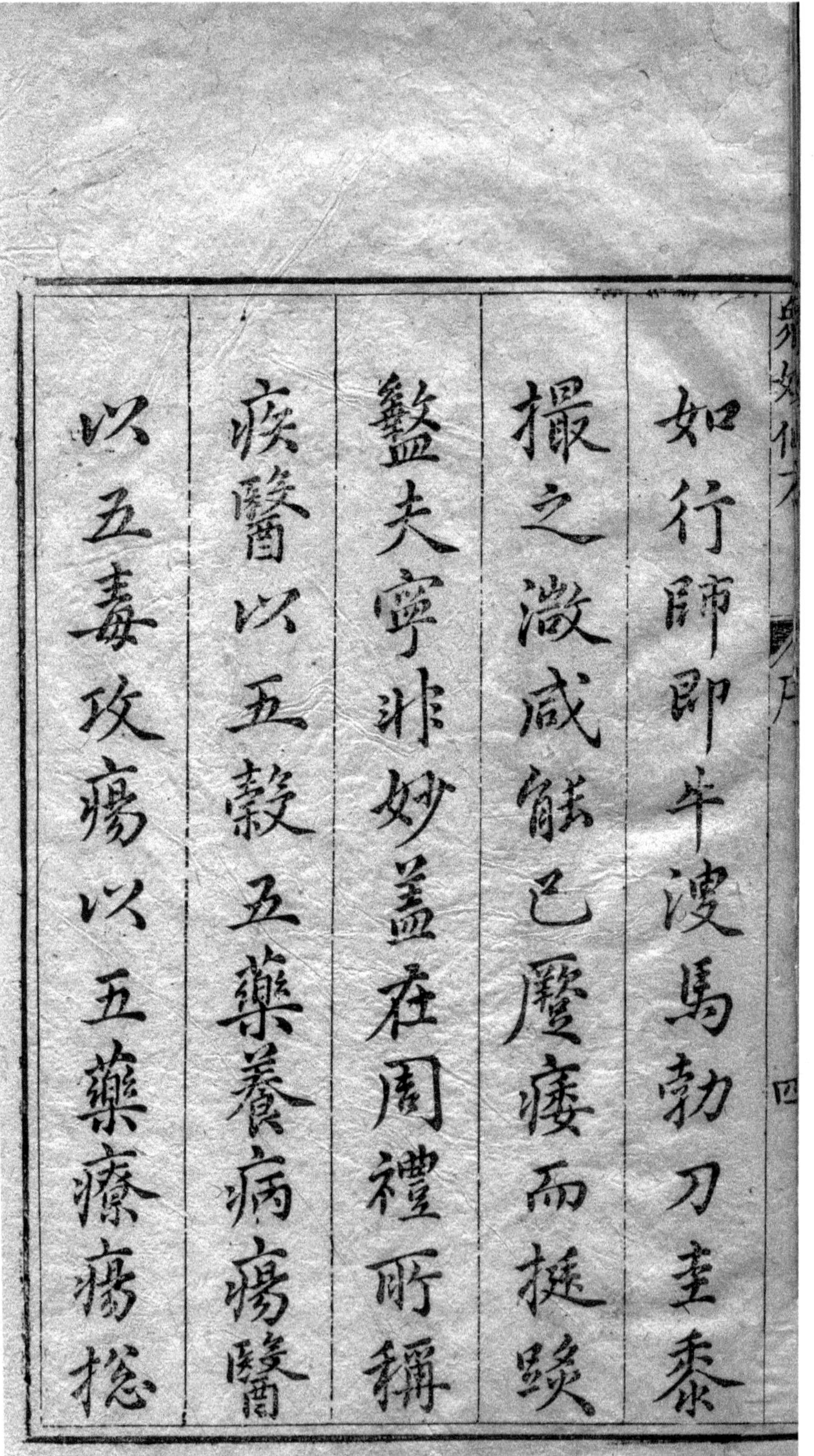

如行師即牟渡馬勃刀圭黍撮之微鹹能已癭瘻而挺跋盭夫寧非妙蓋在周禮所稱疾醫以五穀五藥養病瘍醫以五毒攻瘍以五藥療瘍總

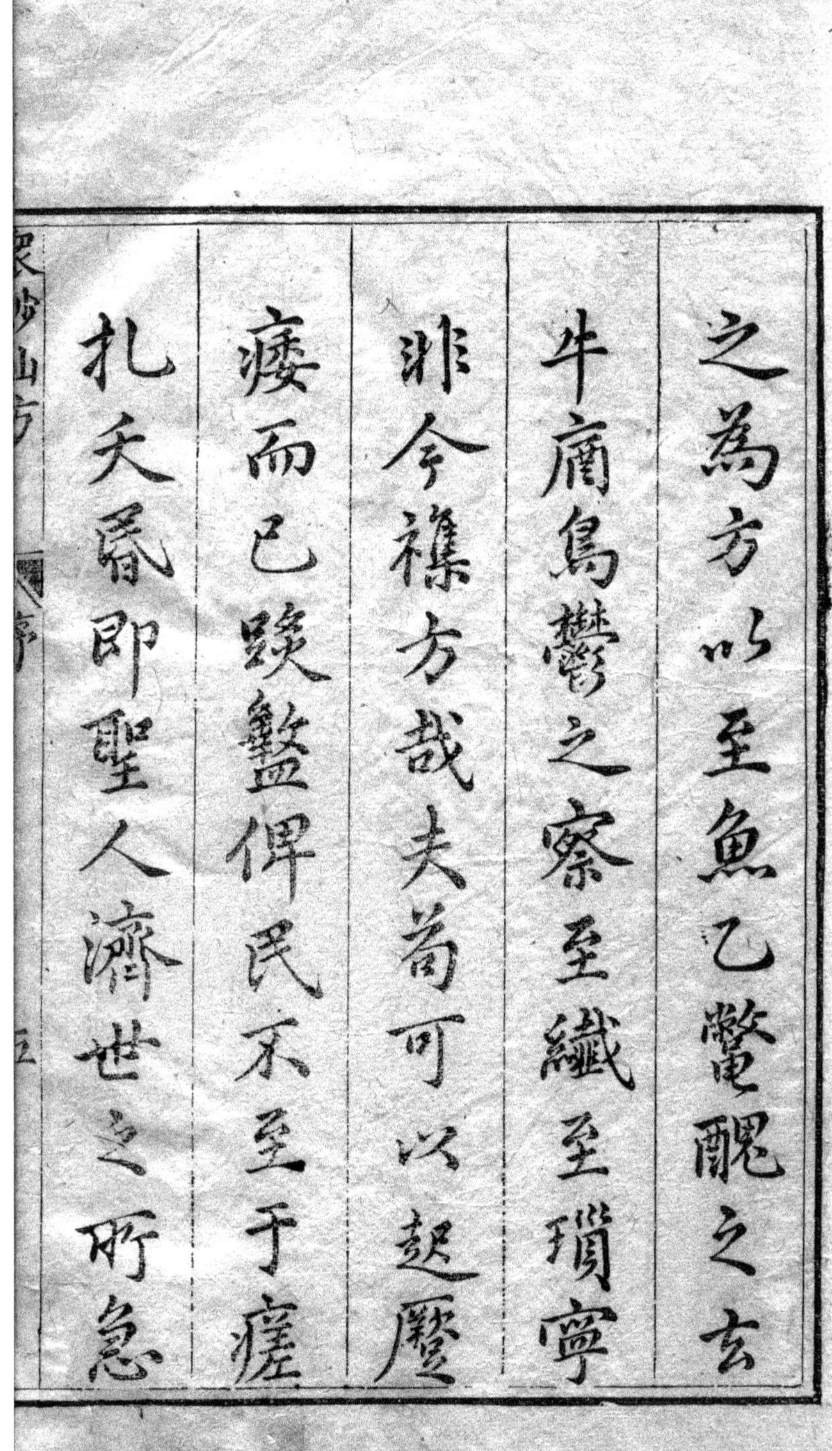

之爲方以至魚乙鼈醜之玄牛膚鳥鬱之察至纖至瑣寧非今襍方哉夫茍可以起廢瘻而已蹊盭俾民不至于瘥札夭昏即聖人濟世之所急

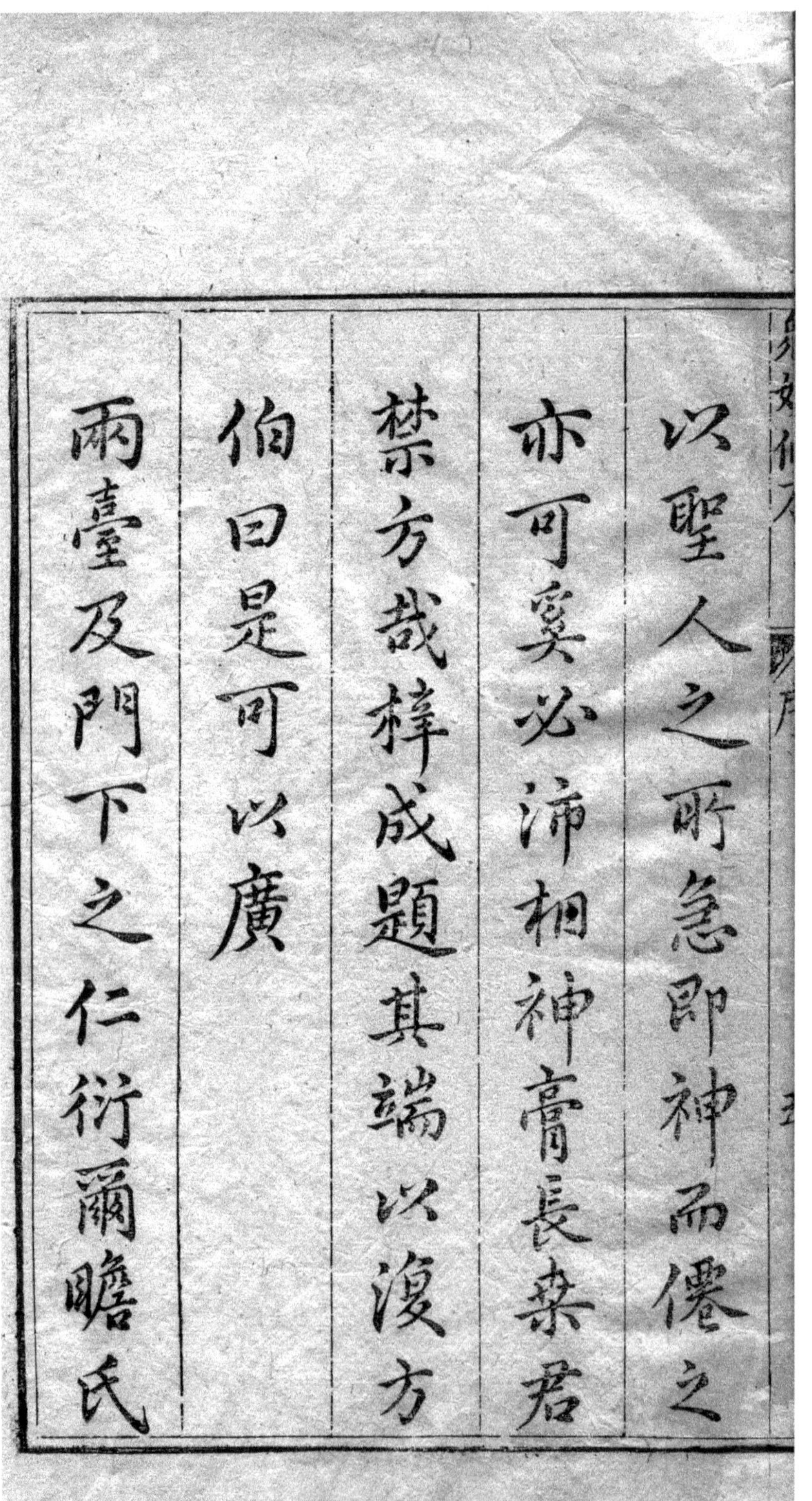

以聖人之所急即神而僊之亦可冥必沛相神膏長桑君禁方哉梓成題其端以澓方伯曰是可以廣兩臺及門下之仁衍爾瞻氏

之術矣督梓者爲周守裔先
徐司理恬二君先後校閲惟
謹且不惜朱提以佐費亦仁
者事皆可書也
賜進士第中憲大夫廣西等處

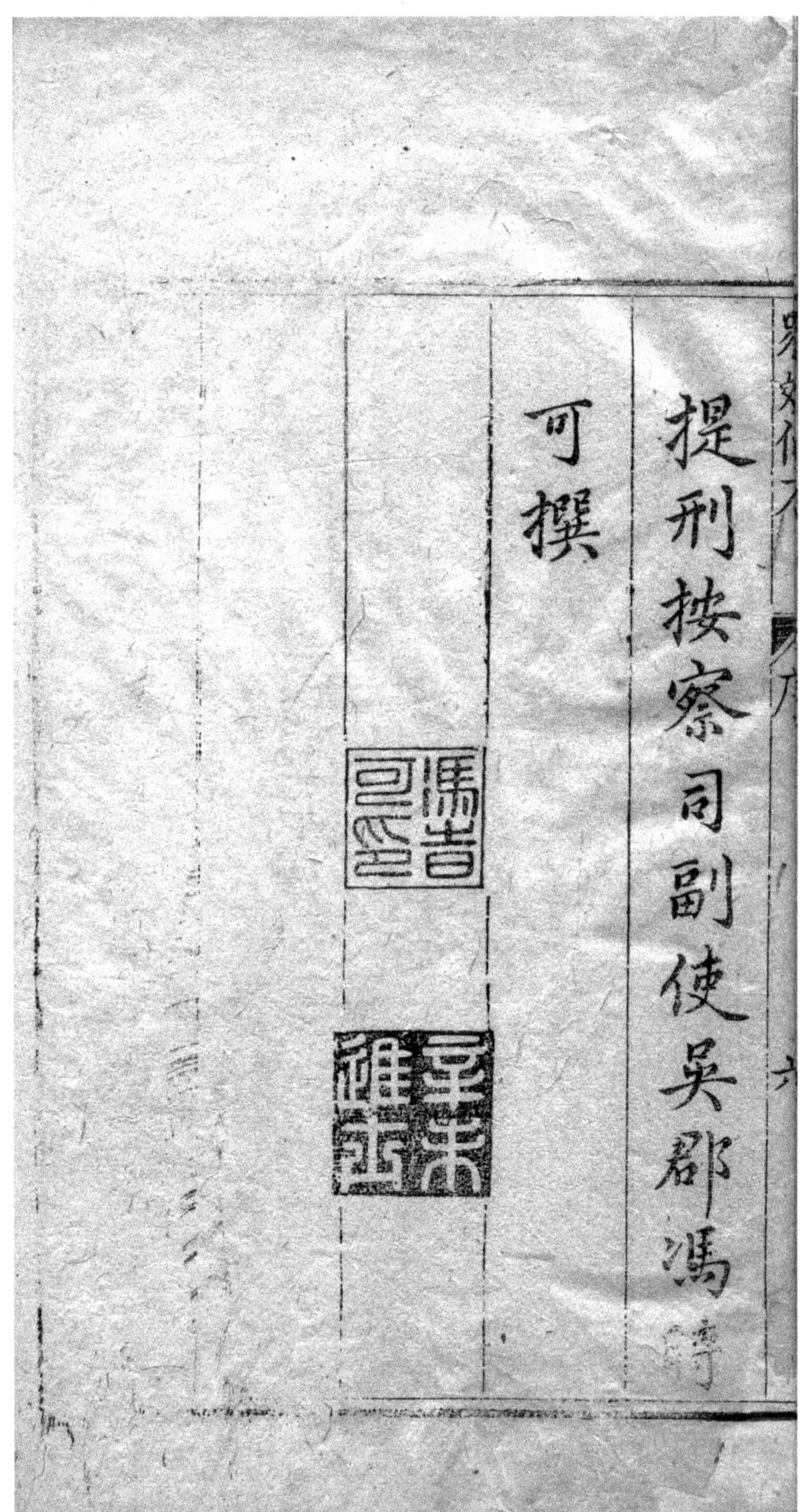

提刑按察司副使吴郡馮時

可撰

衆妙仙方目錄卷之一

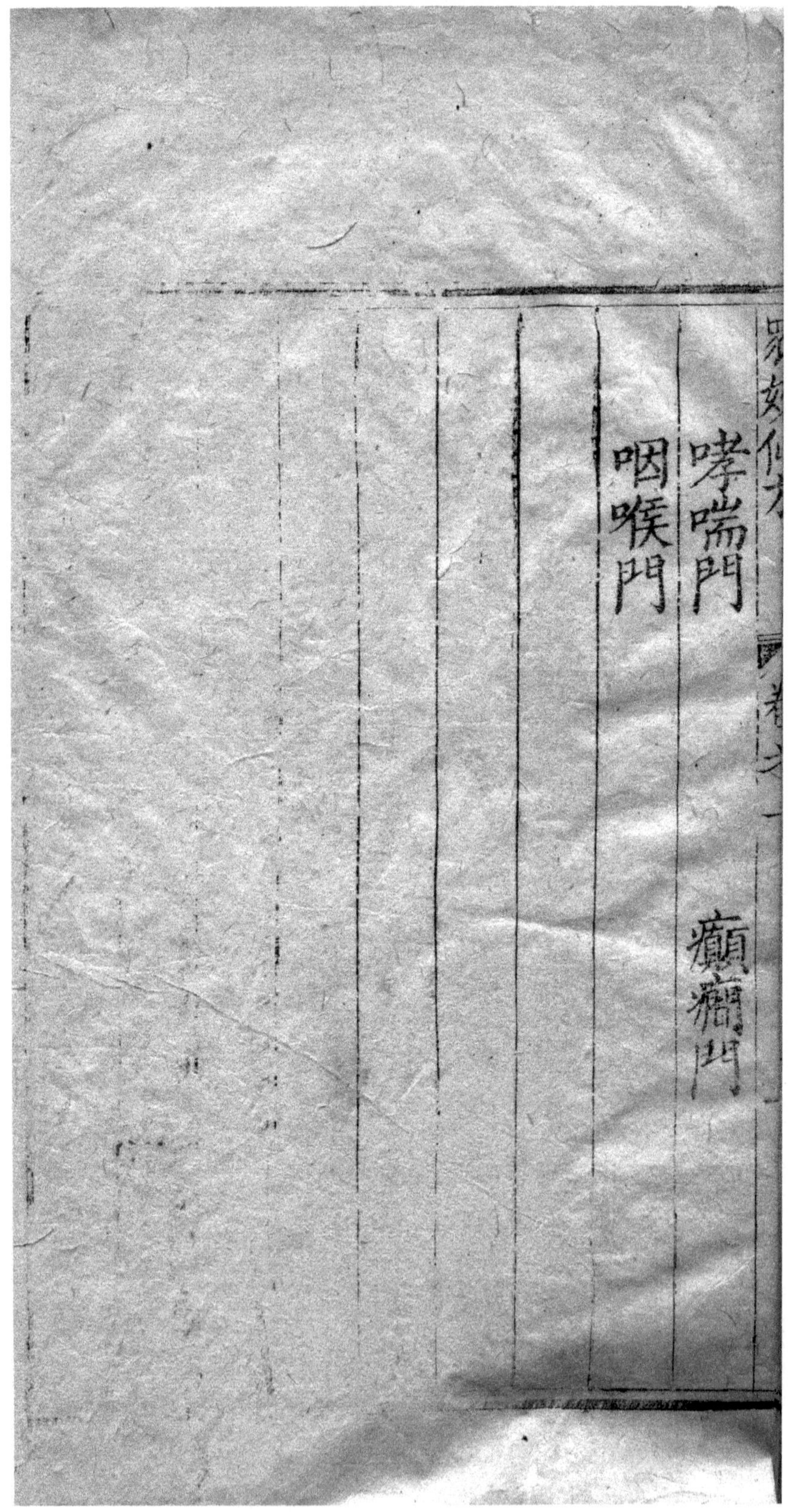

眾妙仙方　卷之一

哮喘門　癲癇門

咽喉門

衆妙仙方卷之一

補養門

松梅丸 饑腸健體

松脂一斤煉熟者 懷慶地黄十兩酒蒸 烏梅六兩淨肉

右丸空心米飲鹽湯任下　此方得之南京部林尚書夫人者自云西域異人見惠服無虛日且諸士夫服餌最能加飲食致身肥健小便清大便潤及精神不倦本草云松脂味苦甘溫無毒安五臟除熱去胃中伏火咽乾

消渴久服輕身不老聰耳明目固齒潤肺辟邪氣去歷節風癘風酸痛不可忍須得明淨者十餘斤先以長流水入砂鍋內桑柴火煮拔三次再淋桑灰汁仍煮七八次扯拔又用好酒煮二次完則以長流水煮過一次扯拔色白味不苦澁爲度陰乾入石臼內木杵搗取淨末依方配合再搗一日作丸須要日乾乃佳　熟地黄味甘無毒填骨髓補五臟不足及男女勞傷通血脉益氣力利耳目一名

地髓久服輕身不老黑髮增壽服此味須忌三白禁銅鐵器取沉水者佳晒乾秤用以清酒洗淨木甑砂鍋蒸半日入臼搗用　烏梅肉味酸平無毒能下氣除熱安心神療肢體痛生津液及好睡口乾去痺消痰治骨蒸虚勞羸瘦解煩毒故東垣有言凡酸味最補元氣謂其有收之義耳取潤大者三五斤以溫酒洗甑內蒸熟去核取肉搗和前二味成丸

四聖不老丹

好松脂透明者一斤四兩以無灰酒砂鍋內桑柴大煮數沸竹枝攪稠粘住火以磁瓶盛水傾入水内結塊又復以酒煮之九遍一日煮乾次日亦如是如此者三日通計二十七遍其脂瑩然如玉嘗之不苦不澁乃止為細末淨用十二兩凡煮脂不宜酒少少則易乾焦煮之三分之二就可傾入水 白茯苓去皮為細末淨用八兩 黃菊花家種味甘者去梗蒂淨八兩 栢子仁去殼紙裹槌去油淨八兩

右四味如法製末煉蜜為丸如梧桐子大每服七十二丸清晨好酒送下修合時必擇天醫黃道吉星毋得婦人雞犬見之服藥亦擇吉日服之此方雲陽王都憲五一翁所傳云

渠方伯陝西時授之一總戎總戎年九十餘自幼服此精力倍加胃氣强健飲食日增壽故彌長秘而不傳翁懇得之如法服之不間寒暑今年八十有六矣行步不節與人而談論亹亹飲酒可百盞飯碗許而羞饌果核盡其廣遍嘗之不輟口且室御數女皆能有子人以仙稱之

烏龍丸　四川何總兵常服

九香蟲一兩半生半熟　車前子四錢微炒　陳皮四錢　白朮五錢

杜仲 八錢 酥炙

右為細末煉蜜丸如梧桐子大每服一錢五分鹽白湯或鹽酒送下空心服臨卧仍服一次尤妙此方有大奇效能理膈間之滯氣助肝腎之虧損久服延年妙在九香虫一物其虫一名黑兠子如小指頂大產在貴州赤水衛河中至冬伏於石下取之其地方居人多有收者此虫驚蟄後即飛出不可用

女真丹

冬青子本草謂之女貞實去梗葉酒浸一晝夜粗布袋擦去皮晒乾爲末待有旱蓮草出時多取數石搗汁熬濃丸前末如梧桐子大少則以蜜煉過加入其功不旬日使膂力加數倍又能變白髮爲黑强腰膝强陰不走初服後便能使老者無夜起之功每夜酒送一百丸

牛髓膏

人參四兩　白茯苓四兩　山藥四兩　杏仁二兩去皮尖　甘枸

杞四兩 當歸三兩酒洗 白朮土炒一兩 胡桃仁半斤去皮

右為末用白沙蜜一斤真黄牛髓一斤将牛髓溶開入前藥末和匀入磁器内盛之𦉪口封固用文武火湯鍋内煮一晝夜至天明取出安地上冷定三日後可用每服四五錢空心清米湯調服

補腎丸

何首烏赤白各二斤 牛膝四斤 黑豆一斗将竹刀刮去何首烏粗皮

剉成片用柳木甑入三品藥層層相隔慢蒸要如黑膏為度去豆與牛膝仍磨成粉一斤

(用人乳拌晒二斤方止)兎絲子(用好酒煮去皮淘淨一斤晒乾磨成粉聽用)用石蓮肉(二兩)五味子(二兩)鎖陽(二兩)山茱萸(二兩)蓮蘂(三兩)煎汁拌兎絲子晒乾止用兎絲子餘藥不用　沙苑蒺藜(三兩乳浸)仙茅根(四兩)枸杞(四兩)補骨脂(二兩)杜仲(二兩薑汁炒)人參(六兩乳浸)覆盆子(二兩)五加皮(二兩)敗龜板(五個)秋石(二兩)鹿茸(二兩)栢子仁(二兩)核桃肉(三兩)男女紫河車二具　鹿霜(二兩)虎脛骨(二兩)砂仁(二兩已上為末)生地(一斤)熟地(一斤)黃栢(半斤)肉蓯蓉(四兩)牡丹皮(二兩)

衆妙仙方　卷之一　五

已上五味熬膏加蜜少許丸前藥末如桐子大每服四錢白湯早上送下此方郭少卿得之武當全真道人郭自六十服之至今幾九十大得其效

八寶丹

何首烏赤白各一斤用竹刀刮去粗皮米泔水浸一宿用黑豆二斗每次用豆三升三合三勺用水泡漲將豆鋪一層何首烏一層重疊鋪足用砂鍋蒸之豆熟為節將豆屏去何首烏晒乾如此九次為末聽用

赤茯苓一斤用竹刀刮去粗皮為末用盆盛水將末傾入水內其觔膜浮在水面者撈而棄之沉在盆底者留用如此三次濕團

為塊就用黑牛乳五碗放砂鍋內慢火煮之候乳盡入茯苓內為度仍研為細末聽用

白茯苓一斤製法同上亦濕團為塊就用人乳五碗放砂鍋內煮之候乳盡入茯苓內為度仍研為細末聽用 川牛膝八兩去蘆酒浸一日俟何首烏蒸七次將牛膝同鋪黑豆內蒸之至第九次上晒乾研末聽用 破故紙四兩用黑芝蔴炒以芝蔴熟為度去芝蔴研末聽用 當歸八兩酒浸晒乾為末聽用 懷山藥四兩研末聽用 枸杞子八兩酒浸晒乾研末聽用 兎絲子八兩酒浸生芽研為泥晒乾為末聽用

以上俱不犯鐵器煉蜜為丸先丸如大彈子大者一百五十九每日三丸清晨酒浸一丸

午薑湯一丸晚鹽湯一丸餘為梧桐子大每日清晨五十七丸酒與鹽湯任下烏鬚延壽極有效驗

太極丸　人五臟配天五行一有不和則為疾藥有五味各主五臟可使調和故曰太極

知母屬金主清潤肺金苦以降火佐黃栢為金水相生之理去毛酒浸一宿晷炮為淨末二兩四錢　黃栢屬水主滋腎水苦以堅精去皮鹽酒浸三日晷炮褐色為淨末三兩六錢　破故紙屬火主收斂神氣能使心包之火與命門火相通故元氣堅固骨髓充實澁以治脫也用新瓦炒香為淨末二兩八錢　胡桃仁屬木主潤血氣

凡血屬陰陰惡燥故油以潤之佐故紙有木火相生之妙古書云黃栢無知母破故紙無胡桃仁猶水母之無鰕也去黃皮待各藥成末將此三兩二錢研為漿無渣和入諸藥内

砂仁屬土主醒脾開胃引諸藥歸補丹田香而能竄和合五臟冲和之氣如天地以土為冲氣也去殼先將五錢用花椒一兩炒去椒不用又用五錢不炒共為淨末一兩

右五味各製如法足數拌匀煉蜜為丸如桐子大每早夜用白湯或茶酒隨意送下服至三年效不可言服至終身地行仙矣

仙人飯

黃精耐老不饑其法可將甕子去底釜上安

頓得所盛黃精令滿密盖蒸之候氣溜即曝之如此九蒸九曝凡生時有一石熟有三四斗方好蒸之不熟則刺人咽喉既熟曝乾食之甘美補中益氣安五臟潤心肺輕身延年饑歲可以與老小休糧食療饑根葉花實皆可食之但相對者是不對者名偏精又名鉤吻不可食

雙補丸　劉英上舍之祖在京師辟雍得史載之家傳此方服四十年享壽八十七歲

熟地黃半斤補血　兔絲子半斤補精

右為末酒糊為丸如梧桐子大每服五十丸人參湯下或酒下此方下部虛冷平補不熱不燥氣不順沉香湯下心氣虛茯苓湯下

紫府紫霞丹

宣德年間有王御史巡歷遼海宿一山驛張燈夜坐一門子立於傍偶問門子汝年幾歲答曰十六又問汝父母在否答曰在曰汝父母年幾何答曰母年三十四父年九十六因

怪曰汝父八十而生汝耶答曰小人毋所生弟尚有年十二三者曰汝父何以得此曰吾父有靈藥服食他人不得而知也家人雖知而亦不詳其為何藥耳曰汝明早可召汝父來相見門子諾之翌早王遣一吏隨去敦請老者至顔貌豐偉鬚髮尚黑精神完固如四十許人王因敬拜傾囊為贄其老曰固不在物而尊官貴人能屈下知重如此亦可以授之矣吾當盡言之吾平生慕道而家破年未

豐字

六十而衰白之甚幸遇至人憐吾年貧而志不衰仍授奇方并成藥數丸即夜得固精之驗一百日而舊病除二百日而精神爽三年而體健十年而鬚髮黑先後得子十餘人又曰吾本不欲得子但所娶少婦有行端而志潔不願他適則與一子養老此藥性澁而力猛人多不知其功雖知亦不知其可服食也雖知其可服食而亦不知相制相成之法亦未免利害相半不能收萬全之效也公有緣

能盡禮以下卑賤吾故不得而隱者望公秘之重之毋洩天寶於非人自取罪譴於幽冥耳至謹至謹

前方云云丙丁火

後方云云壬癸水

前藥出南夷多用草烏在內故不若自製者佳其性温澁而猛能暖下元以固真精畏甘而反酸

後藥出北地者佳其性凉利而解毒能清上

膈以消邪火水浸者以去其酸甘之味也此藥久服不但無遺精白濁之患凡言動語笑之間真氣亦不走也煉精化氣初關功夫不勞而坐享其成矣禪家得之蒲團之功十年不缺可有堅固子也世人服之精永不世倘欲得子則濃煎甘草膏一酒鍾清晨服之當夜即泄泄即有孕孕即生男如即左券以取物何其神哉何其神哉

製煎藥法

四月罌粟開花時清晨乘露以竹篾篾其紫色者入新砂盤內用新木杵略杵以倒其性先用出山鉛打一方盤如雙陸盤樣者下用清石槽盛水浸鉛盤將齊口為止却放前花在內日晒夜露雨則盖之二七日足取起每斤加廣木香頭末五錢共杵為餅放磁確內按緊上用黃毡封口日久自然陰乾滴酒為丸如常服每丸半分漸加至一分三分為止空心酒下如治瀉痢每用三四釐青菜白

然汁為丸凉水下
如治諸病加群藥即名冲虛至寶丹隨病用引

製後藥法

臘月八日用北方好香水梨四五百枚就用臘八日水入大罈內浸之箬扎口泥封之埋地中待次年三月間開之每早飯後即食一枚水亦可留夏月飲之如此每日不缺者其效如前所云浸梨水有痰火并毒瘡及時症者飲之俱效

白术丸

南科給事曾　年至七十患脾泄三載容顏憔悴身體枯朽將危後遇道人劉一清賜一藥方如此製度服不數日泄止飲食常進再無他病用上好白术二斤去皮蘆米泔水浸切碎用人乳三四鍾先用盆一箇盛白术在內將人乳拌勻濕晒乾夜取淨地一塊傾白米在地以盆覆之如七日完研末荷葉水煮老米飯爲丸如梧桐子大每日進三服米飲

送下

老人常服脾胃健壯多有壽元天地五星六甲以土為尊土旺則無疾矣

五仙丸

仙茅一斤（用黑豆九蒸九晒） 五加皮半斤

子嗣門

五子衍宗丸 男服此藥添精補髓疏利腎氣不問下焦虛實寒熱服之自能平秘舊稱古今第一種子方有人世世服此藥子孫蕃衍

遂成村落之說嘉靖丁亥於廣信鄭中丞宅得之張神仙四世孫子及數人用之殊驗

甘州枸杞子八兩 兎絲子八兩酒蒸搗餅 遼五味子二兩研碎 覆盆子四兩酒洗去目 車前子二兩揚淨

右各藥俱擇道地精新者焙曬乾共為細末煉蜜丸梧桐子大每服空心九十九上床時五十九白沸湯或鹽湯送下冬月用溫酒送下修合日春取丙丁巳午夏取戊巳辰戌丑未秋取壬癸亥子冬取甲乙寅卯忌師尼鰥

寡之人及雞犬六畜見之

壬子丸　依方脩合此藥服之不過半月一月有孕試之屢見效故附錄

吴茱萸　白芨　白蘞　白茯苓各一兩

牛膝五錢　細辛五錢　菖蒲　白附子

當歸各少許　厚朴　桂心　人參各四兩

乳香三兩　沒藥四兩

右為細末煉蜜丸用壬子日脩合如紅豆大每服十丸有效若男子服補益若孕婦服之

即生雙胎空心好酒送下無夫婦人不可服

六合全鹿丸

黄栢七斤要厚片用青鹽四兩煮酒浸焙乾為極細末取淨末五斤枸杞子七斤牛乳浸焙乾取淨末五斤兎絲子七斤取淨末五斤金櫻子三斤去殻用淨末一斤北五味三斤大者佳酒洗淨晒乾取淨末一斤車前子三斤水淘淨晒乾取淨末一斤

右六味和計一十八斤用雄鹿一隻先將熱血調藥末如彈子大晒乾復為細末羅過將鹿角煮霜鹿骨炙粉鹿肉鹿皮五臟熬膠膠

成入秋石二斤于膝内化開加骨粉角霜并前藥末拌匀如膝水用煉蜜搗萬餘下丸如梧桐子大每服五六十丸空心鹽酒送下

全鹿丸

取雄鹿一隻宰殺取心肝内外腎及腎荳大腸一段肚尖半截取舌并腦子脊髓二條腿骨髓俱用洗淨用酒于錫甑内荳湯煮勿令入水先煮陰荳搗爛方入肚舌次入肝又搗爛末入腦髓并搗如稠膠收起聽用另酒蒸

生熟地黃于石臼中搗爛同前鹿具再搗勻
收入礶內旱受月華月上之精收待日上受
日光之麗採鹿角一二對于長流水中刷洗
極淨用甘草水煑紅又洗又浸鋸斷二寸用
桑葉五十斤煑濃水時入覆盆子半斤浸石
子六兩用煑水濃濾去渣三晝夜火不停用
手試揑得破去角用濃水再煑漸漸稠濃入
蜜半兩再熬膠面鏡生放光滴水成珠其角
切開去內囊外黑皮用中心白者晒乾聽用

天門去心 麥門去心各三兩 生地 熟地各四兩酒浸一日蒸半日杵泥 人參四兩 甘杞四兩乳浸 川牛膝四兩酒洗 黃芪三兩蜜炙 兎絲四兩酒浸蒸晒乾 破故紙四兩炒 杜仲四兩薑汁炒 金櫻子四兩去核去毛炒赤色 大巴戟四兩甘草煮去骨 龜板二兩酥炙 五味三兩 新栢子仁三兩搥去油 虎脛骨四兩酥炙 大遠志三兩甘草煮去骨 何首烏一斤 白茯苓四兩 雞頭仁四兩乳浸 陳皮三兩塩水洗 當歸身四兩酒洗 斗子青鹽五兩童便調土包煨

右爲末煉蜜三四斤入前膠內煉熟和藥末

杵千餘下梧桐子大每服五六十丸加至八十丸空心白滚水下

肉味丸

肉蓯蓉一斤五味半斤

此方陸大叅所傳陸祄無子自服此方連舉三子其他服之更無不効者

昌後丸

何首烏一斤桑椹子一斤曬為末石菖蒲三兩甘枸杞八兩

右煉蜜爲丸每服三錢空心下

雞鳳丸

用頭窩烏骨雞各一隻置於一處不可與羣雞相混候生卵時将初生頭卵記放待生卵數盡将初生卵頂顛上開一竅用辰砂三錢當歸芍藥川芎熟地黄各二錢爲細末将卵黄傾出和藥末仍入壳内以厚紙封之宜衆卵内抱之待群雞生将藥卵去殻以蜜丸之空心好酒服三四十丸丸如菉豆大見効極

快藥盡就有孕此方宣府馬總兵所傳

種子方

婦人情竇不開陰陽背馳宜以奇砭納之戶內以動其慾則子宮開而真元媾合兩情暢美如魚得水雖平生不孕者亦孕矣

廣嗣奇砭　沉香　丁香　茱萸　官桂　白芷已上各一錢　蛇床子　杏仁　木鱉子　砂仁　細辛已上各三錢　白檀香三錢

右生蜜為丸如菉豆大納之戶內則情動莫

禁矣

金鎖思仙丹　治男子嗜慾過多精氣不固溢以去脱之劑也

蓮花蕋一十兩煖無毒鎮心　石蓮子一十兩味甘平温無毒經秋正黑沉水者是也本功益氣安心止腰痛泄精入藥去內青薏取淨粉

雞頭實一十兩味甘平無毒益精氣強志取其實中子搗爛晒乾再搗篩取淨粉

右以金櫻子三斤取霜後半黃者木臼中轉杵却刺勿損擘爲兩片去子水淘淨爛搗入

大鍋以水煎不絶火約水耗半取出濾過重煎如稀餳市肆乾者倍之用水浸軟去子煎令如法入前藥末和丸桐子大每服三十丸空心鹽湯下一月見効即不走泄候女人月信住取車前子一合水煎空心服之一交即孕依法服至多日精神完固能成地仙平時忌葵菜車前子

按本草金櫻子味酸澁平無毒療脾泄澁精氣精氣滑脫者服之自固雞頭實味甘平無

壽補中益精乾蓮子味甘寒無毒安心神養氣力治泄精蓮花蕋煖無毒鎮心益顏色服餌家取雞頭實熬金櫻煎和丸補下益人名水陸丹仙方取雞頭實并蓮實合餌食之能駐年昔人得其一二功効若此思仙合衆妙而有之信可尚矣

固本丸

荷花蕋四兩 芡實三百粒 覆盆子三兩 山茱萸二兩

沙苑蒺藜二兩 龍骨五錢火煆水碎

右蒺藜汁煉蜜丸每服三錢

烏雞丸

當歸酒浸洗　熟地黃九蒸九晒　川芎　白芍藥酒浸炒

人參　蓮子去心　黃芪蜜製　五味子　破故紙塩酒浸宿

續斷老酒浸宿　玄胡索炒　淮山藥　蓮房

鱉甲酥炙　白蘞土産者　香附子童便浸以上各二兩分毫勿加減

俱如法製剉碎忌鐵然後以白毛烏骨雄雞爲君雞要線過三年者方佳雞宰時亦忌鐵忌見水去腹裏将前各項藥裝入雞腹内如

装未盡将藥鋪在雞上以磁鉢盛之用舊老酒浸過雞一寸許上用磁鉢盖之以飯粘封固放鍋內炖一日或一夜然後取出前藥晒乾爲末雞肉并骨亦切碎晒乾爲末用前炖雞酒爲丸日服五七十丸立驗此藥最忌鐵雞亦忌鐵忌水達川兄嫂血崩服之月餘受胎

稀痘門

預消痘症神方

取擇極大樣茅竹腰筒從竹節兩頭鋸截一

箇筒腰中用小鑿鑿方一片孔如大指許貯以好菉豆令滿仍以竹片實其口外用苧麻繚橫綁住又加油灰泥固投入糞坑底浸四十九日夜至期取出洗淨劈開棄筒而用豆略略以清水淘豆晒乾磨作細粉篩過用瓦罐收貯每日調湯三錢或四五錢任粥任茶投匀與吃吃完便消胎毒殆盡痘臨不病雖病亦不上五七顆此方屢試屢効

兎紅丸

預畜活兎候臘月八日宰取血用新漆器盛頓不住手攪勻不令作凍用蕎麥麵極細者和成爲丸如金鳳子大以極好飛過辰砂爲衣晾乾收下小孩初生三日用十丸或十五丸研末傳乳上食下次日身發紅點是其驗也將來出痘稠可使稀稀可使無亦有終身不出者又遇除夕日與小孩食二歲以下二十粒二歲以上三十粒白湯下但遇時行痘疹及有發熱之症照此數服他日可無痘患

凡小兒多瘡疥者以其受父母之濁氣是生瘡瘡疥理必然也必藥可解服此烏鴉治法多見其驗

烏鴉者一身皆烏方爲眞烏鴉如白頂俱不用用純烏鴉一隻去其毛足頭嘴肝腸不用洗淨配桑寄生細末二兩用好老醋半鍾同寄生入烏鴉腹内外又用寄生二兩薄片在外以銀器蒸熟無事之時常食之雖有疹痘必不多無毒而亦無雜症矣烏鴉食剩之骨

或一兩焙乾研爲細末加寄生末四錢煉蜜爲丸滚白湯下每服二十丸日服有驗

凡小兒面黄體瘦色青少食飲者服此一味名曰家兎即家鼠也取得有十一二兩者猶妙去其腸腑頭足洗淨用鹽少許晒乾常以此爲臘品食之不過半月其形骸自壯齒白唇紅則少疾矣此經驗良方

金豆丸 一名消痘丹

此方河南馬氏秘傳經驗良方保童孩不染

痲痘永絕痧疹其效如神蓋胎毒化盡故也

藥品製法于後

象糞末二兩　白芷三錢（吳地產者）　甘草二錢（粉草爲佳）　冰片三錢（梅花片爲佳）　硃砂三錢（如墻壁者）

製取象糞末法　象糞不拘多少晒乾用粉甘草煎水淘淨澄清去粗渣如此三次仍晒乾聽用

象糞乾末用三月桃花擣取汁拌照晒乾七次收貯至九月取家種黃菊花杵汁入群藥

為丸如小指頂大以金箔為衣空心煎甘草湯半酒鍾磨服不過三丸永保一童也初生小兒只用一粒

又方小兒發熱將出痘時用後藥服三分則痘終身不出

用鉛五斤打成薄片量一分厚為數片一頭穿一眼以鉄箸穿之又用一瓦鍋下裝極好醋以鉄箸穿鉛懸鍋上離醋量一寸鍋上仍用一盖盖密鍋下以粗糠火徐徐薰之七日

之久其鉛生有白霜取收磁礶内用時每白霜一錢用如墻壁鮮紅硃砂三分拌匀小兒熱發時以甘草湯調服三分其痘終身不出此方神妙蔡錦衣用之九子俱不出痘

玄兎方

玄參六兩　兎絲子十二兩

右各爲末黑沙糖拌匀如調粥一様不拘多少隨意服食久之多者可少少者可不出矣

絲瓜蔕散

絲瓜蒂三寸連皮子燒存性

右為末蜜調服入硃砂尤妙一云短秋絲瓜經霜後摘下陰乾燒灰存性每一錢加硃砂一分碾為細末蜜調空心甘草湯送下

鯽魚方

鯽魚不拘大小去鱗腸不可用水洗將芫荽切碎略用鹽入魚腹内外以草紙包裹灰火中煨熟去火氣陸續嘗食甚可解痘毒但食後鱗腸骨刺俱埋之

梅花方

十二月收取梅花一二升陰乾為末煉蜜為丸如梧桐子大好酒送下

浴洗免痘法

十二月三十日黃昏時將七星大烏魚一尾小者二三尾煮湯將兒遍身浴洗耳鼻口孔各要水到不可因魚腥而用清水洗去時人不信或留一手或留一足不洗遇時行痘症此未洗處偏多為奇也

牛虱方

取白水牛虱燒灰存性和粥飯一切飲食與兒食之虱多藏牛耳中以牛之白者為隹不然灰色者亦可

拙者曰予友雷三泉居官黃州過一里村宿馬主人皓首龐眉出見客兒孫遶膝下問之五子十餘孫矣三泉故艱於子問胡以蕃不夭殤也主人答曰亡他其家故多水牛當兒孫病痘時撥食之無不活者以此驗之益信

消毒稀痘丹

纏荳藤（其藤七八月間荳上纏繞者陰乾一兩五錢）　黑豆（三十粒）　赤豆（七十粒）　山查（一兩）　升麻（七錢五分）　荊芥（五錢）　防風（五錢）　生地黃（五錢）　赤芍藥（五錢）　連翹（七錢五分）　黃連（五錢）　硃砂（一兩）　絲瓜（三十條近蒂二寸長者燒灰存性）　萬年清（二兩即人糞埋過一年者）　桔梗（五錢）

右為細末砂糖為丸如龍眼大每服一丸空心甘草調下　春分正月十五修製秋分七月十五日修製精誠則有神効近恐止於春分秋分服似覺稀闊乃於每月朔望日服之

尤効至於修合則亦不必拘春秋分矣

兎紅丸

辰砂　甘草　六安茶　各等分研爲細末

候臘八日午時取生兎殺血将前三藥合成

丸如桐子大與小兒三六九日食之可免痘

三花丹　能稀痘将出之時用之尤効

梅花　梔花　梨花　三花俱取已開未開

盛者陰乾爲末等分用兎腦爲丸雄黄爲衣

用赤小豆菉豆黑大豆煎湯下

又方

凡小兒初生下用甘草黄連硃砂蜜法後可用益母草三大握以水三碗煎湯洗兒不生痘瘡試驗

又方

欲小兒不出痘瘡將黑驢乳半鍾與小兒吃時常與吃更妙此方累有經驗

扁鵲油劑法　治小兒發熱恐成痘瘡服此止之

生麻油　童便平秤　或用熟水一盞代小便旋旋

傾熱水入油盞内不住手以柳枝攪匀如蜜夜卧時每服二蜆殼量兒大小服後大小便利四肢熱退瘡痘不生若已出不可服

摩脊法

痘疹未出之先宜以手蘸清麻油摩兒背脊中預觧胎毒痘或不生雖出亦稀少

痰嗽門

痰火驗方

百部一斤開看黑色者佳 麥門冬六兩去心 橘紅三兩 貝母三兩

此四味爲咀片用水十二碗于砂鍋内煎至四碗撈去渣其渣再加水八碗煎至三碗撈去渣其渣再加水六碗煎至二碗濾去渣不用将三次汁共入鍋煎成薄膏聽配後汁

梨汁二碗　白蘿蔔汁二碗　藕汁二碗　姜汁半盞　酒乳汁一碗如少半碗亦可　上好白蜜一斤須要煎滚去面上黄蠟六味汁共入礶内煎數沸始下前四味膏和匀共煎成厚膏入磁礶内盛貯封固每清早臨卧時白湯調下一二匙絕妙

神仙墜痰丸

黑牽牛一斤同研只取初次篩過末四兩餘末不用

皁莢一兩六錢 明礬一兩三錢 右用水爲丸如桐子大空心用酒送下四十五十或六十丸其痰隨大便而出多病之人三日一服病輕之人十日或二十日一服久服永無痰火癱瘓之病

清氣化痰丸

半夏去皮臍八兩 南星六兩 瓜蔞去殼四兩 黄連去鬚炒四兩

紫蘇子炒四兩 陳皮去白四兩 白朮去梗炒四兩 枳實去穰麩炒四兩 白茯苓去皮四兩 蘿蔔子微炒去殼四兩 貝母去心四兩 乾葛四兩 山查去核四兩 甘草去皮四兩 香附童便浸炒二兩 黃芩炒二兩 右將南星切作十字塊半夏每箇切作二塊皂莢六兩白礬三兩多用水將南星半夏皂莢白礬一處浸三宿煮至南星心黑潤為度取出去皂莢不用將南星半夏晒乾同衆藥為末竹瀝七分薑汁三分打糊丸如梧桐子大每服七八十丸早晚用滚白湯下

治咳嗽久患連嗽四五十聲者用生姜汁半合
蜜一匙煎熱溫服三服立效
治久嗽上氣諸藥不效用蝙蝠一箇去翅足燒
令焦為末米飲調下
治咳嗽不止胸膈氣壅滯者取桃仁一升去皮
尖麩炒令黄細研納瓶中以酒五升浸密封
三日後每服暖一盞飲之日三四服
治遠年咳嗽将款冬花為粗末於無風之處燒
之用筆管吸其烟入口頻頻嚥之三四次即

愈

治喘嗽久不愈者用知母貝母各等分為細末食後将帶皮老生姜切小片醮其藥細細少少嚼嚥滚白湯慢慢過口常服自然除根

治咳嗽痰多服藥久不愈者用完全瓜蔞一箇要帶子又須要經霜者搗爛水二茶鍾煎八分露天露一夜五更空心温服即愈其痰嗽甚者亦只消二三服

又方每晚臨睡時用大柿餅二三枚醮極細青

黛末慢慢嚼服不半月自愈

三白丸

生南星　生半夏　生白礬　各等分姜汁麪糊丸每服一錢食後服

潤下丸

廣東陳皮一斤四兩去蒂與筋淨一斤淨鹽四兩同入水煮爛為度取出候乾用竹刀切作小片鍋中炒乾碾為細末又用甘草四兩炙熟碾細入上藥和勻用酒打糊為丸服五

六十九不拘時清湯送下或作末子一匙調湯飲下日可四五次若緩日可二次此藥平治雖微有痰者亦可服盖鹽能引之屈曲下行也

回生丹　治痰厥氣絶心頭尚温者

多年古塔上陳石灰三五百年者千年者尤良每一合用水一鍾煎滚去清水不用再用清水一鍾煎至極滚倒出澄清撬口灌之少頃痰下自甦

瘧疾門

治瘧方

本年曆日一冊　糯米粽一枚　草果一錢
石菖蒲一錢　豆粉一錢　砒一分醋煮
雄黄二分

右於五月五日正午時將曆書向太陽焚之次以衆藥粽和爲丸如梧桐子大粽不可太大量藥多寡用之晒乾患者於臨發日清晨用新汲水向東南服一丸本日忌食熱茶熱

湯之類一吐即愈腥葷勞役等項俱不忌

治瘧疾用生薑四兩連皮搗碎取汁夜露至曉

空心冷服

又方用狗蠅一箇去翅足以蠟丸之當發日冷

酒吞下

治瘧神方

用薑汁梔子汁各半甌寒多薑汁加一分熱

多加梔子汁一分先一日夜露星斗五更熱

酒下

治瘧經驗方

黑豆四十九粒 常山五錢或三錢妙過 檳榔五錢或三錢與常山同 甘草或五分三分視前二味之五與三而同其数 二味酒半碗水半碗同煎至六分取露一夜次早熱服

一瘧疾丹溪纂要上一方甚妙今忽而不用每青蒿葉乾末十兩配以冬瓜葉乾末五兩馬鞭草乾末五兩加官桂一錢同和用米飲為丸桐子大遇瘧發五更服二錢半天明服二錢半再停服二錢半又再停服二錢半先

後共服一兩俱白湯下有神效

瘧疾

枳實　白术等分爲細末臨發日清早以薄荷湯量下覺饑即食清粥少頃又食末又覺饑食清粥但得汗出即愈如未愈次日又如此服只要薄荷熱湯及熱粥二件放在身邊相因而用

治瘧疾久不斷根者在藥店内買牛膝根一把切段水三茶鍾煎一茶鍾勻作二服未發之

前先用一服臨發之時又用一服立愈

又方治久瘧不愈用百草霜二錢香附米三錢研為極細末生蜜為丸如梧桐子大每服三十丸空心烏梅湯下隔一日一服不過三服即效百草霜即鍋底上黑灰但得山邊人家鍋底上者纔真是百草燒成乃為最佳

治瘧五月五日用獨蒜頭搗爛合黄丹同搗匀于本日午時為丸止如雞頭子大不可太大陰乾每服一丸當發日侵晨面東向日光用

新汲水吞下不過一二服效

治瘧妙方

用白朮二錢（白無油者佳陳土炒過）　烏梅二箇

厚朴錢半　檳榔二錢　柴胡二錢

知母錢半（去毛）　半夏二錢（薑汁製）　黃芩錢半

右藥爲一大帖水二鍾煎一鍾臨發之日五更時服不論一日二日三四五日夜發晝發有汗無汗頭疼不疼只一帖即愈服藥後到午時分但覺臍下微動而已神妙方也

五神丸　治瘧疾立應

東方巴豆去油五錢　麝香一分　南方官桂五錢　朱砂一錢

西方白礬五錢　白芷二錢　北方青黛五錢　黑附子三分

中央硫黃五錢　雄黃一錢

右於五月五日修製各另包接方放午時取五家粽尖爲丸如梧桐子大每服用一丸綿裹於未發日晚男左女右塞鼻孔中立效脩藥忌鷄犬婦人見如用了的藥還收藏再有患者用醋洗過重又綿裹與患人一丸可治

八九人病愈須忌生冷魚腥鷄羊發物

鬚髮門

烏鬚仙方

用雄猪筒骨刮開孔入馬蝗十餘條猪骨内将泥封固放溝渠中浸三七取上開看其蝗化如水卽用鉛匣盛貯入氷片一分於内每月染一次在鬚尾上其藥自上根去

三聖膏

治髮脫能令再生黒附子蔓荆子栢子仁各半兩烏鷄脂和匀擣研乾置瓷合内

封固百日取出塗

治髮黃白尨地骨皮生地遠志石菖蒲牛膝兎絲子等分

烏鬚方　只用擦牙不勞擦染一月之後見功效

青鹽一斤　嫩槐枝葉五斤　黑鉛二兩　沒石子雄者七錢

右用槐葉同黑鉛青鹽入銚內用槐條三五根不住手攪炒待葉鉛鹽俱成膏却用文武火炒乾提起同沒石子研為細末磁器盛貯

每遇洗臉畢醮擦牙用力行運候血来朝頭口嗽水吐出掌擦鬚鬢第二口嚥之久則自然黑潤

又方　用旱蓮草汁不拘多少每汁一碗入煉蜜四兩生薑汁四兩和匀以磁鉢盛於烈日中晒成膏如急用以桑柴燒之用砂鍋煉成膏以磁罐盛之放在水中一宿去火毒每日早以酒化開一盃服之此方專主補血開滕理久服鬚鬢變黑光潤此治乎内者外有黑

鉛散用黑鉛四兩化開入羅過桑柴灰半斤炒成粉每早擦牙吐出碗中以摸鬚鬢并眼乃內外脩飾之秘方

牛膽散　能明目清心烏鬚髮補養下元生髓去風濕壯精神

何首烏　白茯苓　槐角子各二兩

生地黃　當歸各一兩

右共爲末裝入黑牛膽內連汁掛在背陰處至九日取出研爲末温酒調服二錢或三錢

百日見効若肯尋常服之鬚髪永不白矣非人勿示

烏鬚方

五倍子打碎砂鍋内炒黑色不可過與不及黄色用濕布攤在地上傾布内包起脚踏成餅聽用每用二錢五分　紅銅末又将紅銅燒紅投水中又燒又投取末炒過研四分　碙砂一分五厘

右共研一處将濃茶一盞調稀糊頓入滚湯中帯稠搽於鬚上内用油紙包裹次早洗去黑如漆

染鬚方

用蜂蠟一兩用豬苦膽一箇研好墨同蠟煎至光明好看即取起用冷水水之使冷成膏磁器裝之每日以牙刷蘸水刷藥刷鬚上甚便易

染鬚髮方

五倍子用明朗者研碎炒不令燒壞研作極細末銅末打銅鎖末為佳亦炒醋碎五六次研極細末五倍子一錢銅末二分明礬一分皁礬五厘南方用如在北六七厘食鹽一分半白麵一分半冬青子

冬月收來九蒸九晒用罐藏石榴皮　烏臼葉　茶膏

四味作一處煎湯方入前藥熬濃塗鬚髮上

先用肥皂洗鬚鬢髮待乾後上藥晚間塗上爲

便次早洗半月一次

烏髮固齒補腎方

當歸酒浸去蘆　川芎不用西芎　香附去毛　荊芥去梗　白芍藥

枸杞子出甘州者　青鹽　熟地黄　川牛膝酒浸

巳上各三兩俱爲細末用米一升半煮飯將

前藥拌勻分作七團陰乾置桑柴火燒炭存

性研為細末鉛盒乗之每清晨鴛鴦手擦牙二次藥與水嚥下年老牙齒不疼不落極妙

又方

七月間取旱蓮草連根一斤用無灰酒洗淨用青塩四兩淹三宿取出油膩鍋中炒存性炒時將原汁旋傾入炒乾為末每日侵晨用一錢擦牙連涎嚥之

齒牙門

擦牙方

上下牙痛不可忍
牽引頭痛面發熱
大痛作補胃藥
喜食辛熱之物
不效
歸身　生地酒浸
連翹　牡丹皮
升麻　右
水煎稍冷服痛
加石羔細辛
細茶　大黃
腫加防風
荊芥

石膏四兩火煆　細辛五錢　甘松五錢　三頼五錢　青塩五錢

槐花五錢

右為末每晨洗面時擦牙用温水含嗽許時吐之常用永無牙疼之病

固齒散

用生香附子一斤為細末軟白石膏六兩半生半熟

青塩二兩　猪牙皂　細辛　川椒　槐角子

以上各一兩為細末清晨擦牙永無齒疾無

黑鬚鬢髮

虫牙疼用天仙子烧烟以竹筒抵牙引薰之

又蛀牙取松脂鋭如錐者塞孔中少頃虫出脂上

一方 用皂角一枚半截去穰入以青鹽火内煨青烟起取出搗爛用極沸滚水泡嗽口中

又方、 好信不拘多少量加黄丹少許以黄蠟溶成一塊旋用旋丸如黄豆大用白薄綿包裹留尾如右牙痛則塞左耳左牙痛則塞左耳兩牙俱患則兩耳俱塞必深入耳竅一

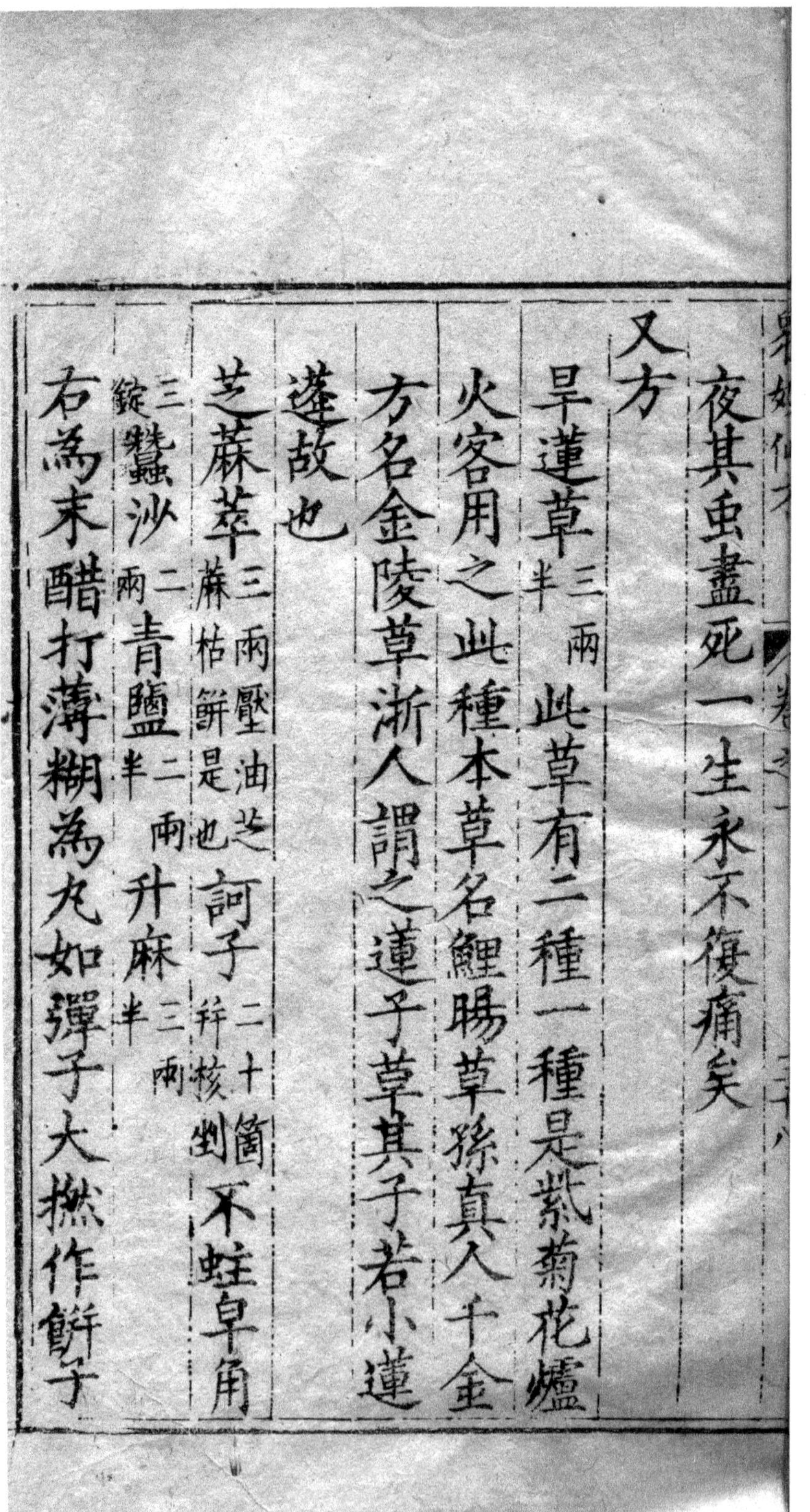

夜其虫盡死一生永不復痛矣

又方

旱蓮草三兩半　此草有二種一種是紫菊花爐火客用之此種本草名鯉腸草孫真人千金方名金陵草浙人謂之蓮子草其子若小蓮蓬故也

芝蔴萃三兩壓油芝蔴枯餅是也　訶子二十箇幷核剉　不蛀皂角三錠　蠶沙二兩　青鹽二兩半　升麻三兩半

右為末醋打薄糊為丸如彈子大撚作餅子

或焙或曬以乾爲度先用小口磁瓶將紙觔泥固濟暴乾入藥在瓶内煨灰火中燒令烟出若烟淡時藥尚存性急取退火以黄泥塞瓶口候冷次日出藥旋取數丸旋研爲末早晚用如擦牙藥少候片時方用溫湯灌嗽久用功莫大焉

固牙延壽膏　此膏專貼齲宣齒槁黄黑腐敗風蚛作痛頤頬紅腫大有奇功久貼堅固牙齒驅逐垢膩益腎氣長養津液壯骨強髓添

精倍力

珍珠五錢絹袋盛之豆腐一方中作一小孔
將珠入孔內上面亦將原腐蓋之放在
鍋內用線懸鍋上不可落底恐傷珠
之元氣桑柴火煑一炷香爲度聽用雄鼠骨
五錢用臘月內雄鼠一隻麵作餅將鼠皮肉
包裹在內外面用鹽泥復包陰乾入灰火內
燒紅爲度冷定打
破取骨收之聽用秋石三錢破故紙炒香淨
五分忌鐵器
青鹽三錢半香白芷五分大小皁角五分細辛三分水洗
淨晒
乾龍骨用麪作餅包裹外面用鹽泥復包
陰乾入灰火內燒紅爲度冷定打
破用骨
五錢鹿角霜五錢鹿角錢三十斤銼作一
寸長塊用簍盛之放在長流
水中浸三日夜取出刷洗潔淨用楮實子一
兩桑白皮一兩放鍋內將蓋上中作一小孔

孔中陸續添滚熱水不可入冷水鍋盖週圍封固不可泄氣用桑柴火煮三晝夜聽用

沉香二錢 廣木香二錢半 南川芎一錢 懷慶熟地黄一錢 乳香一錢 没藥一錢 白芍藥一錢 當歸一錢 陽起石五錢 象牙作末五錢 另白礬五錢

右各味另研極細末俱各作二分用窰煎罐一箇先将白礬化開次後下一分藥麪桑柴文火鎔開礬將藥攪勻外用[illegible]紙二張將前藥一分散在紙上用手擦磨藥麪在紙上下週圍後將罐內藥火化開攪勻傾在紙上

用熨斗文火熨化上下週圍俱用藥汁走到用刀切作條臨卧貼在牙上下一夜明日清晨將藥條取出其條就黑牙齒堅固

牢牙定痛膏

珍珠　琥珀　龍骨　象齒不用牙　定粉各一錢

右五味爲細末先將槐柳枝各半燒灰二升淋水一碗於小鐵鍋内入黄蠟一兩火熬水盡爲度仍將蠟溶開投前五味藥末於内成膏用厚紙熱鐵杴上攤成蠟紙裁作四分潤

四寸長條子臨臥貼於牙上天明除之痛者即止動者不過五六次牢固如初神効

齒痛方

升麻　雞爪黃連以上各二錢八分　當歸身尾

牡丹皮以上各一錢八分　生地黃一錢五分

每服用水二鍾煎至八分食後服三帖全効如神

又方　春採槐芽或槐條如指大者不拘多少煎濃汁同淨鹽熬乾研爲細末入花椒末少

許清晨擦牙漱口洗眼眼明齒固鬚髪亦黑其鹽以水淘去黑泥先將鹽水熬乾後入槐汁同熬

又方　槐角取其二子三子一角者不拘多少河水洗淨仍泡於盆中二三日渾如泥以布取汁用桑柴火熬爲膏其膏汁每一碗大約用青鹽蒺藜根石膏破故紙各二兩爲細末和匀以瓦器曬乾仍爲細末每日清晨未梳洗之時擦于齒上候洗漱之槐角於霜降後取一子四五子

相連者不用

又方　用當歸極大者一根去頭尾入竹筒内週圍用白鹽填實用紙塞口炭火燒存性爲末擦牙洗眼津嚥下又烏鬚濱髮

牙藥方神效

羊脛骨燒灰存性　竹節燒灰存性　破故紙以上各三錢　青鹽一兩　旱蓮花三錢　麥麵一兩

先將前五味俱爲細末和於麵内作成大圓仍入火燒烟盡取出存性仍爲細末攤於紙

上放在濕地用盆覆蓋七日後取出逐日擦牙

治牙痛方

用五倍子放在新瓦上用火燒過存性研爲末磨牙

開笑散擦藥　言藥治之開口而笑也

炒蜂房　細辛　蓽撥　乾姜　川椒

香附　白芷各等分　各研末擦牙香止痛

風牙方一

桑白皮地骨皮槐白皮俱用根刮去粗皮與心乾者五分生者一錢用川椒二分半鹽二分水一小鍾瓦罐煎至半鍾溫噙嗽一二次即愈

治牙疼 用白楊樹皮爲末每服三錢熱醋調含之嗽灌或以枯白礬熱水嗽之

又方 用蜂房一枚以盞盛內以火燒研末擦牙痛處鹽水嗽吐之

又方 治牙蛀牙痛用韭菜連根淨洗爛搗同

人家地板上泥和勻納痛處蛀孔內將紙貼
痛處腮上一時頃取下細虫見於泥上可除
病根
又方熏蟲牙法先用一碗盛水以小盞一箇覆
碗內以瓦片燒紅安盞足上滴清油一點在
瓦片上將韭菜子數粒放油上用竹作一筒
用紙糊覆烟上令患牙人却吸竹筒內烟熏
痛處後用水嗽出牙如不盡再熏
又方齒斷出血用白礬一兩燒研爲末每用半

錢敷齒根上齒中血出煎淡竹葉湯頻漱之

又方　用霜殺老絲瓜燒存性爲末擦痛處立止

治牙疳瘡　用綿蠒一箇已出蛾者以白礬末填滿放火上燒過爲末先以米泔水洗之後將藥末敷於瘡上立愈

脾胃門

二术和脾　專治大人小兒痞疾水瀉攻眼生翳及小兒諸疳危急者效如神

蒼术半斤照常製　白术　陳皮　當歸各五錢
右爲細末用羊肝一具竹刀切如食肉之塊每塊切破相聯勿斷將末藥摻入合之入砂鍋內香油煎熟取出多寡任意服

健脾補胃丸　此藥和而平甘而煖可以常服

山查三兩去核微炒　白芍藥一兩七錢冬月酒潤炒餘月酒潤晒乾
白术四兩去鬚土　廣陳皮一兩七錢去白　貝母一兩去心
右爲極細末以神麴水調熬作糊爲丸如菉豆大曬乾食遠滾水下或清米飲下三四十

丸

參苓白术散　治瀉妙方

人參一錢三分　白术一錢五分　甘草四分　山藥一錢五分　白茯苓一錢　白扁豆一錢　蓮子肉一錢　薏苡仁八分　縮砂仁五分　桔梗五分

右㕮咀用水一鍾半煎至七分食遠溫服

蒼术丸　健脾去濕保長生古云若欲長生須服山精此也

茅山蒼术一斤米泔水浸一宿晒乾　雪白茯苓淨六兩去筋膜

右爲淨末東流水煮神麯作糊爲丸如菉豆大每服清晨滚湯送下七八十丸

脾瀉飯匙丸　即做飯之鍋焦也

每飯匙乾末一斤用蓮肉去心懷慶山藥炒香各爲末二味各半斤就以飯匙末量取打糊爲丸如梧桐子大如濕熱甚者每服飯匙丸百丸加青皮煎湯送下或米飲送下脾虛者白术湯下空心食遠各一服

理脾糕

百合　蓮子肉　山藥　薏苡仁

芡實　蒺藜子

右六味各另爲末成粉各一升又砂糖一升用粳米粉一斗二升糯米粉三升和前藥粉并糖蒸糕曬乾常服

食療養脾糕

主理脾胃潤心肺美顔容烏鬚延壽滋補之功特異士大夫日用勞動及脩養家俱不可無

枳實二兩麵炒　白术二兩向東壁土炒去土要無油白者可用

人參二兩五錢　陳皮去白二兩　白茯苓人乳拌溫晒乾

松花粉二兩　山藥二兩淮慶者可用　蓮肉二兩去皮心

菉豆二升半微炒香　山查一兩去核

以上共用磨羅過右用白粳米五升半糯米一升半打粉用白糖二斤與前方藥末和勻如做糕法先畫籠中小塊蒸熟取出烘乾每清晨取四五片食之以白湯送下秋冬可加蒼术一兩米泔水浸一日一夜厚朴一兩五

錢薑汁炒能去嵐邪

交感丹　治一切貴官商民偶因名利失意抑鬱煩惱七情所傷不思飲食面黄形羸膈諸症極有效驗

香附米一斤用瓦器炒令黄色取净末一斤用茯神去皮為末四兩二末攪匀煉蜜為丸如弹子大每清晨細嚼一丸用白滚湯下陳皮湯下亦好

治傷食停飲不消用白麵一兩白酒麴二兩碾

為末各炒過調服

痢疾門

治赤痢将鳳尾草切段煎濃湯服之即愈

治白痢将木香為細末每服一錢空心或食前用清粥湯調服即愈

治久痢将香椿根之皮向東者用三錢切碎煎濃湯半茶盞飲之即愈

治赤白二色痢初起而未甚者用好茶葉一兩并帶皮生薑五錢一同搗碎泡濃茶服極効

甚者服二三次亦効

治禁口痢不受藥并不受飲食者用田螺數枚連殼搗爛加些麝香在内調勻填滿於肚臍内引火下降服藥再不吐矣飲食須慢慢少少進之

治禁口痢不拘男婦小兒水穀不下者用蓮子去殼留紅皮及心右為細末空心用新汲水調下每服二錢日進二服小兒每服一錢二分效此方一味治禁口是石蓮子其味極苦

去殼去心為末効

治痢疾用葱一把碎切和米煮粥空心食之數日即効

治禁口痢用木鱉子搗成泥填燒餅內蒸熟乘熱合臍上東住効

治紅痢久不愈用臭椿皮研末三錢滑石三分調蜜食即愈臭椿即樗也去皮粗的用裏面白淨的

赤白痢不止乾薑好黑墨各五兩為末醋和如桐

子大米飲下三四十丸日夜六七服效墨要

松烟者

治痢疾用明白礬飛過爲細末飛羅麥麪與好醋調爲稀糊二味合爲丸如雞頭子大不可太大每服一丸紅痢甘草湯白痢生薑湯俱空心下一二丸即止

治久痢不止及禁口累試累効黄連三錢去毛人參一錢五分右水一鍾煎八分溫服病勢昏沉者入口即甦

治血痢用乾薑燒黑不令成灰爲末每服一錢米飲調下

又方　名芎粟散治禁口紅白痢疾久不愈者

川芎　罌粟去蒂各一兩

共爲細末每服八分空心蜜湯調下

又方

甘草粗粉者要四指長切碎　青皮一撮　陳皮一撮

用酒娘一碗將前藥入磁礶内塞口勿出氣煮一炷香取出待溫服之即効

戊己丸　治脾經受濕泄痢不止米穀不化臍腹刺痛

黄連炒　吴茱萸　白芍藥各五錢

右爲細末麪糊爲丸梧桐子大每服三十丸空心米飲送下一日服三次

治痢初發數日不拘紅白平時用

黄連六兩　木香二兩　黄芩四兩　加當歸芍藥　大黄六兩　枳殻四兩　檳榔四兩

俱爲末遇痢疾初發裏急後重即與之服三

錢或二錢半用檳榔煎湯下微瀉二三次不瀉再加數服即以清粥止之此後只食清粥清菜決不可食一毫熱物并猪油之類自然愈也

治久痢用香連丸最神然以烏梅肉和爲丸尤神也

治痢疾新發者不拘紅白及肚疼用四月開花時益母草採陰乾遇患者將一握濃煎水二大碗臨服入生蜜一酒鍾連服二三服即愈

若病重者加地錦草合煎服無有不效地錦草鋪地一團而生葉細摘斷有白乳汁爲眞

木香黃連丸　此方其藥品與古方無異但兩數及製度比古方各别乃家傳秘訣用之有效

川黃連（去鬚梗淨五兩 剉如麻豆大）　吳茱萸（去梗二兩五錢）

用白滚湯泡七次留湯浸黃連一晝夜取出同茱萸拌炒乾爲度去茱萸不用一用薑汁拌黃連打濕炒乾爲度一用無灰老酒拌黃連打濕炒乾爲度宜用文武火炒至褐色方

可入藥　木香一兩二錢五分不見火

右爲末用醋糊爲丸如菉豆大每服五十丸

空腹服

治痢平和散方

黃連去鬚一錢　赤芍一錢　當歸用身酒洗焙一錢

川芎一錢　赤茯去皮一錢　厚朴姜汁製炒一錢

烏梅肉焙乾一錢　縮砂仁微炒一錢

右八味碾爲細末每服五分空心臨睡滚白

湯調服

駐車丸　治冷熱下痢赤白日夜無度腹痛不可忍及治休息痢疾大効痢方之魁

黃連去鬚六兩　阿膠蛤粉炒三兩　當歸去蘆洗焙三兩　乾薑炒二兩

右爲末醋煮米糊丸如梧桐子大每服五十丸加至七十丸空心米飲下

後服神効參香散　治痢疾日久積穢已少腹中不痛或微痛不後重窘迫但滑溜不止乃收功之後藥也

人參　木香各二兩　罌粟殼去蒂十三兩

白扁豆炒二兩　白茯苓去皮　肉豆蔻麵煨　陳皮去白

右煎劑加烏梅陳倉米砂糖右爲細末每服三五丸倉米湯調下

升香散

升麻一兩五錢碎之　廣木香一塊方圓重五錢　黃連一兩五錢碎之

右三味用水三碗煮乾揀去升麻黃連用木香薄切晒乾爲末先用橘皮湯調下服之二錢次用米湯調下服之一錢五分末用甘草湯調下服之一錢五分此方有一人久患痢

疾求藥無効只禱諸神忽夢中見觀音下降化救授此藥方服之遂愈後家用活人亦効

又方　用薤白於醋中煮令熟乘熱飽食即止

又方　治諸痢以艾葉陳皮煎湯服

又方　治痢用連白韭菜一大握去青葉多研取汁和酒煮一盞服

又方　治血痢用鹽梅去核研一枚合茶湯加醋湯服之

又方　罌粟花未開時外有兩片青葉包之花

開即落地收取陰乾患赤白痢垂死者研爲細末米飲調下一錢立效

又方　治禁口血痢用鱖魚不去鱗腸臟日懸於簷下當風處至立春後取下焙乾研爲細末米湯調下

又方　治禁口痢用鯽魚𤏲去膽與腸肚入白礬一大豆許同煨熟入鹽醋吃不過兩枚餘痢俱効

又方　治休息痢及痔瀉用雞子一枚打破用

黄蠟一塊如指頭大銚内鎔以雞子拌和炒熟空心食之

治赤白禁口瀉痢用黑牛兒即今槎蜋是也三五箇燒灰爲細末毎服一錢燒酒調服小兒五分黄酒調服立止

泄瀉門

治清水瀉用車前子一味揀净炒燥研碎爲粗末或一二錢或二三錢空心及食前滚白湯送下一二次即愈瀉甚者亦只消二三服

又方　治小兒老人脾虚易飽溏瀉用白术將東壁土拌炒三兩白茯苓一兩蓮肉去心不去皮一兩五錢麥芽炒五錢陳皮一兩共爲細末加白沙糖二錢在内每服二錢空心或食前或食遠俱滚白湯調服此方補脾助元氣最令人能食止瀉

治水瀉

豬苓　澤瀉　白术　白茯苓各等分

右㕮咀用水一鍾半煎至七分渣再煎服重

者進二三服以瀉止爲度

五味子散

夫五更而瀉名腎泄盖陰感而然故脾惡濕濕則濡而困困則不能制水水性下流則腎水不足宜五味子主之用五味子多者以强腎水補養五臟吴茱萸次者除脾中之濕濕少則脾健脾健則制水不走方得脾胃和矣五臟榮矣

五味子去梗二兩 吴茱萸去梗綠色小顆者五錢

右同炒香爲細末每服二錢陳米飲下

二神丸　治老年腸冷脾瀉者

合州破故紙四兩爲末　肉豆蔻四兩麪包火煨草紙拖去油

右用小紅棗蒸熟搗爛爲丸清晨米湯下

治泄瀉用五倍子爲末白湯調服

治水瀉用𫊣猪肚一枚淨洗去脂膜入大蒜在內自晨煮至晚以肚蒜糜爛爲度杵成膏子入平胃散同杵丸如桐子大每服三十丸鹽湯或米湯空心服

又方以大蒜搗爛貼臍下并脚心立止

又方用炒槐花一合爲末米飲下

止瀉方

烏梅肉半斤 粉草三兩 陳皮二兩 生薑一兩搗爛 沙糖六兩或半斤 同熬去渣熬成稠罐裝每以一二匙調湯任用

治小兒泄瀉不止 肉豆蔻丸

肉豆蔻麪煨 飛羅麪各等分

右爲細末陳米飲搗膏爲丸如黍米大空心

陳米湯下雖大人亦可服一次三十丸

治泄瀉細茶三錢薑三片烏糖一塊煎服　鄭少崖傳

止瀉方蓮子末五兩　白朮末五兩　山藥末五兩

白糖攪成膏以匙挑服

極驗止瀉丸方　此林芳巖方極驗

蒼朮米泔水浸炒過　厚朴姜汁製過　陳皮　赤茯苓

地榆　猪苓　澤瀉　甘草　神麴炒過

右各等分飯湯爲丸每服三錢米湯送下腹

内不痛一日數十次者立愈

霍亂門

不換金正氣散　治霍亂轉筋嘔吐泄瀉頭疼不止

蒼朮炒　橘皮　半夏姜製　厚朴姜製　藿香各二錢　甘草炙一錢

右作一服水二鍾生姜五片紅棗二箇煎至一鍾食前服

回生散　治霍亂吐瀉但有一點胃氣存者服之回生

陳皮去白　藿香去土，各半兩

右作一服，水二鍾，煎至八分，不拘時服。

治霍亂轉筋，用皁莢末吹鼻中，得嚏只好。

治霍亂轉筋吐瀉，用穭豆葉生搗，以少醋浸汁服。

又方　治霍亂心腹脹滿疼痛不止，吐瀉冷汗出，氣絶者，用極鹹塩湯三碗，熱飲一碗，探喉中，令吐盡宿食，不吐更服，吐訖再服三碗乃止。此法大勝諸治，俗人以爲田舍淺近，鄙而

不用守死而已惜哉

又方　治轉筋入腹痛極將死用生姜一兩搥

碎酒五盞煎熱服

又方　治霍亂吐瀉服藥即出無法可治此方

立效用井花水半碗白沸湯半碗相合服之

治霍亂吐瀉心腹作痛用炒塩二碗布包按其

胸前并腹肚上用熨斗火熨氣透又以炒塩

熨其背則十分熱無事

治人中暑忽然仆地氣欲絶者用大蒜頭四五

篙剥净并取路上熱土一塊一同研爛以新鮮井水和匀濾去粗滓挖開其口灌之即愈

凡夏間人在途中忽被傷暑頭暈心煩或仆在地無如之奈急取車輪上之土五錢放在碗内將新鮮井水調和澄清飲盡就覺心神爽健可以行動如車輪土及井水不便即央請傍人取隨便之土填在肚臍上并央他撒尿在臍上澆之尿土之氣宣入臍内其人即甦

人遇霍亂吐瀉切記不可飲米湯粥湯并熱湯

熱才凡飲熱者或犯穀氣其人必死决不可
救此乃第一等該記之事也知之知之
治霍亂吐瀉用六一散三錢将新鮮井水調下
即愈
六一散用甘草爲極細末一錢膩滑石爲極
細末将水飛過晒乾者六錢
治霍亂吐瀉用新汲水一大碗調淨黄泥成清
汁飲之立效此病一犯穀氣死在頃刻或用
姜椒煎湯飲之其患愈甚只隨量飲凉水即

刻奏功驗兩次矣

肚腹門

治腹疼 小便難是痰、時痛時止是積、一痛不止是虚、

用高良薑香附子各另為末用時取二味各炒然後勻和一處以米薑湯調服立止

立消散 治腹疼

用乾馬胡薑篩淨末七分或八分熱酒調服

治絞腸沙

用好明礬末滚水調服

治心腹惡氣口吐清水

用艾葉擣汁飲之乾煑汁服

治腹中虫極效方

用雞心結實檳榔十箇取石榴皮七片每片二指大二寸長要近土與根及向東南方者爲佳二味成片以水一大碗煎至八分露一宿患人於上半夜先將乾炒肉食在口中細嚼勿令咽下使虫口俱朝上乃服煎藥少頃腹中微動虫即隨下百試百驗若至下半夜

服則虫口又朝下雖服藥亦無效矣

琥珀散　追虫打積甚效

黑牽牛二兩　檳榔一兩

右為細末空心用砂糖調湯送下三錢要見虫方飲食為妙

食卒散　治氣自腰腹間拘急不可屈伸腹中冷如石痛不忍自汗如洗手足氷冷久不瘥垂死方

山梔四十九枚連皮燒半過存性　附子一枚炮去皮臍

右㕮咀每服三錢酒一小盞入塩少許煎服

又治胷痞切痛

凡人或有房事色慾內虛感寒肚痛將胡椒十數粒搗細用燒酒一盃熱飲立効若非內虛感寒而肚痛者切不可用

治沙證所感如傷寒頭痛嘔惡渾身壮熱手足指微厥或腹痛悶亂須臾能殺人先濃煎艾湯服而試之如吐即是用五月二蚕紙碎剪安碗中以碟盖之用白沸湯泡碗許仍以別

紙封裹縫良久乘熱飲之就臥以厚被盖之汗出愈

封臍膏

母丁香　廣木香　沉香　川椒炒

吳茱萸　天仙子　官桂去皮　沙苑蒺藜

覆盆子　蓮花蕋　射香　樟腦

好硫黃　鎖陽　膃肭臍　阿芙蓉已上各一錢

蛤蚧一雙　海馬一對

已上各研末外將沙苑蒺藜四兩煎水一碗

葱汁蜂蜜各一小盞共微火熬乾膏一小盞和前末為膏叚帛攤貼臍上如欲泄去之如常可以固精亦可止腹痛

腹痛

白芍一錢五分 川芎七分 共煎服

兜肚方

白檀香一兩 零陵香五錢 馬蹄香五錢 香白芷五錢 馬兜零五錢 木鼈子八錢 羚羊角一兩 甘松五錢 升麻五錢 丁皮七錢 血竭五錢 麝香九錢

分作三箇兜肚内

已上共十二味用蘄艾絮綿裝白綾兜肚内

初帶者三日後一解至第五日復帶至一月

後常帶專治痞積遺精白濁婦人亦白帶下

及婦人經脉不調久不受孕者惟有孕婦不

可用

谷神固臍延壽膏

此方得於京師英國公家專固精養氣得生

五子、壽延九十、後嚴東樓訪知、密求亦生八

子、應効如神、不可輕泄、

樟腦一兩　片腦一錢　黃蠟一兩　烏藥一兩

阿膠一錢　牛黃一錢　蘇合油一兩　兒茶一錢

胎髮一錢　黃丹一兩　乳香一錢　血竭一錢

龍骨一錢　白蒺藜一錢　射香一錢　沒藥一錢

雄雞毛一錢　公鵞毛一錢　宿砂一錢　核桃一錢

黃鼠狼頭一箇

先将黃鼠狼頭一箇下二毛在内用蘇合油

黃蠟将此三物煎枯為度去頭用油冷定将

諸藥熬成膏用叚絹作膏貼於臍上每膏藥一箇止戰七次又更換之

痞滿門

治痞疾方

耆葉獨蒜麪川山甲四味用好酒搗成餅量疾大小貼之兩炷香爲度其痞化即愈

貼痞膏

三稜　陳皮　地骨皮　黄芩

黄連　五靈脂　苦參　玄參

赤芍藥　兩頭尖　草烏　香附子
當歸　香白芷　大黃以上十五味各三錢　木鼈子
十六箇去皮　巴豆四十九箇去殼　乳香　沒藥
輕粉　血竭　阿魏五味各五錢　麝香三錢
香油一斤四兩　鉛丹十兩去硝用水二碗滚三四次去水焙乾
先將香油入銅鍋內即將十八味切碎粗藥
入油內用桑柴慢火煎之黑黃色為度去粗
渣方入鉛丹用槐柳條不住手攪千遍將藥
滴入水內成珠去火纔入六味細藥須用淨

房照疾用絹攤貼每日換一次如有痒剥了用熱鞋底烙下再依法貼之待藥力盡自落不要强去忌一切畜類閑雜人等言語諠譁忌食生冷油膩并一應發物

瘩方

旱蓮草五斤水紅花連根即蓼花十斤各取汁煎成膏用狗腦半箇擂細再煎熬披貼瘩上三日即軟十日大消又用蓼花子畧炒研細酒調服

又方　用皮硝一兩獨囊蒜一兩同搗爛如泥

加大黄末一錢攪和做膏敷痞癖上自愈

治腹中痞塊堅硬如石者取白楊東南枝去青皮細切三斤炒令焦絹袋盛用酒一斗浸之密封三五日每食前暖一盞服之

又方 治腹中有塊如石痛如刀刺者用商陸根不以多少搗碎蒸之以新布裹熨痛處冷再換

貼痞塊方三聖膏用末化石灰半斤爲末瓦器中炒令淡紅色提出火外候熱少減次下大

黃末一兩同炒仍令熱減入桂心末一兩畧炒入米醋熬成膏子量塊大小火烘熱厚攤患處

治癖塊不分男婦小兒用海牙子一錢即染指甲花子川烏三個小者杏仁四十九粒小紅棗七箇去皮半夏二枚右五味俱生用各擣碎共爲一處仍擣和勻丸如梧桐子大黃丹爲衣每服十五丸空心或臨臥好酒送下小兒如粟米大或三五七丸量用待穀道血出住服服後忌食葷腥腐醋冷物再犯難醫歌曰一錢海

茅一二烏七個小棗一處糊七七杏仁二半夏便是碩石也化無

腫脹門

茯苓琥珀圓　治水氣乘肺遍身浮腫中焦痞隔氣不升降咳嗽喘促小便不利並宜服之

赤茯苓去皮　防已各一兩半　苦葶藶三兩半隔紙炒　紫蘇子淨一兩　琥珀一兩另研　郁李仁去皮一兩　杏仁去皮尖一兩二錢半　陳皮一兩三錢

右爲細末煉蜜爲圓如梧桐子大每服六七

十圓用人參湯食前送下

治腹滿方

白朮一錢五分　白茯苓一錢五分　木通六分　山查一錢六分

香附子一錢　蒼朮八分　黃連炒七分　枳實八分　澤瀉八分

木香四分　蘇梗七分　山梔仁炒一錢二分　檳榔八分　當歸一錢

右水二鍾生薑三片煎至八分食前服忌生

冷魚肉雞麵羊酒鹽物

五皮散　治風濕客於脾經氣血凝滯以致面

目虛浮四肢腫滿心腹膨脹上氣促急

五加皮　地骨皮　生薑皮　大腹皮

茯苓皮各等分

右㕮咀每服三錢水一鍾煎至八分熱服不

拘時忌生冷油膩堅硬等物一方去五加皮

地骨皮用陳皮桑白皮

又方治水腫肚脹四肢浮腫用黄瓜一箇破作

二片不去子一片醋煮一片俱研爛空心頓

服

又方治小兒腹脹用韭菜根搗汁和豬脂煎服

噎膈門

治噎塞病用碓杵頭上細糠蜜丸如彈子大無時嚼一丸津嚥下

又方　用寡婦木梳一枚燒灰煎藥匙湯調下

又方　用蘆根五兩切碎水三鍾煎一鍾服

又方　丁沉丸治噎食病丁香木香沉香乳香沒藥硃砂（各二錢半）射香（少許湯研）甘草（四兩）

以上七味擣爲細末將甘草研碎用水五碗泡一宿五沸去柤慢火熬成膏方下衆藥和

匀丸如彈子大每服一丸令患人細嚼濃煎
生姜湯下重着不過五服服後忌食生冷油
膩及生氣房事一旬最效

又方　治飲食之後不久即吐是翻胃之症也
用石灰礦末化着以水潑化篩出極細着微
炒取起用紙攤地下去火毒收磁罐内遇病
人壯者燒酒調四分弱者二分或下或吐有
異色虫出即愈

五膈寬中散　治七情四氣傷於脾胃以致陰

陽不和胸膈痞滿停痰氣逆遂成五膈之病一切冷氣並皆治之

青皮去穰　陳皮去白　丁香不見火各四兩　厚朴去皮姜製一斤　白豆蔻去皮二兩　縮砂仁　香附子炒去毛　木香不見火各三兩　甘草炙五兩

右㕮咀每服七錢水二鍾生姜五片鹽一捻煎八分食遠服或爲細末每服二錢用姜鹽湯調服亦妙

五膈散　治胸膈痞悶諸氣結聚脇肋脹滿痰

逆惡心不進飲食並皆治之

枳殼去穰麩炒 青皮去穰 大腹子 半夏麴炒

丁香不見火 天南星湯炮 乾姜炮 麥糵炒

草果仁 白朮各一錢二分 甘草炙五分

右作一服水二鍾生姜五片煎至一鍾不拘時服

丁香煑散　治翻胃嘔吐

丁香不見火 石蓮肉各四十枚 生姜七片 北棗七枚切碎

黃黍米半合淘淨

右四味用水一盌半煎去粗入黄黍米煮稀粥食之

紫蘇子飲　治欬逆上氣膈噎因怒氣叫喊未定便夾氣飲食或飲食甫畢便用性恚怒以致食與氣相逆氣不得下或咳嗽不透氣逆惡心

真蘇子炒　訶子煨去核　蘿蔔子微炒　杏仁去皮尖麩炒　木香不見火　人參各一錢半　青皮　甘草炙各三錢

右㕮咀分二服每服用水二鍾生姜三片煎

至八分食遠服

奪命回生散　治五膈五噎翻胃嘔吐不進飲食此藥多有神效不可輕視

丁香揀淨不見火　川芎去土　白薑洗淨炮　南木香不見火

肉桂去皮不見火　新羅人參　神麴炒各半兩　訶子七枚取肉

縮砂二十一枚　義朮炮　粉草炙各七錢半　大草果二箇炮取仁

巴豆一十四枚去殼心膜不去油冷水浸一宿別研爲膏留就鉢中

右日乾爲末入乳鉢内和勻巴豆膏再篩過入瓷盒内以油紙蓋盒口卻用黃蠟和松脂

鎔如法封固盒縫每以十二月上辰日或初八黄道生氣天月二德日至誠修合於高地爽處埋土中三尺深至次年六月中伏節擇晴明吉日取向當風處攤去濕氣以不漏瓦瓶收貯密封壯實人每服半錢臨睡百沸湯調半盞頓服仰卧片時徐以温白粥壓下若羸弱只服一字二三服即能進食止嘔吐續以寛中散丁沉透膈湯橘皮煎圓等兼進佐助胃氣忌生冷魚腥黏膩硬物一兩月則全

愈矣孕婦不可用

遇仙丹治邪熱上攻痰涎壅滯翻胃吐食十膈五噎鼓脹酒積蟲積血積氣塊諸般痞積瘡熱腫痛或大小便不利婦人女子面色痿黃鬼產癥瘕食吞銅鐵銀物悉皆治之五更時用冷茶送下三錢天明可看去後之物此藥有疾去疾有蟲去蟲不傷元氣亦不損傷臟腑功效不能盡述小兒減半孕婦勿服寶之寶之

白牽牛頭末四兩半炒半生 白檳榔一兩 茵陳五錢 蓬朮五錢醋煮 三稜五錢醋煮 牙皂五錢炙去皮

右爲細末醋糊爲丸如菉豆大依前數服行後隨以温粥啖之忌食他物

嘔吐門

大藿香散 治七情傷感氣欝於中變成嘔吐作寒熱眩暈痰滿不進飲食

藿香 木香不見火 白朮各一錢半 半夏麯二錢

茯苓 人參 桔梗各一錢 枇杷葉

官桂　甘草炙各七分

右作一服用水二鍾生姜五片棗二枚煎至八分食遠服

旋覆花湯　治中脘伏痰吐逆眩暈

旋覆花去梗一錢　半夏湯炮七次　橘紅　乾姜炮各一錢半

檳榔　人參　白术　甘草各一錢

右作一服水二鍾生姜七片煎至一鍾不拘時服

竹茹湯　治胃受邪熱心煩喜冷嘔吐不食

葛根三兩 半夏湯炮七次一兩 甘草炙一兩

右㕮咀每服五錢水二盞入竹茹如棗許生姜五片煎至七分去柤取清汁微冷細細服不拘時身熱手足心熱政和中一人病傷寒得汗身涼數日忽嘔吐藥與飲食俱不下醫者皆進丁香藿香滑石等藥下咽即吐予曰此正汗後餘熱留胃孫兆竹茹湯正相當爾亟治藥與之即時愈良方槐花散亦相類一方加棗一枚同煎

思食圓　助脾胃消導飲食止吐逆

烏梅肉五錢　神麴炒　麥糵炒各六錢　人參

乾姜炮　甘草炙各二錢

右爲細末煉蜜和圓如梧桐子大每服三五十圓食前用米飲湯送下

治乾嘔噦或手足厥冷用橘皮四兩生姜半斤每用水七盞煎至三盞去柤旋温服

治轉食嘔吐用陳蜆殼燒白灰米飲下亦治痰飲

又方 用甘蔗汁七碗生姜汁一盞和勻分五服

又方 治轉食用千葉白槿樹花陰乾爲末陳米湯調送三五口不轉再將陳米飲調藥送之

又方 治翻胃吐血用真蚌粉每服二錢姜汁米飲調下

又方 治吐逆不止用真黄丹四兩研細用米醋二兩同入銚内煎令乾更以火煆通紅冷

後爲末粟米飯爲丸如桐子大醋酵湯呑七
丸不拘時服
又方　用黑驢尿熱飲二盞不可過多日二服
病深者七日瘥
又方　惟食乾餅餌盡去羮飲水漿藥亦用丸
自不反動調理旬日奇妙有人三世死於反
胃至孫得此方始效
欬逆門
橘皮竹茹湯　治吐利後胃虚膈熱而欬者

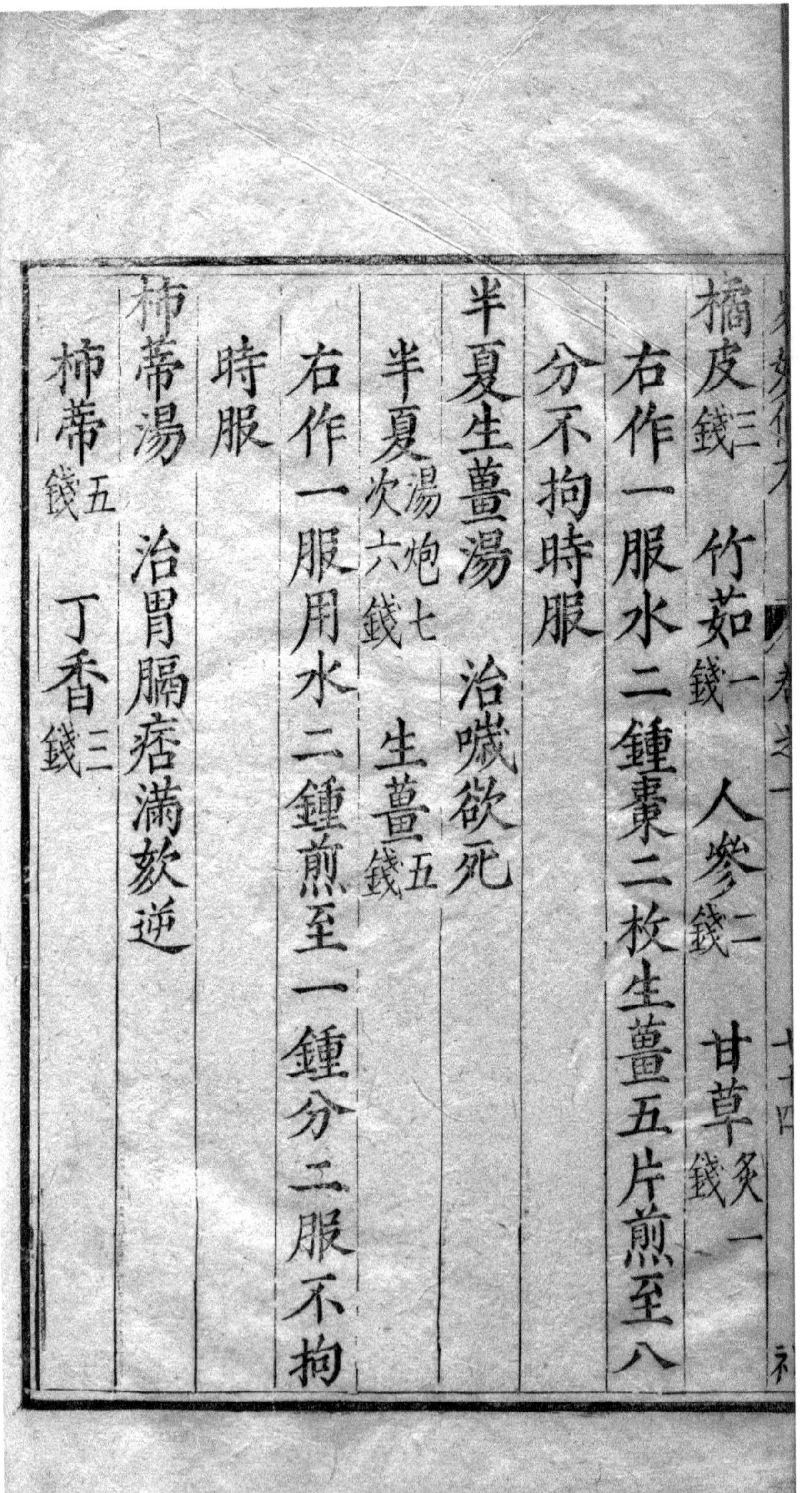

橘皮三錢　竹茹一錢　人參二錢　甘草炙一錢

右作一服水二鍾棗二枚生薑五片煎至八分不拘時服

半夏生薑湯　治噦欲死

半夏湯泡七次六錢　生薑五錢

右作一服用水二鍾煎至一鍾分二服不拘時服

柿蒂湯　治胃膈痞滿欬逆

柿蒂五錢　丁香三錢

右作一服水二鍾生薑五片煎至八分食遠

熱服

華澄茄散　治噫氣欬逆亦治傷寒欬逆日夜

不定

華澄茄　良薑各二兩

右爲末每服二錢水一盞煎六分沸投醋半

盞取出呷之

治寒氣攻胃欬噫

草豆蔻去皮　益智去皮各一兩　乾柿蒂二兩

右㕮咀每服三錢用水一鍾生薑三片煎至五分去柤不拘時熱服

哮喘門

杏仁煎　治老人久患喘嗽不已睡卧不得者服之立效

杏仁去皮尖炒　胡桃肉去皮各等分

右二味共碾爲膏入煉蜜少許搜和得所圓如彈子大每服一圓食後細嚼薑湯送下

又方　用知母二兩去皮毛貝母二兩百藥煎

一兩共爲細末將烏梅肉蒸熟搗爛爲丸如梧桐子大每服三十丸臨睡或食後連皮薑湯送下

定喘湯

白菓二十一枚去殼搥碎炒黃色 麻黃三錢 蘇子二錢 甘草一錢 款冬花三錢 杏仁一錢五分去皮尖 桑皮二錢蜜炙 黃芩一錢五分微炒 法製半夏三錢如無用甘草湯泡七次去臍用

右用水三鍾煎二鍾作二服每服一鍾不用薑不拘時徐徐服詩曰諸病原來有藥方惟

愁齁喘最難當麻黄桑杏尋蘇子白菓冬花更又良甘草黄芩同半夏水煎白沸不須姜病人遇此仙丹藥服後方知定喘湯金陵有一浦舍用此方專治齁疾無不取效此其真方也

又方

胡桃肉一兩　細茶末五錢

右和匀入蜜三四匙搗成丸如彈子大不時噙化

又方

取鷄冠油不拘多少好酒煮熟任意食之更以少少燒酒送下爲佳

老人氣喘方

真蘇子　白芥子　蘿蔔子各等分

右洗淨紙上微炒擣碎每服三錢用絹包之入湯内煎前茶服冬月加生姜一片

治嗽方

白糖　生姜　擣爛隔一夜露過白蘿蔔湯

下

癲癇門

歸神丹　治癲癇諸疾驚悖神不守舍

顆塊硃砂二兩猪心 金箔二十片 白茯苓 酸棗仁 羅參 當歸各二兩 銀箔二十片 遠志姜製 龍齒各一兩

右爲細末酒煮糊爲丸如梧桐子大每服二三十丸麥門冬湯下炒酸棗仁湯亦可

鎮心丹　治諸癇

好辰砂不拘多少爲細末猪心血和勻以蒸餅裹劑蒸熟取出丸如梧桐子大每服十丸食後臨卧人參湯下

虎睛丸　治癇疾發作涎潮搐搦精神恍惚時作譫語

犀角屑一兩　虎睛一對微炒　大黄一兩　梔子仁半兩　遠志去心一兩

右爲末煉蜜丸如菉豆大每服二十丸温酒食後送下

治諸風癇俗呼馬風病用生白礬一兩研好臘茶半兩煉蜜爲丸如桐子大每服三十丸再用臘茶湯下久服其涎自大便出

黄白丹治五癲五癇風證黄丹白礬各一兩

右用磚鑿一窠可容二兩許安丹在下安礬在上用木炭五斤煆令炭盡取出爲末以不經水猪心血爲丸如菉豆大每服二三十丸橘皮湯下

治狂言鬼語用蝦蟆一箇燒存性爲末酒調服

治發狂欲走似着邪祟者蚕退紙燒灰酒調服

又方　治癲狂不止得之驚憂之極者用瓜蒂半兩爲末每服一錢井花水調一盞投之即大吐後睡熟勿令人驚起即效

治邪狂癲癇不欲眠妄行不息用白雄雞一隻煮熟五味調和作羹食之

又方　用古鏡煮汁服亦治小兒驚邪諸惡疾

苦參丸治癲狂發作披髮大叫欲殺人放火踰垣上屋用苦參爲末煉蜜丸如梧桐子大每

服三五十丸煎猪心湯下温水亦良

通神散　治鬼魅昏迷不省人事有風痰壅者

用猪牙皂角爲末將小管盛藥末吹鼻即醒

咽喉門

急喉閉方　治纏喉風喉閉先胷膈氣緊蓦然

咽喉腫痛手足厥冷氣不通頃刻不治

巴豆七粒三生四熟生者去殼研熟者去殼燈上燒存性　雄黄皂子大明者

鬱金一個蟬肚者佳

右三味爲末每服半字茶調服如口禁咽塞

用竹管納藥入喉中須臾吐痰即醒

喉閉極效方

膽礬　白礬

各等分生用研極細末合爲一處如咽喉初覺痛時用葦筒將此藥吹入痛處閉口切勿嚥下少時口涎下流覺藥力稍緩用温水嗽之如此一二次即消腫痛矣如覺遲已成赤紫如皁子大者此藥可日加數次亦能消之白滾湯可用忌生冷之物

又方　名冰梅丸　治喉閉十八種俱效

大南星二十五箇鮮者切片大半夏五十箇切片鮮者最佳皂角四兩去弦净數白礬四兩鹽四兩桔梗二兩防風四兩朴硝四兩

揀七分熟大梅子一百箇先将硝鹽水浸一週時然後将各藥碾碎入水拌勻方将梅子置於水中其水過梅子三指爲度浸七日取出曬乾又入水中浸透曬乾候藥水乾爲度方将梅子入磁器密封之如霜衣起愈妙要用時薄綿裹之噙在口內令津液徐徐嚥下

痰出即愈

治急喉風乳蛾閉塞

用新鮮牛膝根一握艾葉七片搗碎人乳和再搗取汁令病人仰卧将汁灌入鼻内須臾痰涎即從口鼻出而愈

又方　用好鴨嘴膽礬盛於青魚膽内陰乾爲末吹入喉中

治聲啞

甘草　烏梅　桔梗　烏藥

右吹咀各等分用水二鍾煎至一鍾温服

治暴失音

用豬脂油一斤入鍋先煉成油撈出渣入白蜜一斤再煉少頃濾過净磁器内冷定成膏不時挑服一茶匙即愈無疾亦可常服潤肺

赤咽喉瘡

百草霜　枯礬　研細末吹入喉内自愈

治骨鯁

香椿樹子陰乾半碗擂碎熱酒衝調服之良

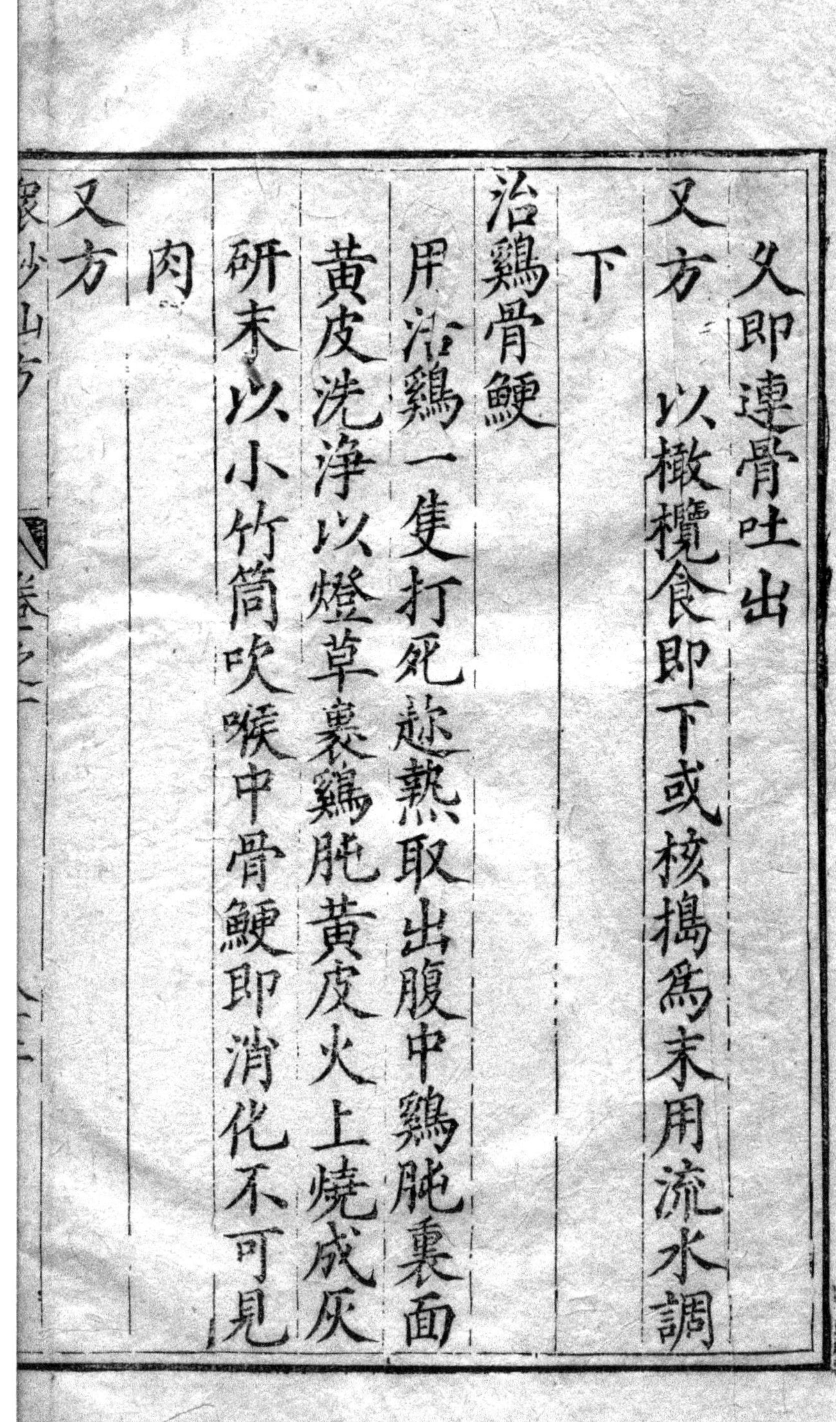

又即連骨吐出

又方　以橄欖食即下或核搗爲末用流水調

下

治鷄骨鯁

用活鷄一隻打死趁熱取出腹中鷄肫裏面

黄皮洗淨以燈草裹鷄肫黄皮火上燒成灰

研末以小竹筒吹喉中骨鯁即消化不可見

肉

又方

甘草二錢 葳靈仙五錢 宿砂二錢

右用水一鍾煎四分入口嚥欶入喉呵氣取

愈

喉中骨碍

草果 葳靈仙 等分用沙糖和酒煎服

諸骨入喉 威靈仙用酒煎下可化

玉簪花根煮水入沙糖少許吞下其骨自化

但不可粘牙 此方恐誤人盖其汁可爛人骨

治纏喉風以桐油灌之或燈盞底油灌之吐出

風痰立愈

又方　治喉閉逡巡不救用皂筴去皮子為細末半兩筋頭點少許在痛處更以醋糊調藥末塗項上須臾便破血出立效

又方　用射干（即扁竹葉根也）旋取新者不拘多少擂爛取汁吞下或動臟腑即解或用釅醋同研取汁噙引出涎愈

又方　用嫩艾葉旋取鹽汁逐時吞下亦佳或用鼓槌草土牛膝以二味生擣爛取汁灌下

愈

又方　治喉間長腫如蒂鍾者以鹽煅過鷄毛蘸付上即消不須刺破則傷人

治纏喉風用遠志去心爲末水調付項上五遭最效

治失音不能言或咯血中風用槐花新瓦上炒香熟三更後床上仰卧隨意而食亦治咯血熟酒調下尤妙

肉骨并鷄鵝等骨梗喉以狗涎滴入喉間即下

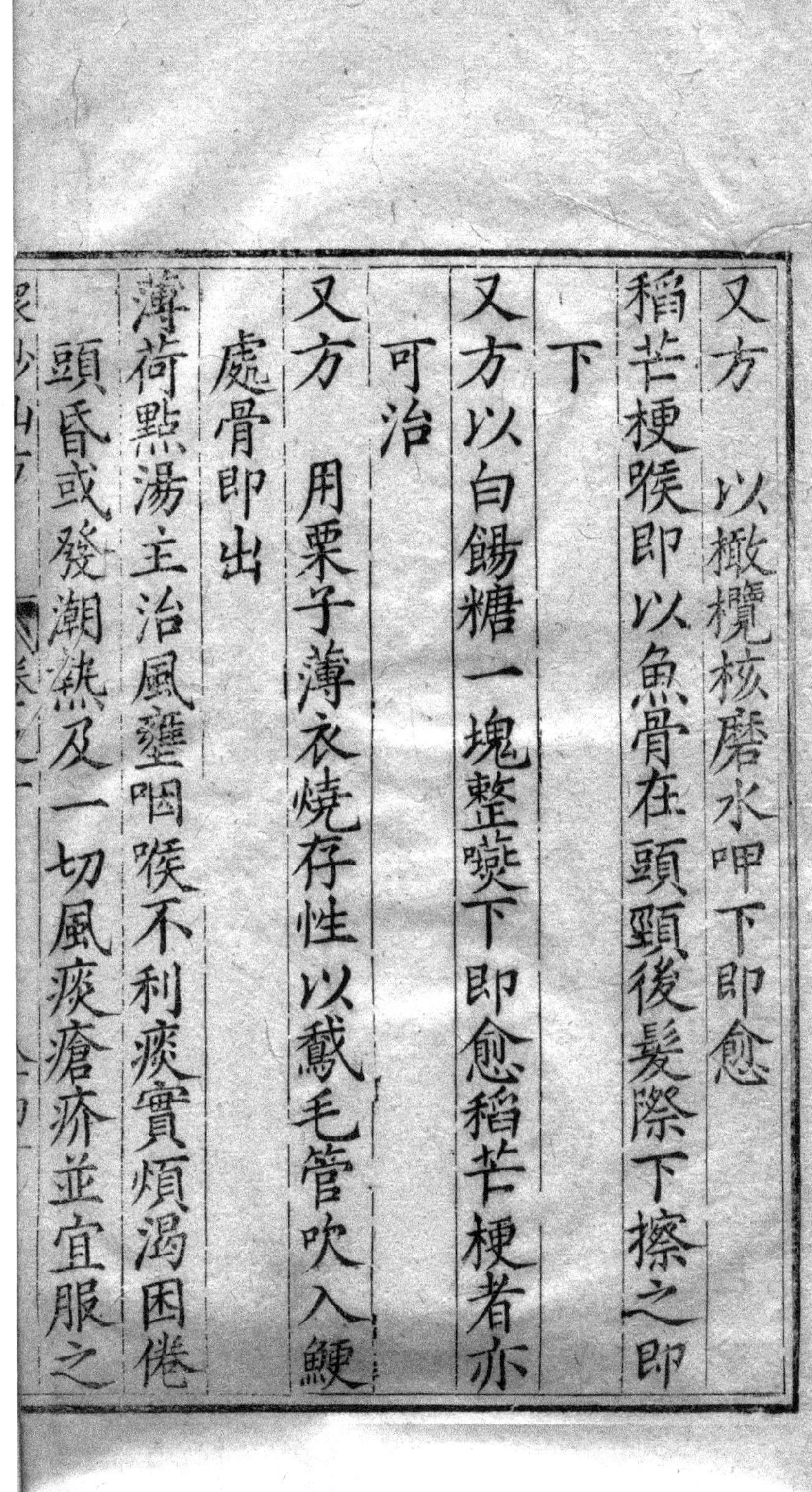

又方　以橄欖核磨水呷下即愈

稻芒梗喉即以魚骨在頭頸後髮際下擦之即下

又方以白錫糖一塊整嚥下即愈稻芒梗者亦可治

又方　用栗子薄衣燒存性以鵝毛管吹入鯁處骨即出

薄荷點湯主治風壅咽喉不利痰實煩渴困倦頭昏或發潮熱及一切風痰瘡疥並宜服之

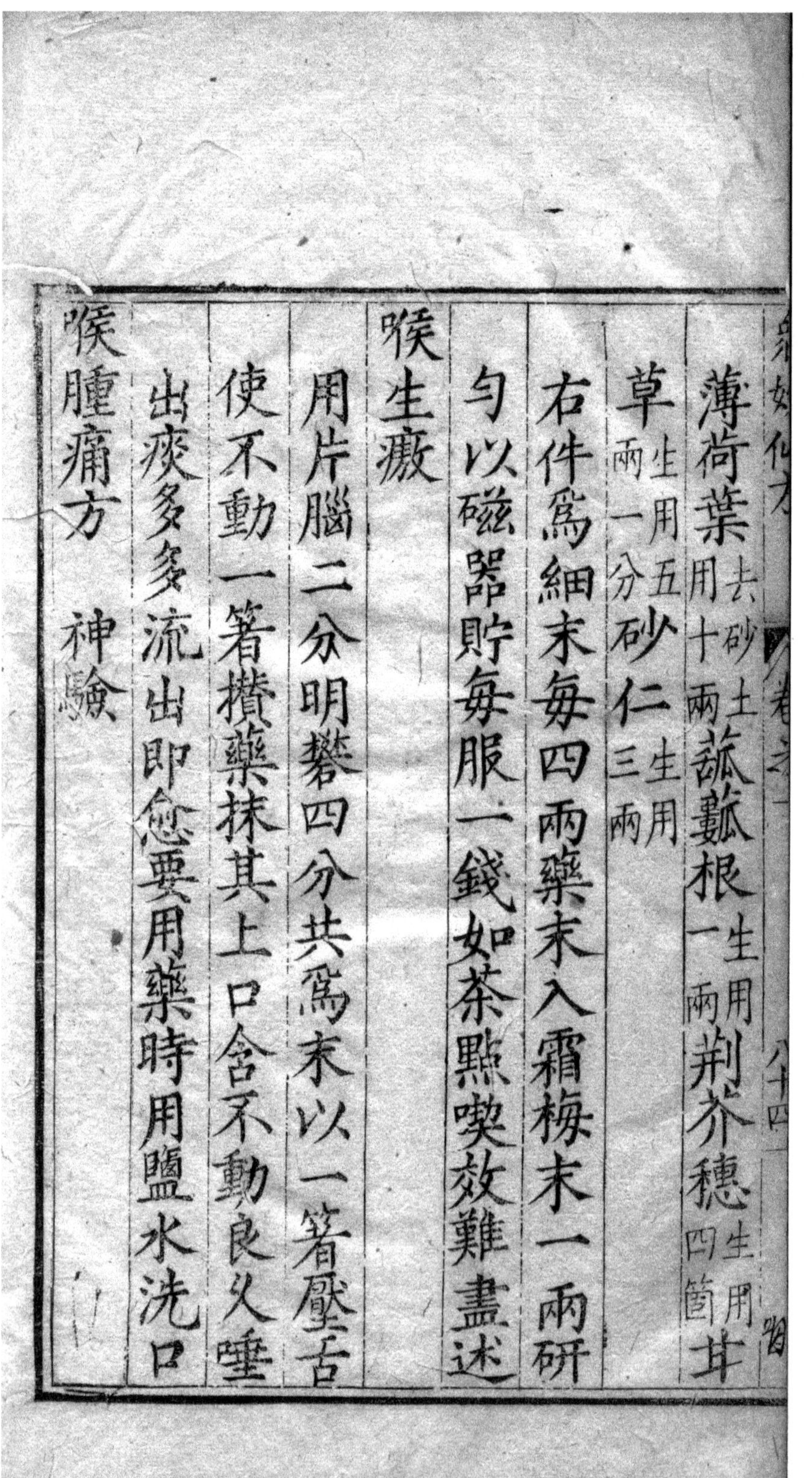

薄荷葉用十兩去砂土　菰𧄼根一兩生用　荆芥穗四箇生用　甘草一兩五分生用　砂仁三兩生用

右件爲細末每四兩藥末入霜梅末一兩研匀以磁器貯每服一錢如茶點喫效難盡述

喉生癓

用片腦二分明礬四分共爲末以一箸壓舌使不動一箸攢藥抹其上口含不動良久唾出痰多多流出即愈要用藥時用鹽水洗口

喉腫痛方　神驗

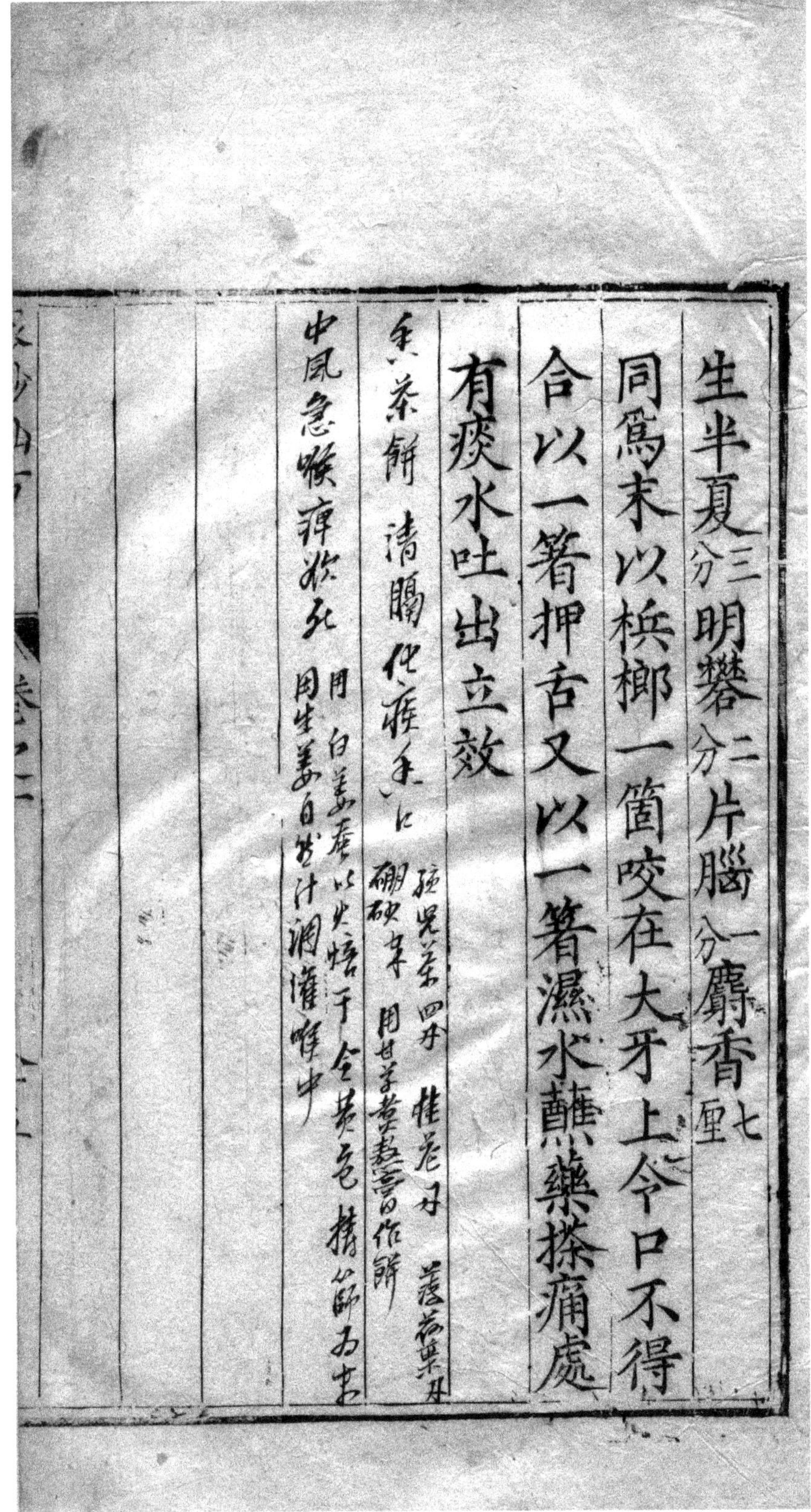
生半夏三分 明礬二分 片腦一分 麝香七厘
同爲末以檳榔一箇咬在大牙上令口不得
合以一箸押舌又以一箸濕水蘸藥搽痛處
有痰水吐出立效

香茶餅 清膈化痰香〻 孩兒茶四兩 桂花兩 薄荷葉兩 硼砂各半 用甘草煎熬膏作餅

中風急喉痺欲死 用白姜蚕以火焙干令黃色 搗篩爲末 用生姜自然汁調灌喉中

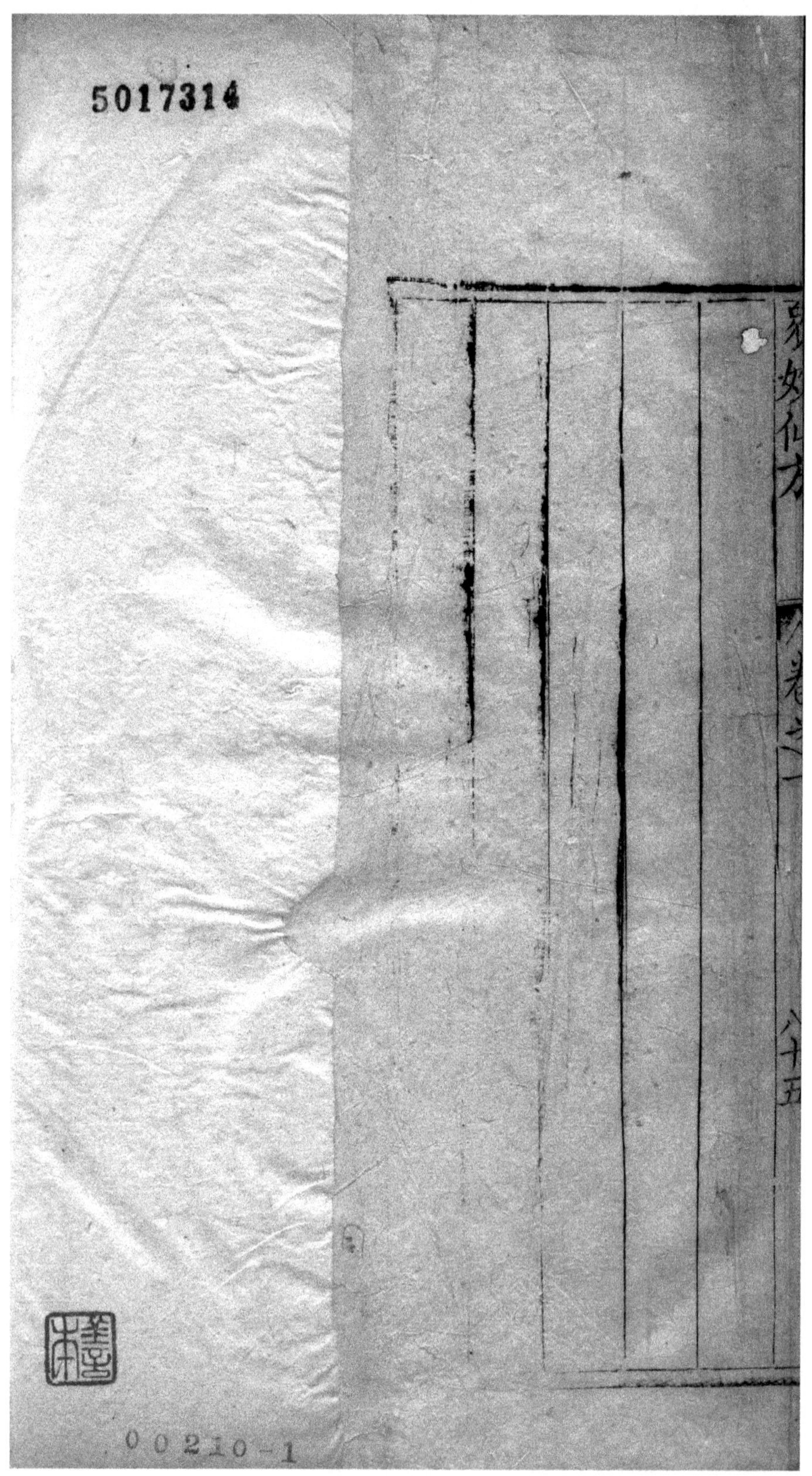
5017314
00210-1

衆妙仙方目錄卷之二

衆妙仙方卷之二

諸風門

踈風順氣丸　專治三十六種風七十二般氣去上熱下冷腰腿疼痛四肢無力多睡少食漸漸羸瘦懶動顏色不完赤黃惡瘡口苦無味積年癖塊男子陽虛女人無嗣久患寒熱瘧疾吐逆瀉痢便成癆瘵百節酸疼初生小兒百歲老人皆可服之

大黃五兩用酒浸過蒸黑色　麻仁微炒研去殻取仁二兩　山茱萸

酒浸取皮二兩山藥二兩郁李仁湯泡去皮二兩兎絲子酒淘浸酒煮二兩獨活一兩牛膝酒浸二兩枳殼去穰麩炒一兩檳榔二兩車前子酒浸二兩半木香五錢木瓜二兩防風去蘆二兩酒浸

右爲末煉蜜爲丸如梧桐子每服三五十丸茶酒任意下百無所忌平旦臨卧各一服大能補精駐顔竦風順氣　此方出醫林集要脚氣門專以大黄一味爲君以麻仁檳榔等八味爲臣而以枳殼獨活二味爲佐使本方大黄原是五兩盖中年以後之人過用厚味

酒肉多有痰火且不能遠房事往往陰虛火動動則生風醫書所謂一水不能勝五火是也故此方惟降火踈風爲主後人不知立方之旨恐其性太猛乃以五兩改作五錢而又妄加當歸地黄等三味使古方服之無效甚可嘆也

大神效活絡丹　治風濕諸痺筋骨疼痛清心明目寬胸益血養氣煖膝腰臂疼痛口眼喎斜行步艱難筋脉拘攣年四十以上每服一

丸至老不生風疾大效

白花蛇酒浸焙乾 烏稍蛇酒浸焙乾 麻黄去節 防風去蘆 甘草炙 官桂去粗皮 草豆蔻 羌活 玄參 天麻 藿香去土 何首烏 白芷 黄連 黄芩 熟地黄酒浸 大黄 木香以上各二兩 細辛去土 赤芍藥 丁香 姜蚕炒 天竺黄 敗龜板酥炙 乳香另研 虎脛骨酥炙 人參去蘆 天台烏 安息香 青皮 黑附子炮去皮臍 香附子 白豆蔻 骨碎補 茯苓去皮 白术 當歸酒浸 沉香以上各一兩 全

蝎二兩半去毒 葛根一兩半 葳靈仙酒浸二兩半 血竭七錢半 犀角屑 地龍去土 麝香另研 松香去土各五錢 兩頭尖酒浸二兩 貫芎二兩 牛黃二錢半另研 片腦一錢半另研 金箔爲衣

右五十二味爲極細末煉蜜爲丸如彈子大每服一丸細嚼温酒或茶清送下隨病症上下食前食後服之如頭風擂茶送下

豨薟丸 專治肝腎風氣四肢麻痺骨節疼痛腰膝無力亦能行大腸氣治三十六般風甚

效

此草處處有之俗呼爲火杴草其葉對節而生葉似蒼耳春苗秋花末結實法用五月五日六月六日九月九日採葉淨洗曝乾鋪入甑中用好酒拌蜜層層勻灑蒸之復曬乾如此九次爲末煉蜜爲丸如梧桐子大每服四十丸或五十丸空心無灰好酒送下　昔益州張乖崖詠進豨薟表云誰知至賤之中乃有殊常之效臣服至百服眼目清明至千服

髭鬢烏黑筋力輕健效驗多端臣本州有都衙門羅守曾因中風墜馬乂瘖不語只十服其病痊可又僧嚴智年七十忽患偏風口眼歪斜時時吐涎臣與藥十服亦痊後丁石湖每歲製合施人無不應效乃知乖蛭之言爲不虛

治鶴膝風

頭酒糟四兩肥皂二箇去子皮硝一兩五味子一兩去灰砂糖一兩姜汁半茶鍾調和敷膝上如乾加燒酒

搽搽十日就愈

蒼耳丹　治手足風濕疼痛

取蒼耳草去根不拘多少水洗淨少乾不犯鐵器截斷搗取自然汁去核渣夏布濾過桑柴慢火熬成膏膏將成如稠粥時約膏一斤入蜂蜜四兩木瓜末二兩和勻又入自然姜汁二兩同和取起以新磁罐盛之食前白湯或酒下二三茶匙日服二三次以甜物壓之湯嗽口舊疾可愈姜汁熬久則苦難服或隨

宜作丸吞之

治頭風鼻流涕神効方

辛夷仁一兩 枇杷花一兩

右爲細末用醋酒調服或糯亦可

史國公藥酒方

臣謹沭

聖恩叨居相職節宣不謹遂染風疾半體偏枯手足拘攣不堪行步醫十年全無寸効乞骸歸里廣訪名醫至元十七年三月中驛道獲

異人面臣疾傳以神方大臻靈驗臣依方浸酒未服之先非人扶不能起及飲一升便手能梳頭服二升手足屈伸有力服三升言語舒暢行步如故服四升肢體通煖百節遂和舉步如飛其效如神乞頒行天下黎元咸臻壽域

防風去蘆二兩治四肢骨節疼痛渾身拘急　秦艽去蘆二兩治四肢拘急言語蹇　萆薢二兩酥炙治骨節疼痛　羌活二兩治風濕百節疼痛　川牛膝去蘆二兩治手足麻痺腰膝疼痛補髓行血脉　虎脛骨二兩酥炙

搥碎退骨節鱉甲二兩九肋者晚蠶沙二兩中毒壯筋骨佳治癱瘓炒黄色治癱瘓百節當歸三兩補蒼耳子四兩去不遂皮肉頑麻血生血刺搥碎去風濕骨枸杞子五兩炒治五臟風油松節節頑麻邪補肝腎明目二兩搥乾茄根八兩飯上蒸熟治諸毒氣加碎壯筋風濕在諸骨節不能屈伸杜仲三兩姜汁拌炒斷絲白术去蘆二兩

右各㕮咀盛布袋中入大罈内入好酒三十五斤封罈口浸十四日滿将罈入水鍋懸煮一時取罈入土内埋三日去火毒氣每日清辰午後各服五七鍾大有補益

菖蒲酒　主十二痺通血脉調榮衛治骨立痿黄醫所不治者服經百日顔色豐足氣力倍常耳目聰明行如走馬髮白更黑齒落再生晝夜有光延年益壽久服得與神通

右用菖蒲削淨薄切曝乾一斗生絹袋之以好酒一石入不津甕中安藥囊在内密封泥百日發視如緑葉色復炊糯米二斗納酒中再封四十日便漉去渣温飲一盞日三服其藥渣曝乾擣羅爲末酒調一錢服之尤妙一

切三十種風有不治者悉効

治中風口禁氣不得通痰不得出藥不能進若非急救開其牙關豈能進藥以緩救之耶用明硼砂一二兩浸在好醋内愈久愈好若遇前症取一二錢研碎揩于牙齒邊登時抜開則氣通痰出藥可進而病可愈也至驗

治中風心煩恍惚或腹痛或絶而復甦用竈中對鍋底土一塊研碎水調服口噤者强開灌之得入下便効

又方　卒中風不語者用竹燒瀝灌之良久不省人事用香油或姜汁灌之愈

又方　中風痰壅不省人事者用白礬二錢爲末生姜自然汁調灌之

又方　治中風不省人事涎潮口噤語言不出得病之日便進此藥使風退氣和不成廢人用栢葉一握去枝葱白一握連根細研如泥無灰酒一鍾同煎一二十沸去柤温服不拘時如不飲酒分作四五次服

又方　治癱風瘓風大風一切諸風仍治脚氣并跌蹼折傷及破傷風服過百粒即爲全人用紫色浮萍七月半摘取擇淨者不以多少以盆盛水以竹篩盛萍閤于水盆上晒乾爲細末煉蜜丸如彈子大每服一粒豆淋酒空心食前化下造豆淋酒法用黑豆半升洗淨炒令烟出以無灰酒三升浸一晝夜去豆将酒用之亦可常服

又方　治暗風倒地用北細辛爲末每挑一字搐鼻中

又方　治中風失音白殭蚕七枚爲末酒調服

又方　産後中風不語角弓反張用大蒜三十

瓣水一碗煮半碗灌下

治暗風及驚氣入心口喑不能言蜜陀僧研細

末每服一錢茶湯調下

又方　治口眼喎斜用草麻子去殼研碎塗在

手心中以一盂子置在手心草麻子上用熱

水貯盂中口正則急取盂子右歪塗左手心

左歪塗右手心口眼纔正急洗去藥或隨病

處貼亦可

又方 用蔓擂爛絞取汁和大麥麪捜作餅子炙令熱熨如正便止不令大過

又方 大鱔魚一條以針刺頭上血左歪塗右右歪塗左以平正即洗去鱔魚放之則不發

又方 大風癩疾用煉成松香白色者不計多少擣研煉蜜和丸如桐子大每服食前蜜湯下一十丸一月後大効

治紫白癜風用禿菜根同白礬五倍子無名異

和醋搗碎先以苧麻刮熱以藥擦之三四次絕根

治赤白癜風先用生姜切開於上擦紅色次用海螵蛸三箇擂爛入硫黄一兩用好醋煎如泥敷上三五次即愈

治破傷風牙關緊急四肢强直用鼠一頭連尾燒作灰研以臘猪脂調敷

治破傷風浮腫用蟬殼爲末葱涎調敷破處即時取去惡水立効或用魚膠一錢溶化封之

又以酒調服一錢或用路行人糞下土調敷之

如聖散治男子婦人手足拘攣半身不遂口眼歪斜并骨節酸疼一切風疾又名舒筋散當歸酒洗焙肉桂去粗皮玄胡索炒各等分右爲細末每服三錢温酒調下空心臨卧各一服除孕婦莫服

八味順氣散 治中風先宜服此藥以順其氣次用治風之藥

白术　白茯苓　青皮去穰　白芷　陳皮去白

烏藥　人參各二錢　甘草炙一錢

右㕮咀分二貼水二鍾煎至八分去柤食遠服若痰盛加半夏二錢生薑三片

星香湯　治中風痰盛服熱藥不得者

南星六錢　木香二錢不見火

右㕮咀作一服水二鍾生薑七片煎至一鍾不拘時服

牛黄清心圓　治諸風緩縱不隨語言蹇澁痰

涎壅盛心怔健忘或發癲狂並皆治之

羚羊角鎊另研 麝香另研 龍腦另研各二兩 人參去蘆 蒲黃各二兩半 白茯苓去皮 芎藭 柴胡 杏仁另研 桔梗各一兩二錢半 防風去蘆 白朮 白芍藥 麥門冬 黃芩各一兩半 神麯二兩半 當歸洗一兩半 阿膠炒 大豆黃卷各一兩七錢半 肉桂 乾薑七錢半 牛黃一兩二錢另研 犀角二兩鎊另研 雄黃八錢另研 金箔一千二百張內四百爲衣 甘草五兩 乾山藥七兩 白歛七錢半 大棗一百箇另研

右除大棗杏仁金箔羚羊角犀角麝香龍腦

雄黃另研餘藥别研爲細末入羚羊角等藥七味入内再研和匀将大棗煮熟去皮核搗爛如泥同煉蜜爲圓每一兩作十圓金箔爲衣每服一圓食後温水化下

青州白圓子　治男子婦人手足癱瘓風痰壅盛嘔吐涎沫及小兒驚風並皆治之

南星 生用　白附子 各二兩　川烏頭 半兩去皮臍　半夏 七兩水洗過

右碾爲細末以生絹袋盛於井華水内擺出

未出者更以手揉令出以滓更研再用絹袋擺盡爲度於磁盆中日晒夜露每旦換新水攪而復澄春五夏三秋七冬十日去水晒乾如玉片碎研以糯米粉煎粥清爲圓如菉豆大每服二三十圓生薑湯送下不拘時服如癱瘓風濕酒送下小兒驚風薄荷湯下三五圓

三聖散　治中風舌强不語

沒藥研　琥珀研各二錢半　乾蠍七枚全者炒

右爲細末每服三錢七用鵝梨汁半盞皂角末一錢七濃煎湯一合與梨汁相和調下須臾吐出涎毒便能語

琥珀壽星圓　治心膽被驚神不守舍或痰迷心竅恍惚健忘及風癇等証

天南星一斤掘坑深二尺用炭火五斤於坑內燒熱紅取出炭掃坑淨用好酒一升澆之將南星趁熱下坑內用盆急蓋訖泥壅合經一宿開取出再焙乾爲末

琥珀四兩研末 硃砂一兩以一半爲衣

右三味和勻用猪心血三箇生薑汁打麪糊將心血和入藥末圓如梧桐子大每服五十圓煎人參湯空心送下日三服局方用南星一斤硃砂二兩琥珀一兩無猪心血

玉真散 治破傷風發搐神効

南星炮 防風去蘆叉各等分

右爲末每服二錢生薑酒調服仍以藥貼傷處若牙關緊急角弓反張用童便酒調灌下

治遍身風

採金銀花連根一二担陰乾用斤餘切碎浸酒服其餘煎極熱湯薰及洗

諸寒門

熨法　治三陰中寒一切虛冷厥逆嘔噦陰盛陽虛及陰毒傷寒四肢厥冷臍腹痛咽喉疼嘔吐下利身背強自汗脈沉細脣青面黑諸虛冷證皆宜用之

肥葱細切剉　麥麩各三升　滄鹽二兩

右三件入水一大盞同和拌匀濕分作二次於鐺鍋內同炒極熱用重絹縫作二包將一包熱熨臍上冷更易一包葱包既冷再用鹽水拌濕炒焦依前用之至煤爛不用別取葱麸日夜不住相續至身體溫熱脉壯陽氣復来而守正氣養之和之

治感冒三日內用花椒一撮水二碗煎一碗下蜜四茶匙熱服出汗

神效沃雪湯　治傷寒陰陽二證未辨時行疫

癘惡氣相傳服之如湯沃雪此藥功力不可具述

蒼朮堅者泡刮去皮 乾薑炮 甘草炙各六錢 厚朴去皮薑製 防風嫩者 白芍藥去皮 葛根各四兩

右㕮咀每服四錢水二鍾煎至八分去柤熱服之不拘時服少頃取生薑葱作羹或粥投之避風坐卧身體微潤即愈如疫氣正相傳染清晨進一服為佳

桔梗枳殼湯 治結胸心下痞欲死者

桔梗炒 枳殼麸炒 甘草炙各二錢

右㕮咀作一服水一盞半生薑三片煎至七分去柤不拘時服或不用生薑亦可痰多加半夏生薑有熱加黃芩

百合知母湯　治百合傷寒已經汗後病人欲食復不能食常默默欲卧復不能卧欲行復不能行有寒如無寒有熱如無熱飲食或美不美如強健人而卧不能行口苦小便赤藥入口即吐利此因虛勞大病之後不平復變

成此疾名百合病宜服

百合七枚　知母一兩

右先將百合擘碎用新汲水二盞浸一宿當有白沫出去却沫水了却用新汲水二盞煮百合取汁一盞去柤盛於淨器中又將知母亦用新汲水二盞煮取一盞去柤後將百合知母汁相和同煎取一盞不拘時分作二服服之

百合散　治傷寒百合病一月不解變如渴疾

百合　栝蔞根各一兩　牡蠣煅為粉　麥門冬去心焙
山梔仁各七錢　甘草炙半兩
右㕮咀每服五錢水一盞入生薑三片竹葉十四片煎至六分去柤不拘時服

梔子豆豉湯　治發汗吐下後虛煩不得眠反發顛倒心中懊憹此藥主之
肥梔子四個　香豉半兩
右作一服水二鍾先將梔子煎至八分入豉同煎至七分不拘時服

治傷寒時疫及傷風初覺頭痛身熱用帶根葱頭十莖切碎以醋一盞煎稀粥飲一碗乘熱喫下以被盖汗出即解

又方　治傷寒已發汗未發汗頭痛如破用生姜二兩連根葱白半斤用水二碗煎令减半去柤分三服

治傷寒鼻中出血不止用茅草花一大把無花用根以水煎濃汁食後服

又方　治陰證大效用葱白一大握用紙捲緊

却以快刀切臍一指厚片安于臍上以熱熨
斗熨之待汗出為度一片未效再切一片熨
之
又方　治陰毒傷寒用芥菜子末新水調如膏
藥貼臍上汗出為愈
又方　治時行病後犯房勞病復發男病以婦
人裩襠燒灰湯調服女病以男子裩襠燒灰
湯調下
又方　傷寒戒忌病新瘥後但少喫糜粥常令

少饑不得飽食反此則復後不得早起梳頭洗面不得多言勞心費力反此則勞復及瘥後百日內氣體未得平復犯房室者死又切忌食羊雞狗肉肥膩諸骨汁及醃藏鮓脯油餅麵食之再發

如傷寒犯內傷積食畜血小便硬脹不能言語神思盡脫兩目直視手足僵仆難以下藥者急將紫蘇煎滾熱湯用手巾泡熱取起絞乾擲在肚腹及小腹上令人將手在手巾上與

他輕輕揉運如手巾漸冷即再換泡熱手巾連連再三揉運待他宿糞硬塊或積血自下纔可看脉下藥如肛門口糞結不通再將蜜箭導之須待宿糞或積血下後然後看脉察症醫之庶不悞用藥此法最穩當屢試屢驗

又傷寒病症倘地方無明醫可請切勿憑庸醫亂用藥劑悞用了藥反致壞事須是避風并戒飲食謹靜自守待七日後其病傳遍經絡雖不服藥亦自痊愈只是多費兩日守待之

工夫而已却無害也古語云傷寒不服藥爲中醫正謂此耳

真金不換金正氣散　治四時傷寒五種隔氣和脾胃止吐瀉溫中下痰飲止腹痛脹滿吞酸噫痞噎塞乾嘔惡心内受寒濕外感風邪身體沉重肢節酸疼頭昏鼻塞未分陰陽之間尤宜服之則氣自正而病自退又能止汗觧山嵐瘴氣八般瘴疾遍身浮癰五癆七傷或風氣所灌手足腫痛全不思飲食如婦產

前後皆可服餌霍亂吐瀉心腹疼痛又治脾氣虛弱臟腑時鳴小兒脾胃不和時氣諸疾及治四方不服水土凡過嶺南此藥不可缺

厚朴（去麄皮以生姜自然汁浸十宿） 半夏（湯洗七次姜汁浸晒） 陳皮（去白即橘紅） 藿香葉（去梗土洗净） 甘草 蒼术（去皮米泔水浸） 草果子（去皮）

每一件各三兩先用鍋炒厚朴令香次入蒼术炒令紫色又入半夏炒香熟再入甘草炒黄又入橘紅炒碎方合藥再炒熟斡開衆藥安藿香葉在中心用藥包裹上約藿香葉

乾方可取出同草果爲散加姜棗煎空心常服煎時不犯銅鐵器此不換真方也大人每服七錢小兒隨年歲加減煎用水二鍾熬至九分服　林豐壽源姚傳

治陰證極效方以芥菜子七錢乾姜三錢二味爲細末用水調成厚餅作一次用貼在臍上手帕縛定上放炒鹽以熨斗熨之數次汗出爲度

四季感冒方

蒼朮米泔水浸過三錢甘草三分姜五片大連鬚葱五根春

夏加荆芥穗一錢五分秋冬加防風一錢五分

右水煎服畢用被蓋體有汗即可

治永不再感冒

白芥菜子真者三錢甘遂生用紅牙大戟各一錢

右碾末麵糊爲丸如梧桐子大夜間上床之時坐服姜湯送下人壯服十二丸弱者服七丸或八丸九丸服後至雞鳴時覺渾身骨節動響早飯時大後行一次亦不須再補其藥

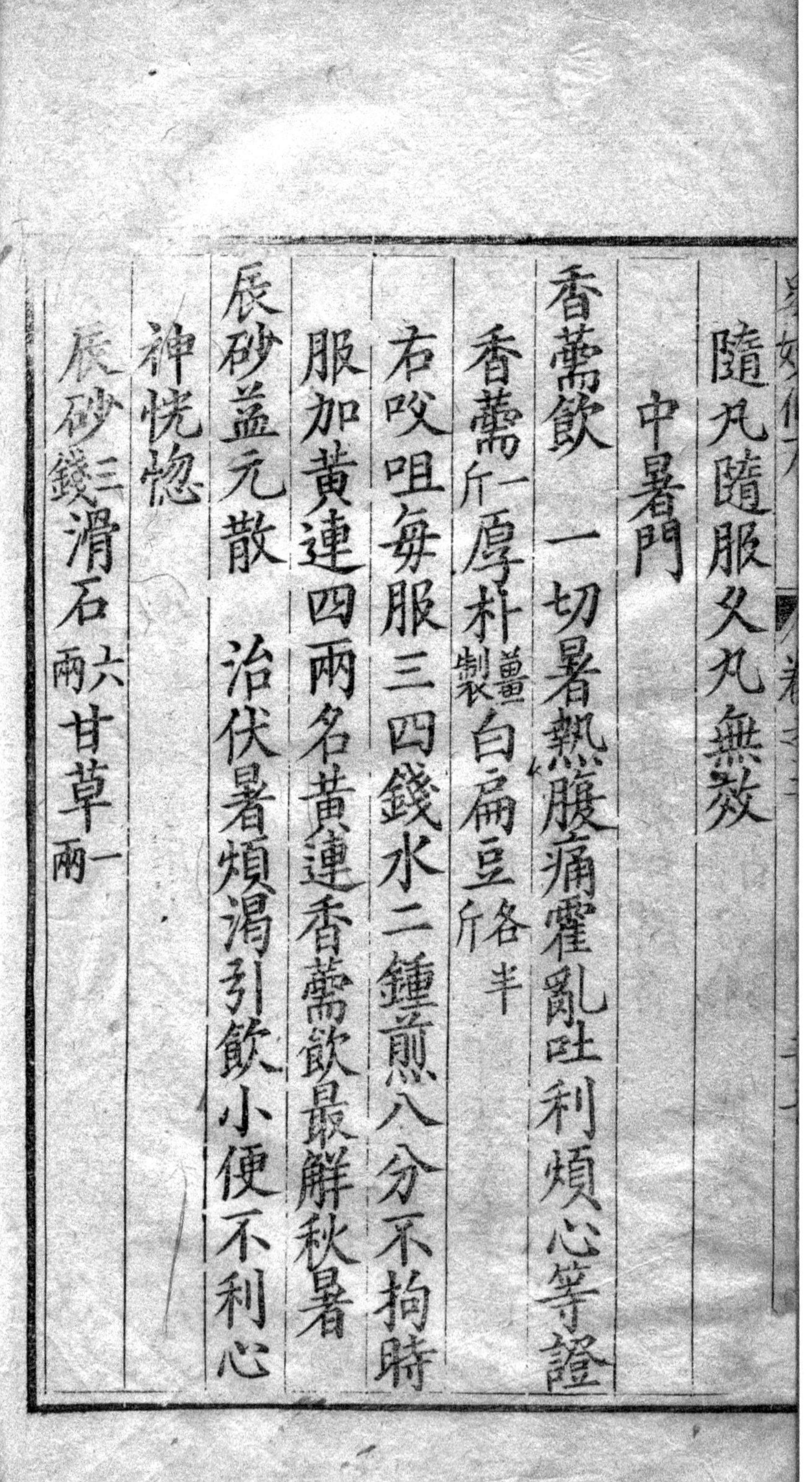

隨丸隨服久丸無效

中暑門

香薷飲　一切暑熱腹痛霍亂吐利煩心等證

香薷一斤　厚朴薑製　白扁豆各半斤

右㕮咀每服三四錢水二鍾煎八分不拘時服加黄連四兩名黄連香薷飲最解秋暑

辰砂益元散　治伏暑煩渴引飲小便不利心神恍惚

辰砂三錢　滑石六兩　甘草一兩

右爲細末每服三錢不拘時白沸湯調下

救夏月途中熱死者不可用冷水灌沃及以冷物逼外得冷即死宜移置陰處急取路上熱土于死人臍上作窩多令人尿溺于臍中又取路上熱土并大蒜同研爛水調去柤灌下

又方　濃煎灰蓼汁一碗灌之即活或車輪土五錢冷水調澄清服效

十味香薷飲　消暑氣和脾胃

香薷一兩　人參去蘆　陳皮去白　白术　黄芪去蘆　白扁

豆炒去殼　甘草炙　厚朴去皮薑汁炒黑色　乾木瓜　白

茯苓去皮各五錢　右爲末每服二錢熟湯冷水服

代茶湯　夏月服之以代茶健脾止渴

白朮一錢五分　麥門冬一錢去心

右煎作湯代茶服此一盞可當茶三盞夏日

吃茶水多必至泄瀉白朮補脾燥濕麥門冬

生津止渴也

中濕門

防巳黄芪湯　治風濕相搏客於皮膚四肢少

力關節煩疼

防己三錢 黃芪四錢 白术二錢 甘草一錢

作一服水二鍾生姜三片紅棗一個煎至一鍾不拘時服

除濕湯 治寒濕所傷身體重着腰脚酸疼大便溏泄小便赤澁

半夏麴炒一錢半 厚朴姜製一錢半 蒼术米泔浸二錢 藿香一錢 陳皮去白一錢半 白茯苓去皮二錢 白术二錢 甘草一錢

作一服水二鍾生姜七片紅棗一枚煎至一

鍾食前服

瓜蒂搐鼻法　治傷濕鼻塞頭痛

右用甜瓜蒂爲末令病人口含水搐一字在鼻中流出黄水效

治濕氣流注之處痛不可忍將金銀花并葉和酒糟研爛用淨瓦攤放火中烘熱敷患處愈

又方　用白鳳仙花每朝取九朶口嚼將温酒送下又治遍身濕痛

又膏藥方將帶皮生姜自然汁一碗并葱汁一

碗葱連青帶鬚用加牛皮膠半斤慢慢火熬成膏子入麝香一錢在内用布攤膏藥貼痛處收出他濕水如汗即愈

四製丸　滋陰降火開胃進食盡除周身之濕

黄栢四斤成片一斤酥炙一十三次一斤人乳浸一十三次一斤童便浸一十三次一斤米泔水浸一十三次　無油蒼术一斤四兩川椒炒四兩破故紙炒四兩五味子炒四兩川芎炒

右去炒藥四味用蒼术同黄栢為末煉蜜為丸如梧桐子大每服三十丸早酒下午茶湯下晚白湯下黄栢用六斤刮去皮淨四斤蒼

术用斤半粳米泔浸過刮去皮淨一斤

山精丸　健脾去濕息火消痰

蒼术二斤先用米泔浸三日竹刀刮去粗皮㬠乾用桑椹子一斗許取汁去渣将蒼术浸入汁内令透取出晒乾如是者九次用木杵搗為細末聽用枸杞子一斤地骨皮一斤

右俱研乾為細末與蒼术一併細搗濾過和匀煉蜜為丸如彈子大每服一丸或二丸白湯下

治濕神效火龍膏

生姜自然汁二碗用大鉄杓熬作一碗牛皮膠明亮者二兩用一盞水熬化麝香真正者

二錢研細右將膠汁傾入姜汁内再煎待稠粘將麝香末攪入俟温暖適宜却量手足濕痛處長短濶窄均匀攤開冷定自不粘貼衣被不必用油紙七八日後漸次脱去如前法再熬貼不過六七次自愈

治濕神效煮酒方

五加皮三兩　宣木瓜三兩

右用無灰酒三大壺入小磁瓶内將前藥咬咀亦入瓶内坐放滚鍋中待酒數沸取出冷

一宿空心飲六七杯不過五七瓶無不愈者

治男女下部濕痒用蛇床子煎湯洗即愈

治風濕痺四肢拘攣用蒼耳子三兩為散水一碗半煎去粗分作三服或為細末糊丸如桐子大每服五十丸温酒吞下

又方　治手足為風濕所傷兼有脚氣用晚蚕沙以米醋拌炒令熱用綿絮包熨之

五痺湯　治風寒濕氣客留肌體手足緩弱頑麻不仁片子姜黄一兩羌活白术防已各一兩

甘草炙五錢 右㕮咀每服四錢水盞半煎至一盞去柤病在上食後服病在下食前服

黄疸門

白玉散 治酒疸食黄

黑牽牛 甘遂各等分二次用

右藥先將水半碗入鍋煑一滚五更時煎服

治黄疸黑疸酒疸用豬脂八兩亂頭髮如雞子大二塊同煎臨服去髮分二服病從小便出

治黄疸用絲爪連子燒灰為末因麵得病麪湯

下因酒得病酒下數服可愈

又方　治黑疸多死宜急治之用土瓜根一片搗碎絞汁頓服當有黃水從小便出更服

又方　通身黃腫用瓜蒂焙乾三四錢爲細末每服半字於鼻内吹上一日一度併三日如不愈用黃芩末煎湯下五錢

又方　治黃疸身眼黃如金色者用東引桃樹根一握如筋頭大者切細以水一碗煎取半碗待溫空心頓服後三日其黃色漸散可時

時飲清酒一盞則服中易散忌食豬魚肉麪
麪煎物修合時不可使婦人雞犬見之
又方　治食勞身目黃者用皁礬不拘多少放
砂鍋內炭燒通赤用米醋點赤色爲末棗肉
爲丸如桐子大每服二三十丸食後薑湯下
又方　治酒疸用田螺七枚水養去土搥碎取
螺頭切碎以熱酒浸服或用田螺煮服
治五疸柳枝車前草山茵陳各等分右㕮咀每
服一兩用井花水煎服

治黄病愛吃茶

白术炒 蒼术米泔浸各三兩 軟石膏煨二兩 白芍藥炒 黄芩各一兩 薄荷葉七錢 牛胆南星 陳皮各一兩

右爲細末砂糖水調神麯糊爲丸如梧桐子大每服五六十丸砂糖水下

治黄病吃壁泥

黄泥一斤 砂糖四兩和泥炒乾

右爲細末黄連膏爲丸如梧桐子大每服五六十丸空心糖湯下

治黄病吃生米

陳皮　白芍藥　神麯　麥糵

山查　茯苓　石膏各一錢　厚朴七分

蒼术一錢三分　白术一錢五分　藿香五分　甘草三分

右㕮咀每服水二鍾煎八分臨時加砂糖一

蛤蜊食前服

下血門

神異方

用密節黄連不拘一斤二斤刮洗盡用韭菜

鋪甑中一層菜一層連鋪完用韭菜覆之蒸令菜黄爲度研爲細末羅過入猪臟内兩頭扎了又以韭菜厚鋪甑底置臟於菜上仍用韭菜厚覆蒸令菜黄爲度又更又蒸如此八次合前九蒸用頭髮洗盡燒灰一斤連末用灰一兩二斤用灰二兩同臟連搗爛爲丸如梧桐子大用滚水點塩少許下每服三錢即止如仍發再服三錢立止永不發

服臟連血止後仍服四味膏

天門冬二斤 麥門冬二斤 生地黃二斤 熟地黃二斤

右各味照常製法製過各另用水煎成膏将四味膏合之入蜜二斤共煎以滴水中成顆爲度用磁罐盛之每清晨用數匙調煎水服

治腸風下血烏梅一兩白芷一兩煆存性空心米飲調服

治下血極盛且久者

採槐樹上所生如皂夾形者名槐角數百枚入赤土中一宿然後取去洗淨復入牛膽内

吊於風前四十九日取出洗净每空心及臨
卧各吞七枚日久其痛自愈

槐栢丸

扁栢葉鋪在下槐角在上火蒸一度將扁栢
丢去將槐角晒乾承露一宵明日再採扁栢
再蒸再晒再承露共九次將槐角研細蜜爲
丸隨時服數十丸能去一切火并治血痔腸
風如神

治尿血用蝦蟇衣草擣汁空心服或用淡豆豉

一撮煎湯服

治大小便下血用亂髪燒灰研碎酒調服二錢

治腸風下血用炒槐花荊芥穗等分酒調亦治泄瀉

又方　用猪大臟一箇穰胡荽在内煮食

又方　用茄葉燒存性米飲調下

又方　用栢子仁十四枚撚破盛絹囊内好酒三盞煎至八分初服反覺加多再服立止非飲酒而致斯疾以艾葉煎湯服效勝如他藥

又方　用椿根白皮北行者去粗皮酒浸晒乾爲末棗肉爲丸如桐子大每服三五十丸淡酒送下

治痔瘡大便下血用槐樹上木耳爲末米飲調一錢日三服

治痔瘡下血用馬齒莧洗去土搗碎絞汁緩火煎成膏停冷每日取少許作丸納所患處

吐血下血

其證皆因內損或因酒色勞損或心肺脉破

血氣妄行血如湧泉口鼻俱出須臾不救
側栢葉乾蒸 人參焙乾各一兩
右二味爲末每服二錢入飛羅麵二錢新水調和如稀糊服
又方 用荊芥一握燒過盖在地上出火毒碾如粉陳米飲調下三錢不過二服
又方 用釜底墨研如粉服三錢米飲下連進三服
大便小便有血方

茱萸共黃連　同炒不同研　糞前茱萸酒　糞後酒黃連　製法茱萸一兩黃連一兩共一處用酒泡三日夜取出同炒乾各爲末　茱萸丸治小便血用泡藥酒打糊爲丸梧桐子大每服五十丸空心温酒送下　黃連丸治大便下血仍用泡藥酒打糊爲丸梧桐子大每服五十丸空心温酒送下

七物方

綿花核灰　用綿花核一二升揀净將火煆過候冷碾爲極細末篩出净稱一兩

用紙包好安在地上用碗蓋一日一夜取起槐花米揀淨炒黃色碾爲細末篩出淨稱三錢聽用五倍子炒黃色碾爲細末篩出淨稱三錢聽用地榆炒黃色碾細末篩出淨稱一錢五分柿餅去底核用火煅過碾爲極細末稱三錢甘草炒黃色碾細末淨稱一錢五分胡黃連用熟酒煮一時取起晒乾碾爲細末只用三分

已上共灰末二兩一錢三分合爲一處和勻每服二錢空心用無灰酒調和飲下只服三次最甚者每服加一錢其血即止不發矣

吐血門

吐紅方

韭菜根淨石臼木杵擣爛入童便在内却用布絞去查止將汁與便磁鑵盛之置火邊令熱濁者居下不用止取其汁便之清者服之甚効

又方　用竈中對鍋底土一合爲末新汲水一碗淘取汁和蜜頓服

又方　治勞心吐血用蓮心二十一粒爲末酒調二錢食後服

治大人吐血及傷飽低頭掬重內損吐血至多并血妄行口鼻俱出但聲未失者無不效用

百草霜以村中者不拘多少研細吐血糯米飲調下一錢鼻中出血用一字吹入鼻中立效皮破血出及灸瘡出血糝半錢立止

治吐血衄血茅花紫蘇葉各五錢 用新汲水一碗煎取七分乘熱服仍用大蒜兩枚煨熟研成餅貼兩足心其血即止

又方 用山梔子燒存性爲末吹鼻中效

出血門

人患鼻血不止即自已仰面將新鮮井水滴入鼻中并飲井水數口即止

又方　用青蒿草搗汁飲之立愈

又方　用麝香一分沉香三分白糯米十四粒枯白礬一錢半夏四箇共爲末麵打熟糊爲丸如菀豆大每服二丸用綿褁塞兩耳中立止如耳中出血者塞兩鼻内亦止

治舌閒出血用槐花不拘多少略炒研爲末乾

摻在血處即愈

治牙宣出血用白蘿蔔搗汁一碗加盐一錢在内不時漱口即止

治牙齒縫内出血將食盐頻擦血出處用井水漱出即止

治熱毒上攻牙宣出血牙齦腫痛用瓦上青苔不拘多少洗淨将水煎湯濾清略加些盐攪匀頻頻漱之即止

治耳内出血用龍骨爲末吹些入耳内即止

治耳内出膿出血用枯白礬爲末吹些入耳内即止

治衄血用榴花百葉者乾之爲末吹鼻中立差

又方　燒人髮勿令過絶研末調方寸匕又吹内立巳

又方　治鼻中出血用千葉石榴花焙乾研爲末吹入鼻中

遺精門

秘元丹　治精不禁危急者

龍骨酒煮焙乾爲末靈砂水飛各一兩砂仁半兩訶子小者熱灰煨取肉半兩

右爲末糯米糊丸如菉豆大每服三十丸空心温酒下臨睡白湯下

五味膏

北五味子一斤洗淨水浸一宿以手挼去核再用温水将核洗取餘味通置砂鍋内用布濾過入好冬蜜二斤炭火慢熬成膏待數日後略去火性每服一二茶匙空心白滾湯調

服火候難於適中先將砂鍋秤定斤兩然後秤五味汁并蜜大約煮至二斤四兩爲度

金剛丸　治腎損骨痿萆薢杜仲蓯蓉兔絲子酒煮猪腰子爲丸

水芝丸

牛膝根汁　蒼耳根汁各二碗不入水爲膏金櫻子爲末半斤蓮子不去皮實肚内蒸熟取出晒乾爲末和前二膏子爲丸

治泄精用韮菜子二兩炒爲末食前酒下二錢

治年壯氣盛或久獨居精溢夢泄用紫蘇子一升炒爲末每服酒調方寸匕日進兩服效

治夢遺不止用黃栢四兩內一兩將童便浸炒一兩鹽水浸炒一兩人乳浸炒一兩生用共爲末煉蜜爲丸如芡實大空心將二三十丸分作兩三次用酒送下自有深效

淋濁門

又方　治心虛蘊熱小便赤澁或成淋痛

生熟地黄　甘草　木通各等分

右㕮咀每服三錢水一鍾竹葉十片煎六分温服

又方　治男婦諸淋

土牛膝（一名苦杖根 一名鼓槌草）洗净搥碎一握水五碗煎至一碗去渣入麝香乳香末各少許空心調服小便内當下沙石剥剥有聲是其驗也

又方　治血淋

亂髪不拘多少燒灰入麝香少許用米醋泡

湯調下

又方　用真琥珀不拘多少研爲末入淡竹葉燈心同煎水滚幾次温服之即愈

治沙淋用大烏豆不拘多少炒煮酒空心服

治男婦白淋痛甚者用側栢葉五錢柳稍五錢同搗爛水二茶鍾煎一茶鍾露一夜空心温服二三次即愈

治婦人白淋白帶用石蓮子白茯苓等分爲末空心酒調服

治小便頻數日夜無度用川萆薢不拘多少洗淨爲末酒糊爲丸如梧桐子大每服五七十丸空心鹽湯或酒下七服之後愈

治婦人赤白淋帶用蕎麵和雞子清丸如菉豆大每服八十九空心白滾湯服

治男子白濁婦人白帶陳年冬瓜子仁炒爲末每服五錢空心米飲調下

又方　治小便赤濁用石蓮肉連心六兩甘草炙一兩爲末每服二錢燈心煎湯調下

固真丸　治小便多白濁者生蘿蔔一箇剜空留蓋用吳茱萸不拘多少填在蘿蔔內將蓋簽定以糯米飯上蒸熟取出茱萸焙研爲末只擂原蘿蔔作糊和丸如桐子大每服三五十丸鹽酒下食前臨卧各一服

諸淋病小便赤澀疼痛用三葉酸漿草洗淨擣汁一盞攪匀空心服立通

又方　治石淋用螻蛄七箇鹽二兩同鋪於新瓦上以火焙乾研爲末溫酒調下二錢即愈

又方　治五淋以多年木梳燒存性空心冷水調下男用男梳女用女梳

又方　用白礬爲細末填在臍中滴以井水通即去

又方　治淋疼不可忍及沙石淋以大蘿蔔切作一指厚四五片用好蜜淹少時安鐵鏟上慢火炙乾又蘸又炙取盡一二兩蜜翻覆炙令香熟不可焦候冷細嚼以鹽湯送下

又方　治血淋用乾柹燒存性爲末米飲湯調

下

治冷淋服諸藥不效者用四君子湯内加澤瀉木通猪苓連進二服又以兎絲子研極細用鷄翎管吹入小便孔内極驗

疫瘴門

宣聖辟瘟方

臘月二十四日五更井花水

右平旦第一汲水盛淨器中量人口多少浸乳香至歲旦五更煖令温從少至大每人以

乳香一小塊飲水一二呷、嚥下則一年不患

時疫　孔平仲云邪氣氛瘟未嘗無所以故宣聖軫念世人設此術以傳濟生靈避凶趨吉不致夭橫孔氏繼今六十餘代用之未嘗有此患

普濟消毒飲　羅謙甫云先師監濟源稅時四月民多疫癘初覺憎寒體重次傳頭面腫盛目不能開上喘咽喉不利舌乾口燥俗云大頭天行親戚不相訪問染之多不救先師曰夫身半已上天之氣也身半已下地之氣也此邪熱客於心肺之間上攻頭目而為腫盛

遂處方用黃芩黃連味苦寒瀉心肺間熱以爲君橘紅苦平玄參苦寒生甘草甘寒瀉火補氣以爲臣連翹黍粘子薄荷葉苦辛平板藍根苦寒馬勃白殭蠶苦平行少陽陽明二經氣不得伸桔梗辛温爲舟楫不令下行共爲細末拌匀用湯調時時服之拌蜜爲丸噙化之服盡良愈全活甚衆時人遂刊於石

黃芩　黃連各半兩　人參三錢　橘紅　玄參

生甘草各二錢　鼠粘子　板藍根　馬勃各二錢

白殭蚕炒七分 升麻二錢 柴胡二錢 桔梗二錢
或加薄荷川芎當歸身㕮咀每服五錢水二
鍾煎一鍾去滓温服如大便硬加酒煨大黄
一二錢以利之腫勢甚宜砭刺之時行疫疾
雖熱毒所染其氣實之人下之可愈氣虚下
之解不危者故東垣製此方以救人其恵慱
矣

遇仙丹 一名一粒金丹 王經畧於開通元
年赴廣東安撫在任忽患山嵐瘴氣肚腹脹

滿無藥可治遍榜召一時有一道人揭榜云能治此病隨付藥一丸服之後取下一條形如蛇長尺許當時留下本方云此實濟世之寶言畢轉步煙霧中騰空而去王經畧病疾隨痊自此留傳在世凡人百病皆因饑飽酒食生冷過度傷其脾胃心腹脹滿嘔吐酸水面黃肌瘦飲食減少腸腹疾塊病初未覺日久則成大患此藥能治五勞七傷男女諸般勞嗽吐痰吐血飜胃轉食咳逆風壅痰涎冷

淚鼻流清涕水瀉痢疾心腹疼痛酒疸食黃水氣宿食不化左癱右瘓三十六種風七十二般氣潤三焦補精氣安五臟定魂魄壯筋骨益元陽寬胸膈煖腰膝止疼痛黑鬚髮牢牙齒明眼目返老還少行步輕健五七日服一服

膃肭臍二錢　阿芙蓉二錢　片腦三分

麝香一分　晚蚕蛾一分　硃砂三分

右為末放磁碗內別用火酒二鍾將射干草

不拘多少入酒內煎至八分然後傾於碗內放水面以炭火滚四五次取出為丸如梧桐子大金箔為衣每服一丸用沙糖或梨嚼爛下之

廣南攝生論戴養氣湯方

香附子圓實者去盡黑皮微炒秤四兩　甘草炙秤一兩　薑黃湯洗浸一宿用水淘去灰以盡為度焙乾秤二兩

右二味同擣羅成細末每服一大錢入塩點空心服皇祐至和間劉君錫以事竄嶺南至

桂州遇劉仲遠先生口授此方仲遠是時已百餘歲君錫服此湯閒關嶺表數年竟免嵐瘴之患後還襄陽壽至九旬嘗云聞之仲遠曰淩晨盥櫛訖未得議飲食且先服此湯可保一日無事旦旦如此郎終身無疾病矣

宋侍制李璆瘴瘧論

嶺南炎方土薄陽燠之氣常多病者多上熱下寒既覺胸中虛煩鬱悶便自以為有熱而醫又多用麻黃金沸草散青龍湯等藥發表

得病之因正以陽氣不匡每寒熱發則身必大汗又復投以發表藥則旋踵受斃甚者又以胸中痞悶用轉利藥病人下體既冷得轉利藥十無一生是瘴癘未必遽能害人皆醫殺之也予紹興間寓蒼梧見士客與土人感瘴不幸者不可勝數詢其所服率用前藥其年予染瘴病時甚繼而全家卧病悉用温中固下升降陰陽正氣藥及灸中脘氣海三里十治十愈不損一人予二僕皆病胸中痞悶

煩燥一則昏不知人一則願得凉藥清利膈
脘予辯其病皆上熱下寒以生薑附子作湯
令溫冷服之即日皆醒翌旦各以丹砂一粒
令空腹服之遂能食粥然後用正氣平胃等
藥自得平愈既親獲効後於知識者間用生
薑附子湯療十餘人皆安更無一失又病人
煩燥但問其能飲水否若反畏冷皆上有虛
熱非真熱也皆宜服生薑附子湯沈存中良
方治瘴七棗湯用烏頭七顆七泡者治法正

與此同一服而愈但宜溫冷服欲導熱氣向下取其發緩間有脉證實非上熱下寒面色目睛赤黄又當隨證治之不可用附子湯予在蒼梧時十百人中惟一鄭防禦病熱身體無汗脉洪數而浮宜紫胡湯遂以小紫胡湯服之而愈餘方尚多莫良於此惟達者酌用焉

宋知容州新安王棐瘴瘧説

南方天氣温暑地氣鬱蒸陰多閉固陽多發

泄草木水泉皆稟惡氣人生其間元氣不固感而爲病是謂之瘴輕者寒熱往来正類痎瘧謂之冷瘴重者蘊熱沉沉晝夜如卧灰火中謂之熱瘴甚者一病失音莫知其所以然謂之瘂瘴冷瘴不死熱瘴久而死瘂瘴無不死此方書之說也愚謂瘂瘴者非傷寒失音之症乎非中風不語之症乎治得其道間亦可生安得謂之無不死耶若夫熱瘴乃是盛夏初秋茅生夾道人行其間熱氣蒸鬱無林

木以蔽日無水泉以解渴伏暑至重因而感疾或飲酒不節或食炙煿偶成此疾其熱晝夜不止遲治一二日則血凝不可救矣南方謂之中箭亦謂之中草子然挑草子法以針刺頭額及上下唇仍以楮葉擦舌皆令出血徐以藥解其內熱應手而愈安得謂之久而死耶至於冷瘴或寒多而熱少或寒少而熱多亦有疊日間日之異及其愈也瘡發於唇驗其症郎是外方之瘧本非重病每因誤而

致禍亦不可以不究而忽之但診脉息極微見其元氣果虛與附子川烏等藥而愈或誤投以寒藥所謂承氣入胃陰盛乃亡若診其脉息洪盛審其症候實熱且服和解等藥而徐活之或誤投以熱藥所謂桂枝下咽陽盛則斃但診脉而用藥萬不失一然觀其形氣之怯壯察其脉息之虛實參以病之盛衰分其症之陰陽極工巧以審之其庶幾乎頃自入廣以来但用修養之法晨興盥漱先服平

胃散間或投以不換金正氣散洗而後啖淡粥巳時早食申時晚食夜則服消食等藥聚會宜節飲不宜大醉及頻數耳但天氣不常一日之間寒煖數變却須脱著以時稍稍失節亦無深害所甚急者省食生冷則脾胃自壮省食油膩則胸膈自快無大忿慾以傷天和重節色欲以固真氣如此調攝决可以無恙也

神仙太乙紫金丹一名紫金錠一名萬病解毒丹一名玉樞丹 解諸

毒療諸瘡利關竅通治百病此藥真能起死回生嘗製十數萬錠濟人奇效不可盡述凡居家出入興大工動大兵及閩廣雲貴仕宦行兵尤不可無之

山茨菰 南北處處有之俗名金燈籠葉似韭花似燈籠色白上有黑點結子三稜二月開花三月結子四月初苗枯即穵地得之遲則苗腐爛難尋矣與有毒老鴉蒜極相類但蒜無毛茨菰上有毛包裹宜辯去皮洗極淨焙二兩

川文蛤 一名五棓子搥破洗刮淨焙乾三兩

麝香 揀盡血毛皮殼細研淨三錢

千金子 一名續隨子去殼揀色極白者用紙包裹換紙研數十次去盡油以色白再研紙無油成霜為

度一紅芽大戟杭州紫大戟為上江南上大戟次之去蘆根洗極淨焙乾
兩一兩半壯方綿大戟色白者大峻利反能傷人弱人服有吐血者慎之慎之
右製法宜端午七夕重陽或天月德黃道上
吉日修合量藥多寡預期數日前主人及醫
生俱齋戒沐浴易澣濯及新潔衣巾履襪於
僻靜淨室焚香將前五味各為極細末設盥
洗盆出入必淨手薰香各用新潔器盛紙蓋
至期夙興主人率醫生焚香陳設藥品拜禱
天地畢用數盆各逐盆配合分兩攪和數百次

極匀仍重羅兩遍依方用糯米濃飲調和於
木臼内杵數千下極光潤為度每錠一錢每
服一錠病勢重者連服通利一兩行無妨用
温粥補住要在齋心至誠極其潔淨如法修
製毋令喪服體氣不具足人婦人鷄犬見之
治一切飲食藥毒蠱毒瘴氣惡菌河魨喫死
牛馬駝騾等諸毒並用凉水磨服南方蠱毒
瘴癘傷人纔覺意思不快即磨服一錠或吐
或利隨手便愈　癰疽發背對口天蛇頭無

名疔腫楊梅等一切惡瘡諸風隱瘮赤腫未破時及痔瘡並用無灰淡酒磨服及用涼水調塗瘡上日夜各數次覺痒立消已潰出濃血者亦減分數　陰陽二毒傷寒心悶狂言亂語胸膈壅滯邪毒未發及瘟疫及喉閉纏喉風冷水薄荷一小葉研下　心氣痛并諸氣用淡酒或淡姜湯磨服　赤白痢疾泄瀉肚腹急痛霍亂絞腸沙等症及諸痰症並用薄荷湯磨服　男子婦人急中顛邪喝叫亂

走鬼交鬼胎鬼氣狂亂失心羊兒猪顛等風中風中氣口眼歪斜牙關緊急語言蹇澁筋脉攣縮骨節風腫手脚腰腿遍身疼痛行步艱辛諸風諸癇並用煖無灰酒下　自縊溺水死心頭暖者驚死鬼迷死未隔宿者冷水磨灌下　毒蛇風犬一應惡虫傷冷水磨塗傷處另用淡酒磨服　久近瘧疾臨發時東流水煎桃柳枝湯磨下　小兒急慢驚風五癇五癩脾病黃腫癮疹瘡瘤牙關緊急並用

窨水薄荷小葉同磨下及搽量兒大小一圓作二三服　牙痛酒磨塗及含藥少許良久呑下　湯火傷流水磨塗傷處　打撲傷損炒松節無灰酒下　年深日近頭疼太陽疼用酒入薄荷研爛磨紙花貼太陽穴上　諸蠱腫脹大麥芽煎湯下　婦人女子經水不通紅花煎湯下　有孕婦人不可服　一家患傳屍勞兄弟五人已死者三方士令服此藥遂各進一錠一下惡物如濃狀一下死蟲

如蛾形俱獲生其人遂以此藥廣濟屍諡無不驗者　一女子久患勞瘵爲屍蟲所噬磨一錠服之一時吐下小蟲十餘條後服蘇合香丸半月遂如常藥品雖不言補羸瘦人服之並效誠濟世衛身之寶也每料費銀不過二錢可救數十人内用山茨菰千金子皆有子可種仁人君子合以濟人陰功不小　一牛馬六畜中毒亦以此藥救之　一方加雄黄明透如石榴子者三錢歷試治諸瘡極效

諸瘡門

神仙太乙膏　治癰疽及一切瘡毒不問年月深淺已未成膿者並治之如發背先以溫水洗淨軟帛拭乾用緋帛攤貼之更作丸用冷水送下血氣不通溫酒下赤白帶下當歸酒下咳嗽及喉閉纏喉風並用新綿裹置口中噙化下一切風赤眼捏作小餅貼太陽穴更以山梔子湯下打破傷損者貼之橘皮湯下腰膝痛者患處貼之鹽湯下吐血者桑白皮

湯下以蛤粉爲衣其膏可收十餘年不壞愈久愈烈又治瘰癧瘻瘡並用鹽湯洗貼酒下一丸婦人經脉不通甘草湯下一切疥癩瘷油少許和膏塗之虎犬蛇蝎湯火刀斧傷者皆可内服外貼

玄參　白芷　赤芍藥

當歸　肉桂　生地黄

大黄各一兩

右爲粗片用香油二斤入銅鍋内煎至黑濾

去渣入黄丹十二兩再煎滴水中撚軟硬得
中即成膏製丹法黄丹先炒黑色傾入缸内
用滚水一桶泡之再汲凉水滿缸用棒常攪
浸一宿去水再炒如前二次方研務令極細
可用
陶節庵曰予常用治瘡毒并内癰有竒效忽
一婦月經不行腹結塊作痛貼之經行痛止
後隨前云治證無有不效愈知此方之妙也
嘗以此膏施貼楊梅瘡毒潰爛着甚效有一

人爛頭半邊貼之亦愈其一切瘡瘍瘰癧赤
眼并婦人月經不行俱試有驗

治一切疔瘡及無名腫痛惡瘡

用蒼耳草梗中虫一條入白梅肉三四分同
搗如泥貼瘡上立愈取此虫須看草梗有大
蛀眼者以刀截去兩頭不蛀梗俟收多以粗
麻線縛之掛壁頭其虫不死在內經一年亦
可取用細者用兩三條

金銀花湯　治癰疽發背及一切無名腫毒氣

癰便毒等症不問已潰未潰或初起腫痛極熱無不效者金銀花即忍冬藤俗呼爲甜藤其花開黄白二色故名金銀三四月間採江南極多採花連莖葉取自然汁半碗老酒半碗煎八分其渣即可敷于毒上如無取收乾者一握用水酒各半碗煎服此湯敗毒托裏散氣和血其功獨勝鄉村居人遠違城市迎醫不便尤宜知此也

治發背疔腫諸瘡護心托裏累有效驗

白龍丸用生白晉礬爲丸如梧桐子大每服七丸日進三服三日而止　黄龍丸用生白礬四兩研爲細末黄蠟四兩銅器溶開去滓離火少澄入礬末且洒且攪如糊傍火丸如梧桐子大硃砂二錢研細爲衣每服三十丸清晨臨卧日進二服十日稍歇三日再服十日瘡極危者方服前一方稍輕者止用後一方

真人活命飲　治一切癰毒

川山甲三大片切碎以蛤粉炒過去蛤粉淨用　天花粉
乳香透明滴乳　茸草節　赤芍藥
白芷　貝母去心各一錢　防風五分去蘆淨用
没藥五分　川歸尾一錢五分酒洗　陳皮一錢五分
金銀花三錢　皁角刺五分去梗
在背皁角刺爲君
在腹白芷爲君
在胸次加瓜蔞仁二錢
在四肢金銀花爲君

如疔瘡加紫河車草根三錢如無亦可

右作一貼用金華好酒一鍾半煎至一鍾溫服煎時須用大瓦瓶以紙密封瓶口勿令泄氣服時須隨瘡上下以分饑飽能飲酒者服藥後再飲三五盃此藥並無酒氣不動臟腑不傷氣血忌酸薄酒鐵器服後側睡覺痛定回生

陶節菴曰愚常用此方治一切癰疽疔腫不問陰陽虛實善惡腫潰大痛或不痛先用此

劑大勢已退然後隨餘證調治其功甚捷誠

仙方也金華周峴峰亦常用此治人十無一

失然當服于未潰之先與初潰之時甚妙如

毒已大潰或不宜服

神仙蠟礬丸　治癰疽及腸癰托裏消毒固臟

腑止疼痛

黄蠟真者二兩　明礬三兩

先将黄蠟鎔開離火少温入礬末和匀衆手

急丸如梧桐子大每服二三十丸食前温酒

下每日二服

陶節菴曰愚按此方不惟定痛生肌而已護膜止瀉消毒化膿及内癰排膿托裏之功甚大或金石補藥發疽非此莫能治更用白礬一兩每服一錢温酒調下尤效有遍身生瘡狀如蛇頭名曰蛇頭瘡尤宜服之每日百丸方有功效若蛇蝎并一切毒虫所傷熔化熱塗患處内更服之其毒即觧爲外科之要藥也服至三四兩之上愈見其功矣

此宜于癰毒潰後服之此方甚穩服此必保
無慮乃常驗之劑也

治久遠腫毒不能收口用桑葉醋煮貼之

又方 烏梅燒存性爲末敷之即愈

治男女一切惡瘡并小兒痘疹餘毒乳疽疔等
瘡

用老苦絲瓜連皮筋子全者燒存性研末絕
生起每用末三錢白蜜調服日二夜一則腫
消毒散不至内攻害人

透膿散　治諸癰瘡及貼骨癰不破者不用針刀一服不移時而自透

蛾口繭用出子蛾兒繭

右将繭兒一箇燒灰用酒調服即透若服一箇只一箇瘡口兩三箇即兩三箇瘡口切莫輕忽

諸瘡腫毒

用癩蝦蟆生剥其皮乘熱貼諸般腫毒之上如對口之類極見效

治各項腫毒

用白芨末以無根井水調攤紙上貼患處已成者加大黃少許

治發背方　彭幸庵傳　亦治一切疔腫瘡毒

凡人中熱毒眼花頭暈口乾舌苦心驚背熱四肢麻木覺有紅暈在背後即取槐子一大抄揀淨鐵杓炒茶褐色用好酒一碗滚過逼去槐子止乘熱服酒一汗即愈如仍未退再揀槐子一抄如前炒煮服之極效縱成膿者

亦無不愈此三十年屢驗之方也

治痛瘋楊梅瘡方　此方平和而取效速

當歸　防風　牛膝　羌活

甘草　木瓜　金銀花　皂莢子

熟地黃　川芎各一錢　硬飯四兩

右用水五鍾煎三鍾空心服一鍾午服一鍾

将晚服一鍾渣再水三鍾煎一鍾半作茶用

夏枯草湯　治瘰癧馬刀不問已未潰或日久

成漏用夏枯草六兩水二鍾煎至七分去渣

食遠服此生血治瘰癧之聖藥虛甚當煎濃膏服并塗患處多服益善兼十全大補湯加香附子貝母遠志尤善

治熱湯瘡

用水裏青苔陰乾爲末無根水調搽患處

治湯火瘡

用螺螄殻多年乾白者火煆爲末如瘡破用乾掺之如不破輕粉清油調傅之

又方　治面上生瘡用枇杷葉布擦去毛炙乾

爲末食後茶湯調下二錢

又方　治人面卒得赤黑丹如疥狀不急治生遍身即死用鹿角燒灰猪脂和塗效

又方　治面生風粟用益母草末麪湯和燒七遍洗面用之

新增　用杏仁不拘多少搗爛以雞清調付面上夜塗至曉熱酒洗去效

治口瘡用白礬一兩枯乾黄丹一兩炒紅色放下炒至紫色同爲末摻瘡上

又方 用宿砂火煅爲末擦瘡上或用蓮花片貼之效

又方 吴茱萸爲末醋調塗足心效最宜小兒口瘡不喫藥者一貼而愈

又方 小兒口瘡用生白礬爲末水調攤紙上貼兩脚心頻以水潤濕

又方 治連年兩腿生爛瘡不瘥者以八月藍葉一斤生搗爛汁洗擦過三日瘥仍用前藥付之經驗

又方 治癰疽發背用大薊根俗謂之野紅花其葉有小刺四五月開花不拘多少淨洗切碎研如膏塗瘡上其冷如氷初發者能消散已成者速潰

又方 用牛皮膠二兩酒二升同煮候牛皮膠溶化放溫令病者徐徐飲盡如未結成即消已結成即潰已潰即易瘥如未效再服必効矣

又方 惡瘡無頭用皂莢刺燒灰陰乾為末酒

調三錢嚼葵菜子三五箇送下

又方　治癰疽不消已成膿怕鍼不得破用白雞翅下取第一毛兩邊各一莖燒灰水調服

又方　治一切惡瘡不收口用兎松不以多少陰乾爲末先用槐枝葱白湯洗過摻之立效

灸瘡久不瘥者更效

又方初發時便當服此不問疽發何處及婦人乳癰若鄉村或貧乏無得藥材者度心服之

大有神効用鷺鷥藤即金銀花搥碎不犯鐵

器大甘草節一兩各生用水二碗慢火煎至一碗入無灰酒一大碗再煎十數沸去柤分三次温服如無生者用乾者終力淺更生取葉一把擣爛入酒少許調和稀稠得所付瘡四面中心大留一口泄毒氣

又方　治多年惡瘡用馬齒莧擣爛付之亦治翻花瘡其形如開花之狀將莧燒灰豬脂調付

治發背初覺疑似之間用白礬以火鎔化即丸

如豆大每服二三十丸白湯送下被盖汗出
其瘡自散若日久其瘡已成不可為也
又方　治癰疽惡瘡初發一日二日須防毒氣
攻心可先服此藥若嘔吐者不可治也真菉
豆粉四兩乳香通明者一兩為末每服二錢
濃煎甘草湯下可救
治鬓邊生軟節名發鬓有數年不愈者用猪頭
上毛猫頭上毛各一撮燒灰鼠屎一粒為末
以清油調付

治便癰用皁莢不蛀者燒過陰乾爲末酒調服或用皁莢子七粒爲末水調服亦効又用皁莢炒焦小粉炒等分和匀以熱醋調仍以紙攤貼患處頻頻水潤之効

又方　用胡桃七箇燒過陰乾爲末酒調服不過三服或用生蜜米粉調服休吃飯利小便効

治疔瘡用蒼耳子根梗苗但取一色燒灰和醋調如泥塗乾再換上不過十次即拔出根立

効

又方　用生蜜調隔年葱一處研成膏先将瘡周圍以竹鎞刺破然後用藥於瘡上攤之緋帛盖覆如人行二十里覺疔出然後以熱醋湯洗之

又方　治疔瘡垂死者用甘菊花葉一把搗汁一盞入口即活冬月用根此方神効

又方　治魚臍疔瘡用絲瓜葉連鬚葱韭菜同入石鉢内搗爛如泥以酒和服相貼腋下如

病在左手貼左腋下在右手貼右腋下在左足貼左胯在右足貼右胯如在中則貼心臍並用布帛包住俟肉下紅絲處皆白則可爲安如有潮熱亦用此法却令人抱住恐其顛倒倒則難救矣

蟾酥丹治疔瘡極驗幷一切無名腫毒惡瘡皆効用蟾酥三錢雄黄硃砂各二錢研極細末於每年五月五日午時脩合用婦人生男月內乳汁爲丸如菉豆大每服一丸先飲葱葱煎

酒一鍾後将此藥壓舌下噙化
治瘰癧用萆麻子炒熟去皮爛嚼臨臥服二三
枚漸加至十數枚甚効
專治鼠瘡瘰癧不分男女歲月新久並皆治之
一月内即愈此方珎重不可妄傳極驗如神
取桑柴不拘多少去皮并垂蛙者於避風處
壘作一籠發火燒之勿動自然成灰三斤再
用風化石灰六斤各羅極細用筐一箇以生
絹一尺放筐底内先用桑柴灰一層在下次

按石灰一層在中如此一層一層重疊攤上按實至盡中按成窩上剪圓紙一方貼窩上用熱滚水時時滴之濾至三四碗傾在新砂鍋内用文武火熬至一二鍾極釅為止用筯頭點在手臂上試驗即泡起為度待冷以磁瓶收貯密封瓶口勿得泄氣治瘡之時另用前桑柴灰一兩石灰二兩以前貯藥水調成膏量敷瘡上勿著好肉皮稍候良久不疼用箸輕撥去舊藥再上新藥待紫血出盡紅血

為度如未見紅血再上一二次務見紅血津出即止再不必上藥待候自滴血水十日方可用生肌藥搽之以愈為度斂瘡口生肌藥松香二兩艾葉一兩香油四兩輕粉一錢先将香油傾放粗磁碗内将艾揉爛紙捲成炷入油碗内以松香捲成紙撚火點著放艾上将松香時時入艾火上化滴入油内待艾香二味著盡為止再用生絹扭去相方入輕粉攪打數百下令匀以鷄翎掃上一日三次待

斂口生肌爲度

治項後生疙瘩不變肉色不問大小日月深遠或有赤硬腫痛用生山藥一挺去皮蓖麻子二箇右二味研匀攤帛上貼之如神

治瘤癀凡皮膚頭面上生瘤大者如拳小者如粟或軟或硬不痛者用大南星一枚細研稠粘用米醋五七滴爲膏如無生者用乾者爲末醋調如膏先將小針刺腫痛處令氣透却以膏藥攤紙上量瘤大小貼之

又方　治瘤癀兼去鼠妳痔真奇藥也用芫花根洗淨帶濕不得犯鐵器於木石器中搗取汁用線一條浸半日或一宿以線繫瘤經宿即落如未落再換一二次自落後以龍骨訶子末付瘡口即落繫鼠妳痔依上法累用之効

治翻花瘤用馬齒莧一斤燒灰研細猪脂調付

治臁瘡用黃蠟煉攤冬青葉上貼縛定日換一葉至七日換七葉愈

治白禿瘡用鯽魚一箇重三四兩者去腸肚以

亂髮填滿濕紙裹燒存性雄黃二錢共為末
清油調付先以齏水洗拭後用藥
治疥瘡用猪肚一箇放皁莢同煮熟去皁莢食
之妙
治遍身白疹蚤痒不止用小枸橘不拘多少切
作片麩皮炒黃為末每服二錢酒浸少時去
枸橘但飲酒最妙仍以枸杞煎湯洗患處妙
治陰頭生瘡用溪港中舊螺螄入乾鍋內煅過
以鹽水洗五七次後以此藥付之

治奶精瘡用大田螺兩箇和殼煆過存性為末入輕粉少許付患處即安

治陰瘡用桑樹根白皮搗汁洗之

治手足并耳上凍成死血作痒作痛用蟹螯殼燒灰研末菜油調搽愈

治白禿瘡即辣薊頭先用宰猪猪毛湯洗淨用烟膠三錢川椒一錢枯白礬一錢研末香油調擦之即愈又治牛皮血癬瘡

治癬抓破用穀樹汁塗之愈

治鼻痔爛通鼻孔用鹿角一兩明礬一兩俱放在瓦上隅火煅過人頭髮伍錢在燈火上燒過共為末溫花椒湯洗淨摻藥於痔上三四次即愈如瘡不收口用瓦松燒灰存性研末乾摻之即收

治四時腮腫名曰痄腮用赤小豆一合為末醋調搽之愈

治瘰癧取金絲桃蓝大者連枝帶葉摘下用陰陽瓦焙炙乾空心清茶嚼下蓝七枚服至七

日男覺陰囊作痒或痛婦覺乳痒或痛即用
防風通聖散飲二三服俱消其葢須用葢邊
有四箇葉者纔妙

治紅絲瘡又名血箭瘡其瘡起于手者頂刻紅
絲長到膂邊起於足者頂刻紅絲長到小腹
邊即死須於初起之時紅絲兩頭俱將繩線
縛住即将瘡頭上刺出毒血後嚼浮萍草敷
之愈

治漆瘡用蟹黃搽之即愈

治痔瘡用冰片點之即愈

治痔用蝸牛五六箇去殼冰片三分射香三分同研成膏自化爲水點在痔上即愈

治下疳瘡用海飄硝一兩靛花青一錢爲末塗之

治癰疽惡瘡瓣發陰處者欲使毒氣不攻心用牛皮膠透明者四兩酒一碗入膠在内隔湯煮待膠化攪匀和酒隨意飲以醉爲度不能飲者用白滚湯和膠飲盡爲度此法活人最

多

治便毒用肥皂子燒灰存性爲末每服三錢空心酒調服即消

治便毒初起用赤何首烏半斤米泔水浸一夜竹刀切爲片搗爛取汁用酒半斤攪和頓熱不拘時服略𦢊片時有微汗即消

治楊梅瘡用樺皮四兩煎酒將雄黄透明者爲末三錢空心調服五次即効

又方　土茯苓四兩僵蚕一錢蟬退一錢肥皂

子一錢皁角刺一錢水三碗煎一碗服五七
服除根
又方　只将杏仁一味不拘多少去皮尖研末
将水調塗瘡上二三日其瘡自然脫落
治發背癰疽等瘡自項後以至腰背眼看不見
者皆是先用上品金墨和三冬老醋磨至極
濃将瘡脚四畔圍住即以老姜和猪膽搗爛
塗在瘡上用黄紙封之乾即再如前法塗上
立効詩曰發背癰疽不難醫金墨磨[illegible]邊

圖猪膽生姜塗在上三日恰是鬼神移　此方雲南傳來經驗五次矣

治一切腫毒初起用芙蓉根在泥内不見天日者同白酒糟帶酒煮和匀搗爛塗抹即退

卒得惡瘡不識燒苦竹葉和鷄子黄傅之

治石癰其瘡堅硬如石按之不甚痛但覺木悶用商陸之根搗爛敷之如乾了又換敷直至瘡軟為度仍用托裏散堅之藥服之愈

治遍身風瘡遠年頑癬久醫不効者用烏鯉魚

俗名黑魚去腸將蒼耳子填入黑魚腹内又鋪蒼耳子在鍋内畧用些水慢慢火煮熟去蒼耳子并魚皮骨淡吃勿用鹽醬食三四次有大効若患大風症者依此法常食此魚久而自愈

治婦人乳癰或乳岩初起用蒲公英連根葉搗汁入酒飲之將柤敷患處消

凡瘡癤腫毒將好未好之時如往有喪之家吊孝并拜望等項其瘡腫即復發切切忌忌

治對口瘡此瘡生在後項與口相對有此瘡者十而九死湏用高山澗内或古井邉鳳尾草草下結有金錢樣者謂之金錢鳳尾草和些塩搗至極爛塗在瘡上用手巾緊束之立愈捷

治急喉痺用燈心燒灰存性取少許吹喉中甚

治廣瘡名楊梅瘡効不盡述不論新舊每日清晨空心用猪苦胆一枚取汁入磁罐内兑滚熱燒酒一小盃調匀一氣服之逐日如此服

七日大便下濃血爲驗再服七日其瘡自乾至重者不過三七全愈忌鷄鵞羊驢牛肉一月

治臁瘡及諸久瘡有蟲者

用醃猪油光粉黄連搥成膏將瘡洗淨將膏貼上數日即愈也

治諸瘡腫毒或發背即愈

用青芋搗爛酒炒敷之甚驗

治臁瘡方

用新熱豆腐一斤細在患處一日或一片換

一片亦可貼三日出黄水即愈

治癬　防風　荆芥　草烏共煎湯洗即愈

治一切腫毒初紅之際以水菖蒲頭擂燒熱油

塗之即愈火紅刺葉燒熱封之亦可大抵發

背亦可用也

疳瘡方

蘆甘石二兩先將黄連二兩煎水五碗將蘆甘

石火煉七次先四次於童便卒後三次投於

黄連水内連水擂細二三重飛過務得其極

細者晒乾用乳香三錢沒藥三錢真珠二錢琥珀二錢片腦一錢全蝎一錢要水浸使無塩味火倍乾各為細末同蘆甘石攪匀擦上必先用前書所載十三味防風荊芥等味洗瘡然後以此藥擦上甚妙如神

採葉膏方

紫荊花葉多摘來揀去黃葉洗淨陰乾了用日晒為細末芙蓉葉摘揀洗淨晒乾羅為細末

側栢葉　桑葉　俱如前揀洗晒乾爲末配合以紫荆葉末爲君量重能散血消毒獨味俱可用

紫荆葉末十兩　芙蓉葉末一兩　桑葉末五錢　側栢葉末一兩

調法一如毒瘡初發未破傷將前末用水白凉酒調之如是成形了或半熟或針灸破了用極厚苦味凉茶調之加些少香油和調以指搯散均用之調茶調白水酒俱用和香油

凡生各熱毒或破潰成頭極痛時此藥末調

苦茶敷上即凉氣入則不痛諸毒瘡及小兒遍頭上身各處俱可塗敷至於杖瘡亦可未破亦可破潰亦可葉末四味只紫荊末一味俱可用入芙蓉末和之二味尤可也桑栢二味驗之不用亦罷用之可收瘡口故耳

面上生疔瘡及身上諸瘡初發用生五倍子研極細調猪膽塗上即愈如勢重用生蝦蟆肝和蒜搗爛塗以麵爲餅盖之即愈或用蟾酥點頭上四邊以五倍子調猪膽亦可口渴甚

以生地黄浸水煮粥飲立止

便毒方只用一帖

大黄五錢 穿山甲三錢土炒 赤白芷三錢 姜蚕三錢滚水泡炒去絲

俱擣碎用酒和白湯下

後方服四帖

當歸一錢 川芎八分 白芍藥炒七分 生地一錢 連翹八分

黄耆一錢 白芷七分 金銀花一錢五分 粉草五分

水酒煎服

治疔瘡三十六種皆治之

面病
防風湯 清上
火治頭面生瘡癧
風熱毒
防風 荊芥 梔子
黄連 蔓荊 [illegible]
[illegible] 連翹 白芷
吉更 黄芩酒炒
川芎 甘草
右阻一剂水煎食
后服入竹瀝尤妙
玉容散 治面上一
切酒刺粉刺黑斑
班子
皂角 [illegible] 細辛
白芨 白丁香 木賊
三柰 甘松 樟[illegible]

治疔瘡毒氣攻心欲死以針刺其瘡但覺痛有血處下錠子若無血以親人血代之猶活三四況瘡初發無有不効大抵疔瘡形如粟米遍身麻木頭眩寒熱四肢沉重心驚眼花蓋疔初生突起如釘故謂釘含蓄毒氣突出寸許一二日間害人甚速是尤在癰疽之上疔有三十六疔惟手足頭面骨節間者最急其餘可緩也

蟾酥一錢 粉霜一錢 白丁香一錢 白礬一錢

膽礬一錢　磠砂六分　金脚花二錢　銅綠七分

烏頭二錢　血竭二錢　天南星一錢　辰砂六分

鬱金一錢　雄黃一錢　鹿角生用一錢　狗寶一錢

右爲極細末用蟾酥和水和藥如麥子大撚作錠子每遇疔瘡下錠子如覺痛不須再用以膏藥貼之膿出自瘥此方神妙

僧人專用五灰膏不如前方天遠

眼目門

育神夜光丸

當歸全用酒浸洗　遠志以甘草水煮槌去心　牛膝去蘆懷慶者佳
地骨皮去梗用水洗淨　兎絲子搗去灰土酒浸淨再以酒浸經宿加酒煮爛搗成餅日暴乾入藥　生地黃懷慶者酒洗淨浸爛　熟地黃懷慶者酒洗淨浸爛同生地黃木臼同搗成膏　枳殼去穰麩炒　甘州枸杞
甘州菊花去梗
右各等分為末生熟地黃搗膏入前藥煉蜜丸如梧桐子大每服五六十丸空心用鹽湯食後温酒臨睡茶清送下

又方　用王瓜内盛皮硝吊在背陰瓜傍硝自

出用調温水洗眼光明

又方　治時行害眼并風眼有淚者用皮硝六錢水一甌煎七分候冷定洗眼每日洗數次眼如童子明每一月煎一遍

治目暗不明用十二月乾桑葉不落地者煎湯洗眼愈

治眼中弩肉攀睛桑樹嫩根洗淨燒爲白灰每用一茶匙以滚水一大碗冲之攪勻澄清去灰渣以水洗目日以爲常三日後其肉自消

灰非存性乃化爲白者

又方 専治眼暴赤作痛用黃栢不以多少削去粗皮取内細皮剉碎外以濕紙裹黃泥包煨候泥乾取出去泥每用一彈子大紗帛包水一盞浸飯上蒸熟乘熱熏洗効

治眼腫痛用生薑自然汁調飛過白礬貼眼胞上痛即止

眼痛蒼术子 柴防羌川芎 黃連 [illegible]梔 知母[illegible]細辛
藁本歸生地 紅花胆草 升麻水煎服 眼痛効[illegible]

又方 用青鹽火煅赤取出以碗合地上出火氣研細每用半錢熱湯一盞泡溫洗爛眼及

拳毛倒睫効洗心湯乾熟大黄炒決明七至十五方煨鹿防風蒼术賊谷精甘菊柴胡羌細辛梔子芩只羌木通一服是方良

治眼青盲以猪胆五枚取汁於銅器中慢火煎
令可丸即丸如黍米大納眼中有驗

又方　用野菊花作枕最能明目

又方　治虚勞眼昏椂三月蔓菁花陰乾為末
用井花水每日空心調下二錢七效久服可
讀夜書醫羽膜腫痛最難医防風薄荷柴文蟬退木賊谷精草芩連甘草菊花歸生地芎䓖龍胆桔梗一撮右至奇

治火眼初得者用山梔子三五錢搗碎以好熱
酒一碗傾在內上用碗盖之浸少時留柤速

飲外将祖付於患眼胞上祖乾去之効

又方　飛絲入眼用新筆於眼内運攪即收在筆上

時気眼、黄柏　黄連　黄芩　春夏加秋冬減　当歸　荊芥　防風　藁本
山梔　木賊　知母　紅花　甘草　水中半煎八分　不拘時服　如目
无医除木賊一味

治風眼紅爛邊者三五日可愈

紅棗三枚去核入白礬三塊九分漫火中将礬煨化取出用手撚爛於水中以淨帛隔去查垢仍在滚水内少頃片時洗之

治眼痛經驗方

用扁柏葉同乳香木香蜜搗細塗目上下瞼

即愈

眼腫用芙蓉花葉搗蜜敷上即効

石斛夜光丸

治眼中神水寬大漸散昏如霧中行漸空中有黑花又漸覩物成二體久則光不收及内障神水淡綠淡白色者此方甚好宜加當歸一兩

天門冬去心焙　人參各一兩　兔絲子酒浸焙七錢五分

五味子炒五錢　麥門冬去心焙一兩　杏仁炮去皮尖

枸杞子　川牛膝　甘菊花　草决明各七錢五分
羚羊角鎊五錢　白茯苓　生苄　熟苄　乾山藥各七錢　白蒺藜　金石斛　肉蓯蓉　川芎
甘草炙　枳殼去穰麸炒　青葙子　防風　黄連
生烏犀角鎊末各五錢

右二十五味剉碾末煉蜜爲丸梧桐子大每服三五十丸温酒鹽湯任下右方盖補藥也補上治下制以緩利以久不利以速也故君以天門冬人參兔絲子之補腎安神強陰填

精也臣以五味子麥門冬杏仁茯苓枸杞子
牛膝生地黄之歛氣除濕凉血補血也佐以
甘菊花蒺藜石斛肉蓯蓉川芎甘草枳殼山
藥青葙子之療風治虚益氣袪毒也使以防
風黄連草决明羚羊角生烏犀之散滞泄熱
解結明目陰弱不能配陽之病並宜服之此
從則順之治法也
秘傳羊肝丸　治肝經有熱目赤睛疼視物昏
澁

白羊子肝一具洗淨去膜　宣黃連去鬚擣羅爲末三兩粗者佳右将羊肝先入沙鍋內杵爛旋次入黃連末拌擂乾濕得所爲圓如梧桐子大每服五十丸食後熟水送下

春雪膏　治肝經不足內受風熱上攻眼目昏暗痒痛隱澁難開及多眵赤腫怕日羞明不能遠視迎風有淚多見黑花

片腦二錢半　蕤仁去皮殼細研去油秤二兩

右用生蜜二錢重将片腦蕤仁同搜和同銅

筯子或以金銀釵股時復點眥長連瞼赤爛以油紙塗膏貼之

治眼仙方　用上好杞子一斤以童便洗淨陰乾用人乳一碗生蜜半碗將杞子共爲一處拌匀陰乾入蒸籠蒸之約一炷香取出日晒夜露三日三夜以磁瓶藏之每日不拘早晚從便服之其目還光神效方也

耳門

麝香散　治耳虛鳴

麝香半錢　全蝎十四個　薄荷十四葉裹麝香全蝎尾上焙乾

右為細末滴水捏作錠子塞耳內極妙

通靈丸

松香五錢放在鐵鍋內鎔化用巴豆二十顆為末入松香內用葱汁為丸如蓮子大用絲綿裹塞過夜如左耳聾塞右耳右耳聾塞左耳兩耳俱聾次第塞之其效如神

耳疳丸　治小兒大人停疳出濃及黃水

白礬枯五分　麝香五厘　胭脂胚二分半　陳皮燒灰五分

先用綿枝子纏去膿另用別綿枝子送藥入耳口

治耳聾用樓子葱尖插耳中

又方　用九節菖蒲末草麻子爲膏綿裹塞耳中

用干地龍入葱腑在葱尾内化為水点之

又方　用草麻子五十箇去皮與熟棗一枚同擣丸如棗核大更入乳汁同和每用一丸綿裹納於耳中覺熱爲度一日一換如藥難丸日中晒少時丸之

治耳聾久不聞聲用磁石一塊如豆大穿山甲三片燒存性爲末用新綿裹了塞於患耳中口内啣少㕙生鐵覺耳中如風雨聲即愈

治耳痛用鱔魚血數點入耳内即愈

又方 用杏仁炒焦研細以綿裹塞耳中

治耳瘡腫痛用五棓子爲末水調塗如有水乾摻之

治耳鳴晝夜不止及痒者用烏頭一枚燒灰菖蒲各等分爲細末以新綿裹塞耳中日三次

妙

治百虫入耳用鷄冠血點入耳中即出

又方 用桃葉搗細塞耳自出或以藍青研汁

點耳中

又方 蒼蠅入耳最害人用皂筴子内虫研爛

同生鱔魚血灌耳中

又方 治蜈蚣入耳用生姜汁灌耳中自出或

以熟鷄肉一塊置耳孔邊自出或以韭汁灌

耳中自出

耳聾耳鼻塞方

用柿餅三箇切碎硬米三合同豆豉煮粥食好

治小兒膿出耳膿或瘡以[illegible]吹耳中

鼻門

犀角地黃湯　治鼻血不止立效

犀角一兩　生地黃　熟地黃　牡丹皮　白芍欒　蒲黃　梔子　欝金　生末水即童便

黃栢　黃芩以上各五錢

右㕮咀分作五服水二鍾煎至一鍾溫服

衆妙仙方目錄

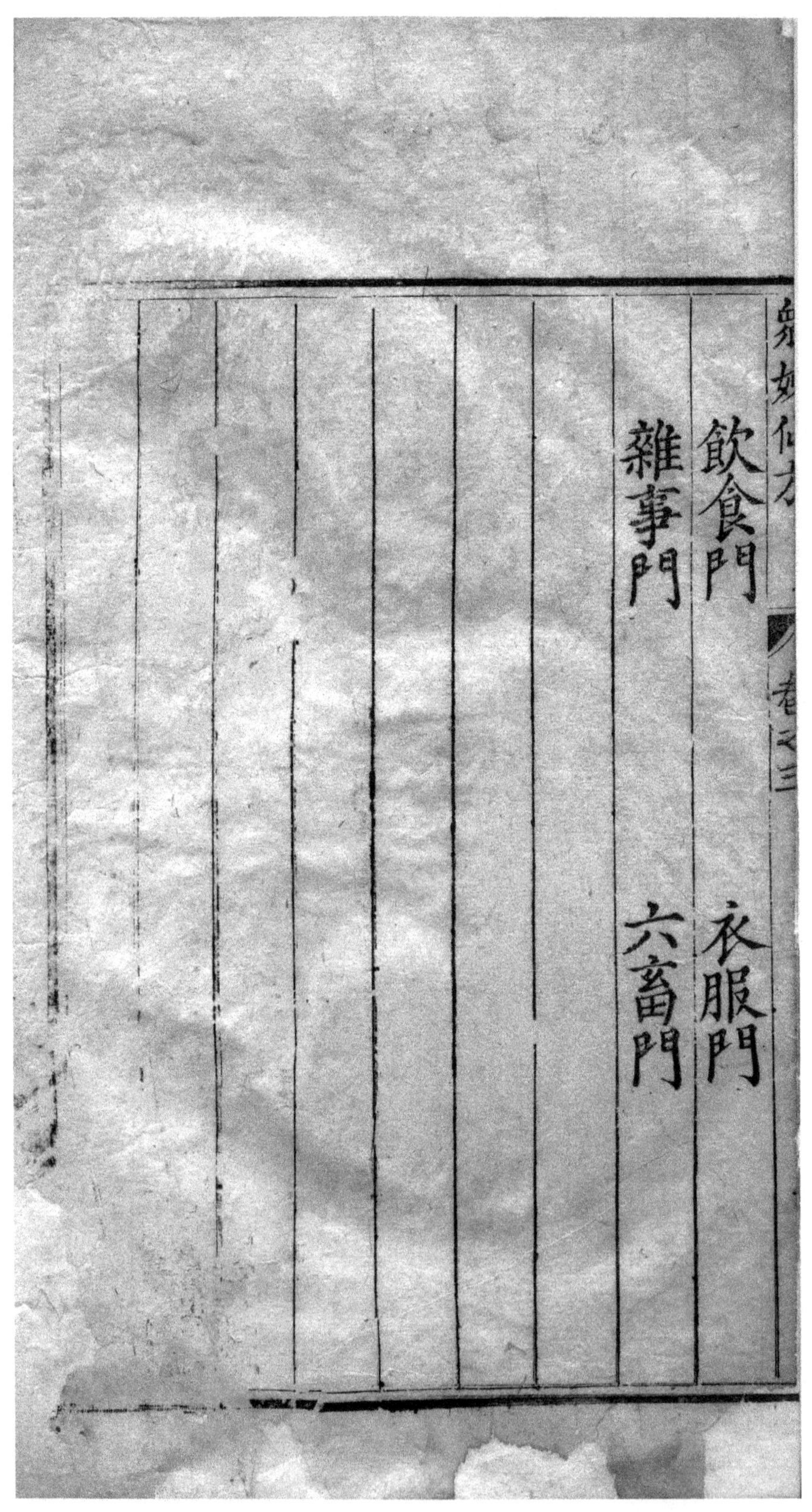
衆妙仙方　卷之三

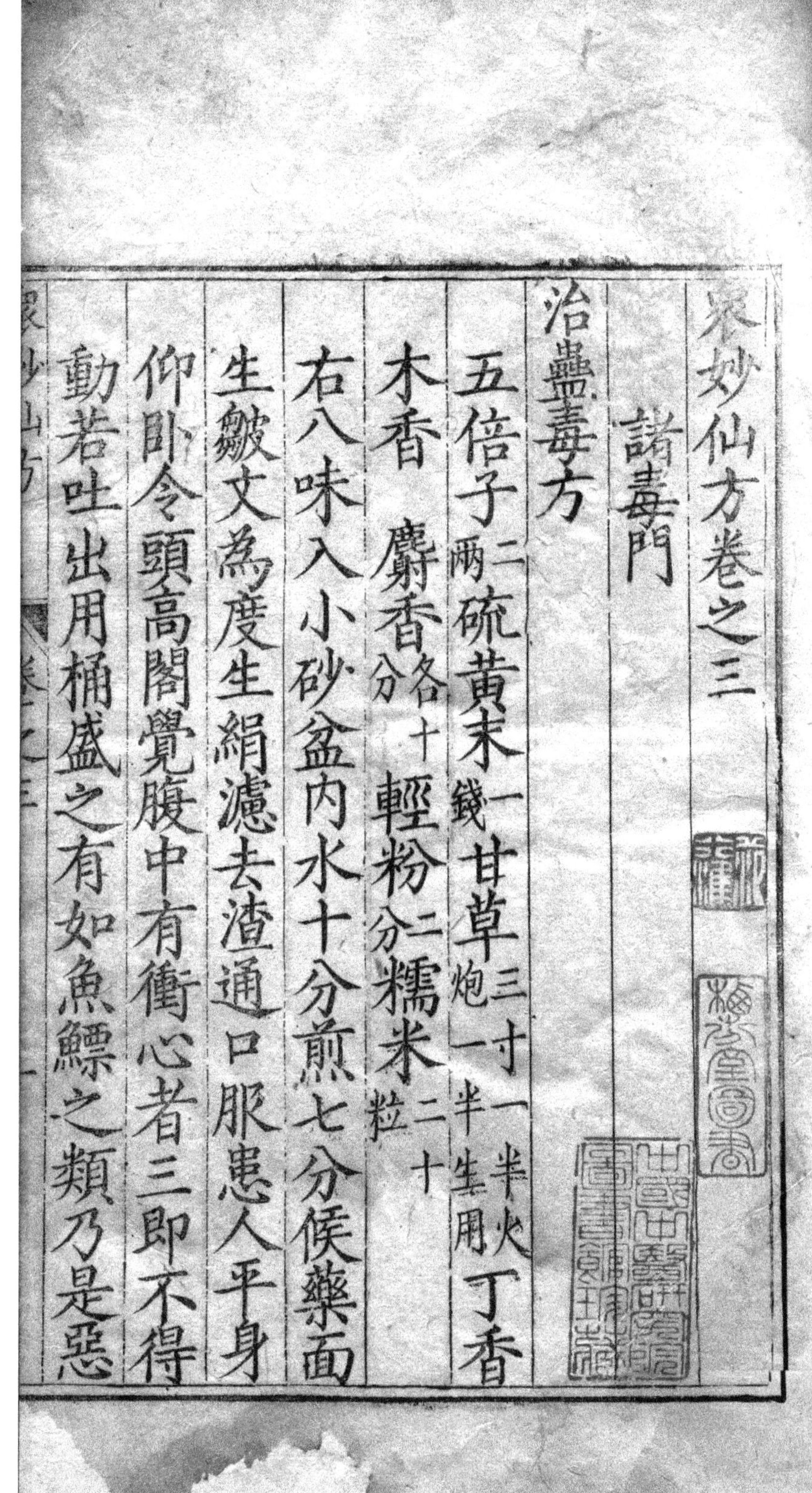

衆妙仙方卷之三

諸毒門

治蠱毒方

五倍子二兩 硫黄末一錢 甘草三寸一半火炮一半生用 丁香 木香 麝香各十分 輕粉二分 糯米二十粒

右八味入小砂盆内水十分煎七分候藥面生皺文為度生絹濾去渣通口服患人平身仰卧令頭高闊覺腹中有衝心者三即不得動若吐出用桶盛之有如魚鰾之類乃是惡

物吐罷飲茶一盞瀉亦無妨宜煮白术粥補忌生冷油膩醤醋十日後服觧毒丸一二兩又經旬日平復服紫金丹亦可代觧毒丸

一救中蠱毒用白礬一塊嚼之覺甜不澁次嚼黑豆不腥者便是有毒也即用木梳齒上垢膩水調服之吐出惡物成丸服亦可

一方用蚕[illegible]作紙條醮麻油燒存性為末米調一錢頻服諸中毒面青脉絶昏迷如醉口禁吐血服之即甦

一方用白鷄鴨血飲之立效此方亦可治
砒毒仍中用烏桕樹根白皮煎服吐去以此方
飲之〻　血亦妙如稍多時用黑鉛磨水服
以瀉為度次服此方及羊血飲之曾治數人
皆活有服鉛四兩纔得瀉者亦活無烏桕樹
根處醬和泉水飲以探吐亦效
又方用旱禾稈燒灰新汲水淋汁絹濾過冷服
一碗毒下利即安
又方用白扁豆末新汲水調下

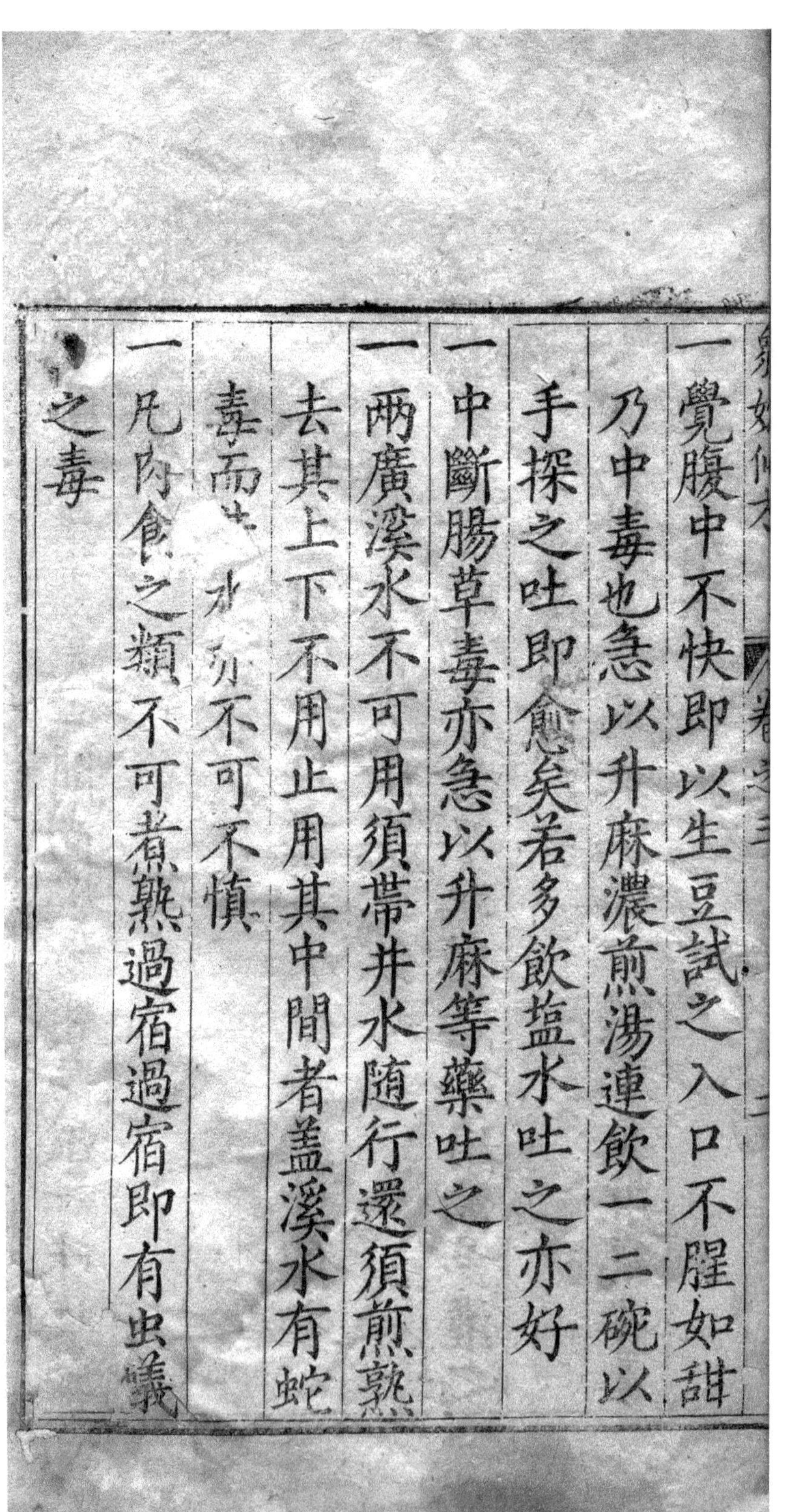

一覺腹中不快即以生豆試之入口不腥如甜乃中毒也急以升麻濃煎湯連飲一二碗以手探之吐即愈矣若多飲塩水吐之亦好

一中斷腸草毒亦急以升麻等藥吐之

一兩廣溪水不可用須帶井水隨行還須煎熟去其上下不用止用其中間者盖溪水有蛇毒而[illegible]水所不可不慎

一凡肉食之類不可煮熟過宿過宿即有虫蟻之毒

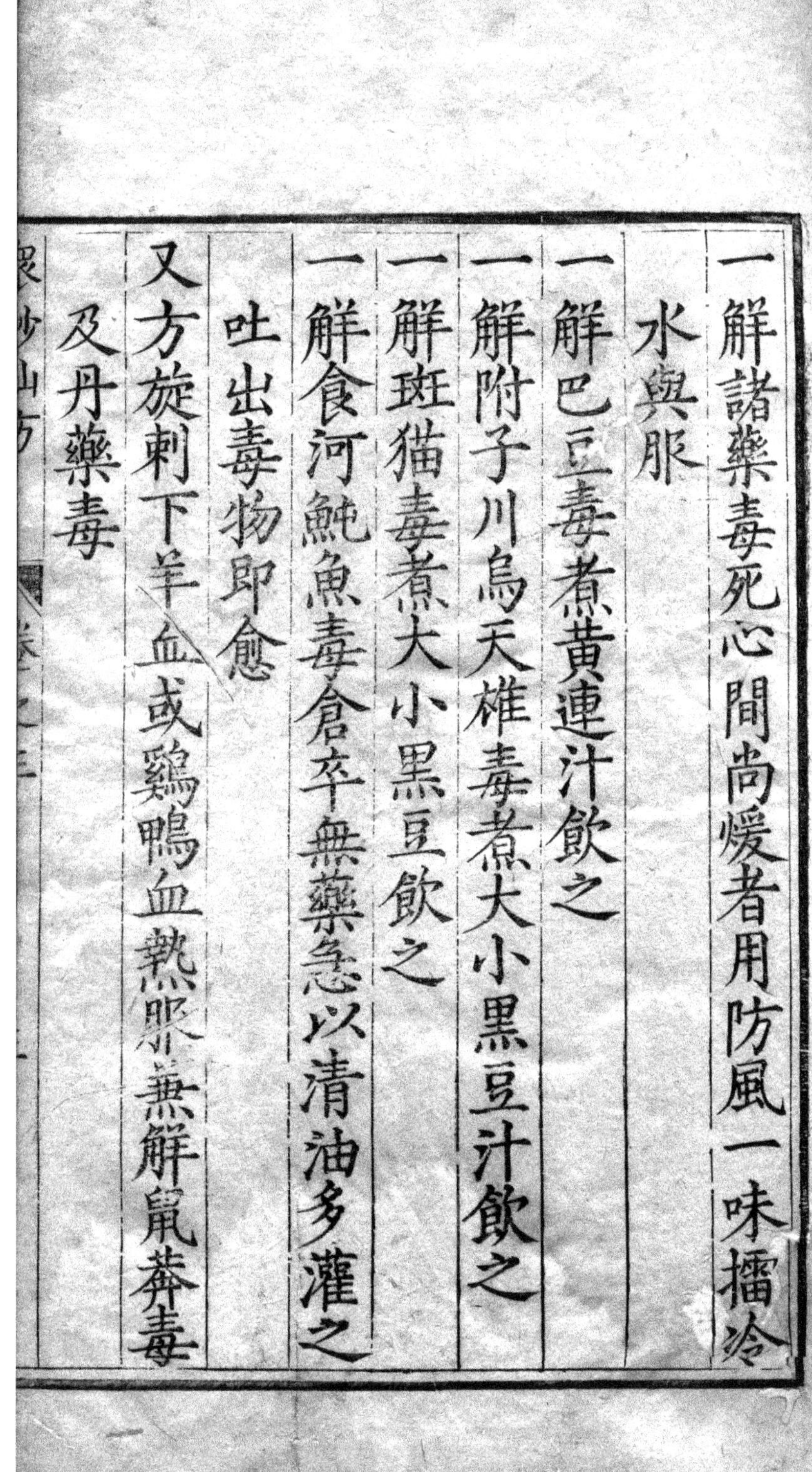

一解諸藥毒死心間尚煖者用防風一味擂冷水與服

一解巴豆毒煮黄連汁飲之

一解附子川烏天雄毒煮大小黒豆汁飲之

一解斑猫毒煮大小黒豆飲之

一解食河魨魚毒倉卒無藥急以清油多灌之吐出毒物即愈

又方旋刺下羊血或鷄鴨血熱服兼解鼠莽毒及丹藥毒

又方藍根沙糖二味相和擂水服之或更入薄荷汁妙

又方以地漿調鉛粉末服之立觧

取地漿法掘土坑二三尺深用新汲水半桶攪令濁良久澄清用之名爲地漿亦觧暑毒

又方

治百蠱不愈者取鵓鴿熱血隨多少服之

又方取胡荽根搗汁半盞不拘時服其蠱立下和酒服更妙

取藍青葉一握研水服之專解諸蠱毒殺腹内

諸毒蟲如冬月無藍葉取根絞汁用之最驗

救食諸魚中毒用橘皮汁大豆汁馬鞭草汁蘆

根汁紫蘇汁飲之

又方食鱔鼈蝦蟆毒生豉一大合新汲水半碗

浸令豉水濃頓服之即瘥此三物令人小便

秘臍下痛有至死者

又方食蟹中毒濃煮紫蘇水飲一兩盞解之

救食六畜肉中毒以水服壁上黄土一錢即瘥

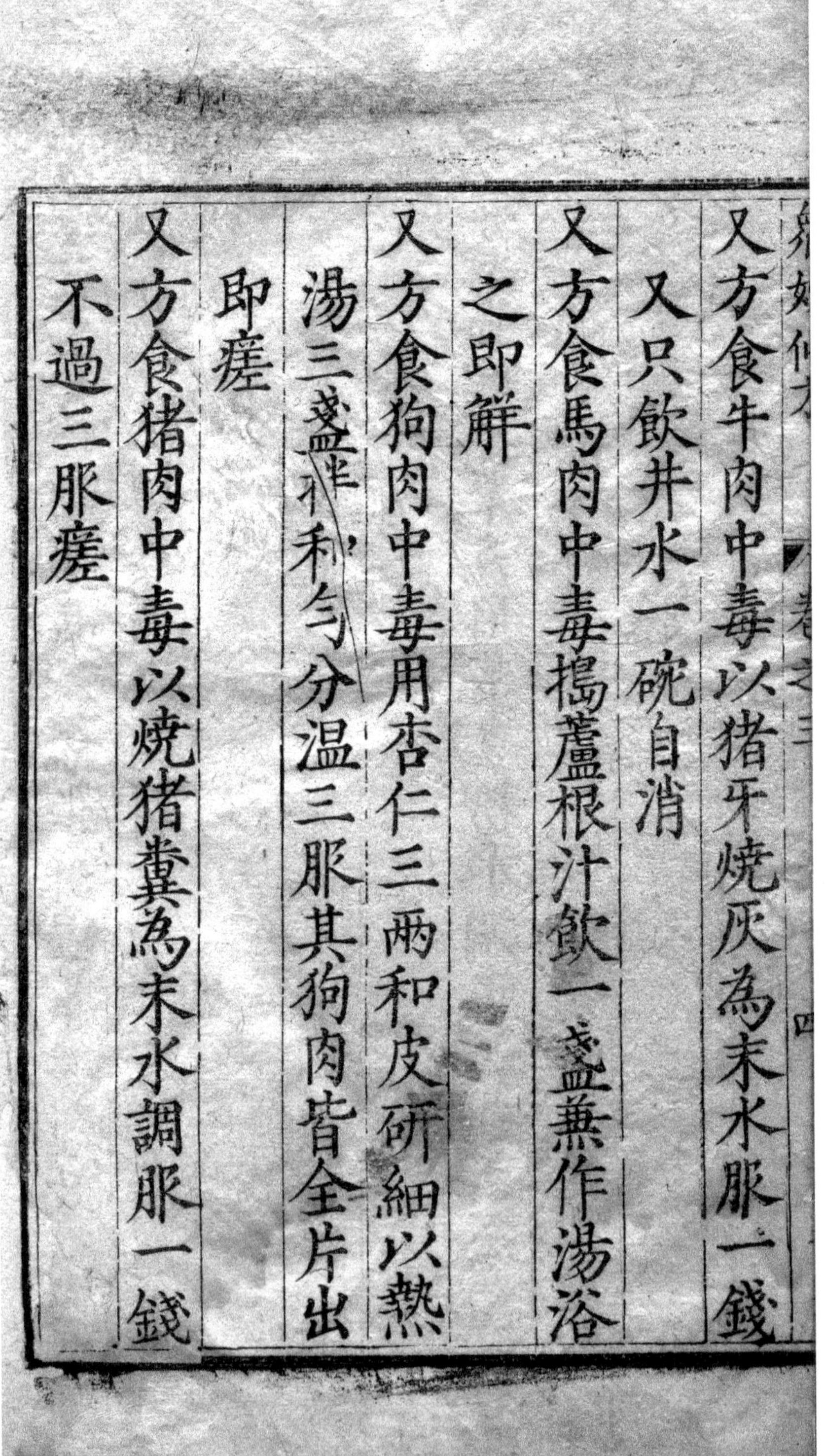

又方食牛肉中毒以猪牙燒灰為末水服一錢

又只飲井水一碗自消

又方食馬肉中毒搗蘆根汁飲一盞兼作湯浴之即解

又方食狗肉中毒用杏仁三兩和皮研細以熱湯三盞拌和勻分温三服其狗肉皆全片出即瘥

又方食猪肉中毒以燒猪糞為末水調服一錢不過三服瘥

又方食鴨肉中毒以糯米泔温服二盞效

救食一切蕈毒掘地坑新汲井水在内攪之連

飲泥水一碗

又方食菜中毒用雞糞燒為末水調服一錢未

解更服

救中諸藥草毒用菉豆粉水調服

又方中諸藥毒用甘草黑豆淡竹葉等分剉散

水一碗濃煎服

又方解鼠莽毒用枯明礬同極好茶末少許新

汲水調服累有效驗

又方用大黑豆煮汁服之

又方觧百藥毒用出了蚕子紙燒灰研細每服一錢冷水調下頻服取瘥雖面青脉絶腹脹吐血服之立效亦治牛馬食花蜘蛛腹脹欲死者

又方治卟毒用竈中對鍋底土水調服

蹯虫名

一救虎傷用生薑汁服兼洗傷處白礬末塡

上

一救毒蛇傷并諸色惡虫毒氣入腹者用蒼耳草嫩葉擣汁灌之将渣厚罨傷處犬咬煮汁服之

一救蛇咬傷用白礬置刀上燒汁熱滴咬處亦以礬湯服之

一治風犬傷用斑猫九箇人大者用九箇小者五箇或六七箇俱去頭翅足糯米同炒米黃為度其糯米因人年歲加減一歲用一粒炒畢去米用猫加麝香三厘同

為末一方加滑石末少許以無灰酒一盃空心服小便中去血塊為驗不去血塊再服煎藥愈後用木通利水散藥中下熱藥務要加解心火藥為佳如木通車前子黃連燈心之類是也仍忌房事一年

一治常犬傷用蚯蚓泥和塩研傅之亦治狂犬傷及毒蛇傷

又方以砂糖塗之

又方急於無風處嘣去瘡孔血小便洗淨用熱

牛糞傅或鼠屎爲末和猪脂傅或韭菜和塗
灰擣成餅子陰乾爲末和猪脂傅更以韭菜
生薑擣汁服之
一治馬咬及踏傷用艾灸瘡上并腫處又用婦
人月經或人屎或馬屎或鼠屎燒爲末和猪
脂傅之皆效
一治鼠咬用猫毛燒灰麝香少許津唾調傅
一治蜂蠆毒用野芋葉擦之如不便急以手就
頭爬垢膩傅之或用塩擦或用人尿洗之或

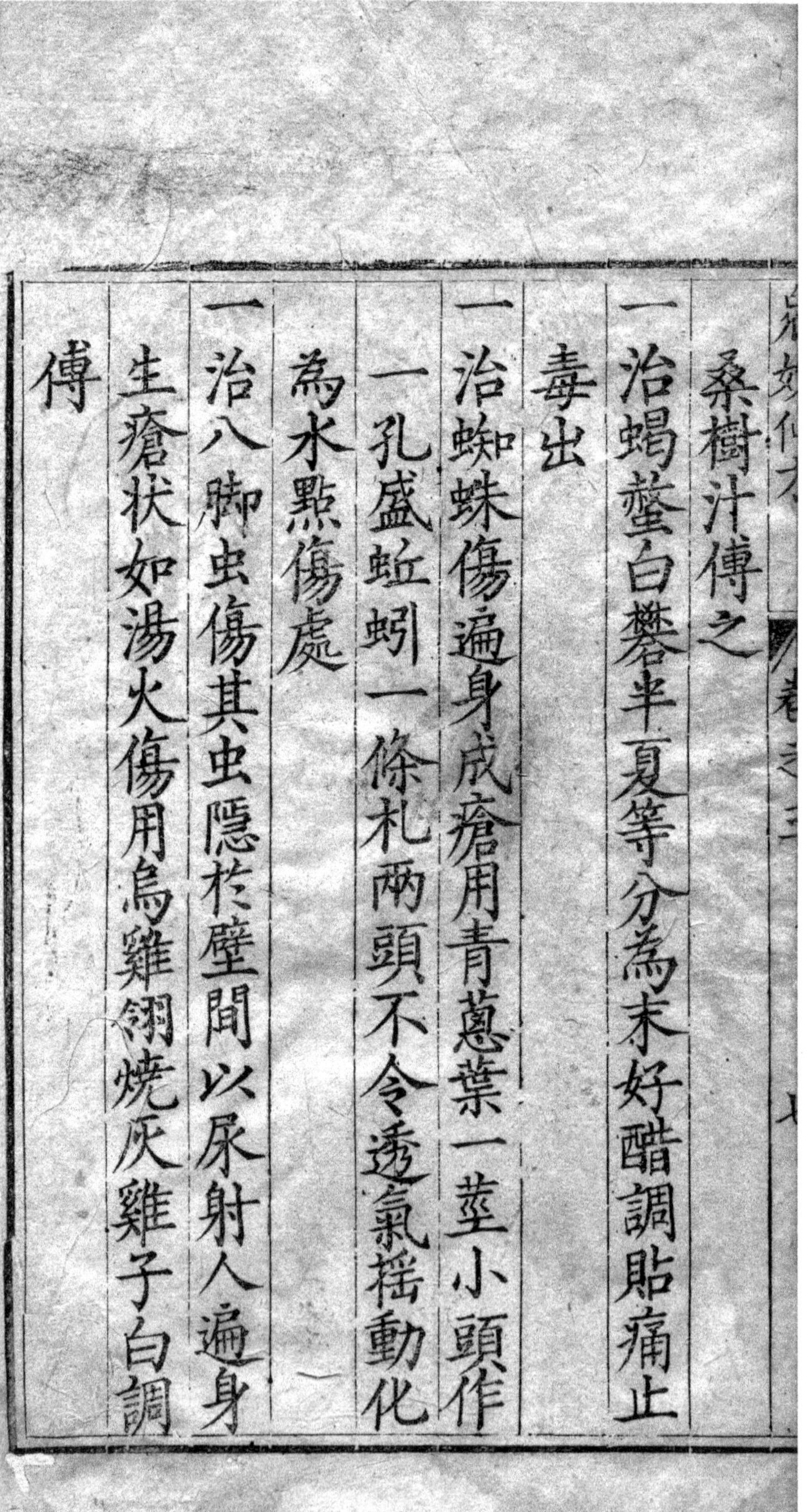

桑樹汁傅之

一治蝎螫白礬半夏等分爲末好醋調貼痛止毒出

一治蜘蛛傷遍身成瘡用青葱葉一莖小頭作一孔盛蚯蚓一條札兩頭不令透氣摇動化爲水點傷處

一治八脚虫傷其虫隱於壁間以尿射人遍身生瘡狀如湯火傷用烏雞翎燒灰雞子白調傅

治諸惡虫傷用蛇殼煮湯洗三兩度或以臘粉
生薑汁調傅傷處
又方端午日取白礬一塊自早日晒至晚收之
凡百虫所傷以此末傅效
又方蜘蛛咬遍身生絲用羊乳一味飲之極妙
或用塩和油傅上頻頻揩之
治壁虱用死蜈蚣水萍草晒乾燒烟熏衣被則
除後以青塩水遍洒席上即絕
治壁鏡咬毒人必死燒桑柴灰用水煎三四沸

濾汁調白礬末傅瘡上兼治蛇毒醋磨雄黄塗之妙
又方用生甘草煎湯洗之或嚼梨葉傅之或擣其汁塗之或嚼火麻子傅之妙
又方治蛇傷毒用貝母爲末酒調令患者盡量飲之須臾酒自傷處爲水流出候水盡却以祖傳瘡上若所傷至垂死者但有少氣脉此即活
又方用灰蓼擣汁飲之祖傳傷處仍以頭髮纏

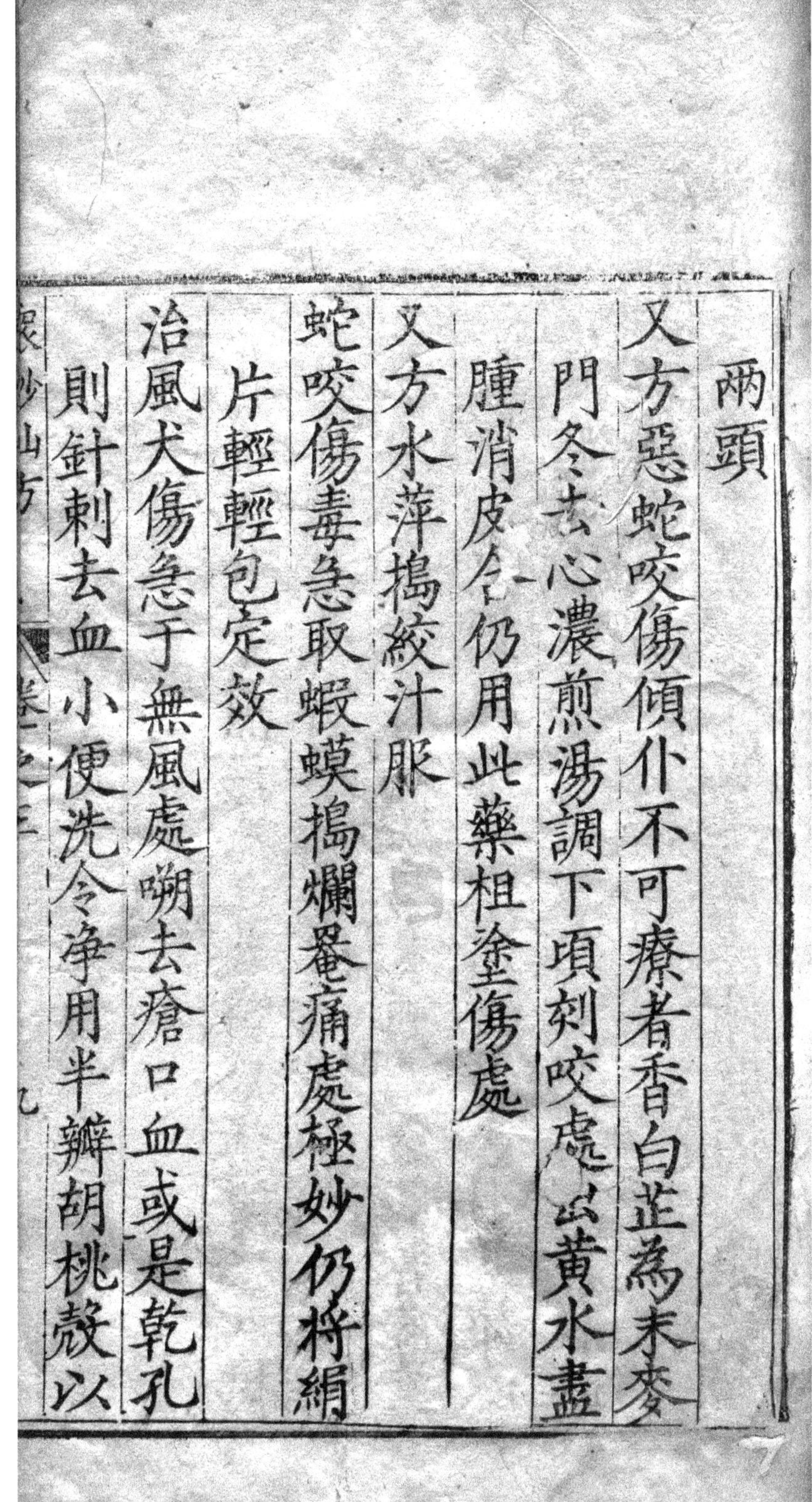

兩頭

又方惡蛇咬傷傾仆不可療者香白芷爲末麥門冬去心濃煎湯調下頃刻咬處出黄水盡腫消皮合仍用此藥柤塗傷處

又方水萍搗絞汁服

蛇咬傷毒急取蝦蟆搗爛罨痛處極妙仍將絹片輕輕包定效

治風犬傷急于無風處嗍去瘡口血或是乾孔則針刺去血小便洗令凈用半瓣胡桃殼以

人糞填滿罨瘡孔艾灸一百壯後一日灸一壯百日止急服者用蝦蟆乾一箇班猫二十一箇去頭翅足用糯米炒黄只用班猫與蝦蟆為末酒調或水調服之分四服以小便瀉下惡物為度未見惡物量輕重再服常服者用韭菜汁一盞常數者用虎骨末和石灰臘猪脂調傅之禁飲酒食雞魚猪肉肥膩終身忌食犬肉蚕蛹春夏初交犬多發狂被咬者無出于灸七日當一發三七日不發可全免

如見痛定瘡合便以為好不治者必死犬狂者其尾必直下不倦起口流涎舌黑色

又方用蝦蟆後兩腿搗爛醋調服先于患人頭頂上拔去血髮三兩根小便内見沫佀狗形

又方用紫蘇葉細嚼敷患處即不痛

定風散治顛狗咬破先口啣漿水洗净用綿榅乾貼藥更不再發無濃有效

天南星　防風各等分

右為末破傷處以藥敷貼瘡口然後以温水

調下一錢如牙關緊急角弓反張用藥二錢
童子小便調下
又方杏仁研細先以葱湯洗然後以此塗傷處
又方用草蔴子五十粒去殼井水研成膏先以
鹽水洗咬處次以此藥敷貼
治猪咬用屋霤中泥塗之即令之承溜也
治猫咬用薄荷汁塗之
治頭虱将茶葉炮爛者嚼碎和水銀研爛到晚
擦頭髮内用布裹頭而睡一二夜除根

治下身陰蝨用生白果研爛擦之愈又治陰癬

治蛇虫咬傷用藊豆葉搗爛敷之即效

治土虺蛇傷又名禿虺蛇用半邊蓮搗汁飲之将祖敷患處愈其蓮生在水中只有半邊花者

治寸白虫 每月須初二三虫頭向上可用藥攻打餘日虫頭向下用之不效

梹榔 石榴根東引者

用梹榔為末取石榴根煎湯服之炙肥猪肉一大塊置口中咀嚼其津膏而勿食覺胸中

如萬箭攻攢是其候也然後飲前藥

治臭虫用膽礬煅湯将床上有縫眼處澆灌即

净

治久嫩癆虫用老鼠刺根一斤水十碗好酒三

碗将根搗爛碎在内煮至根爛以夏布濾去

渣慢火𤋲至三碗每空心服一茶鍾或二三

盞加酒或白滚湯下大便即有細小虫下是

其驗也　便後覺餓思食以飯與肉啖之再

依此法服三日完用人參大補湯補之

治誤吞蜈蚣　盛夏夜間患渴取廚灶下凉水飲之或瓢中先有蜈蚣在内連水吞入腹中無不死者即取生鷄蛋打開一孔連清黄灌入蜈蚣……得鷄蛋鑚入其中爲鷄蛋褁住不能動一吐立愈

治狂犬咬　就咬處灸之一日二次至百二十日止咬後便討韭菜煑食之日日食爲良

折損門

治跌撲損傷

乳香一分五倍子一分狗骨一分小麥麪五分鍋末五分

右爲末用好酒調如糨糊用熱敷痛處不可敷在破處傷重者再加天靈蓋少許煆過極妙爛者只用鳳尾草一味搗敷患處或以此草[illegible]湯洗亦可鳳尾草在池邊井邊尋討

七味[illegible]痛散

白朮二錢當歸二錢乳香一錢沒藥一錢甘草一錢白芷一錢羌活八分人參一錢

右爲細末以水調成膏子每服用無灰冷酒

調服一錢隨以熱酒儘量飲最治傷損

治跌打及刀斧傷破流血不止

何首烏一味研末搽傷處血止

接骨丹[illegible]有斷喉者以此二方治之即生

垽即糞坑陳年磚上之穢者自然銅天雷石打碎各一兩

右將三味用好醋煉九次淬九次為度須用

猛火再加後藥

猫頭骨醋炙九次一箇鳳凰蛻即雞子殼燒灰五錢乳香二錢沒

藥三錢血竭一錢

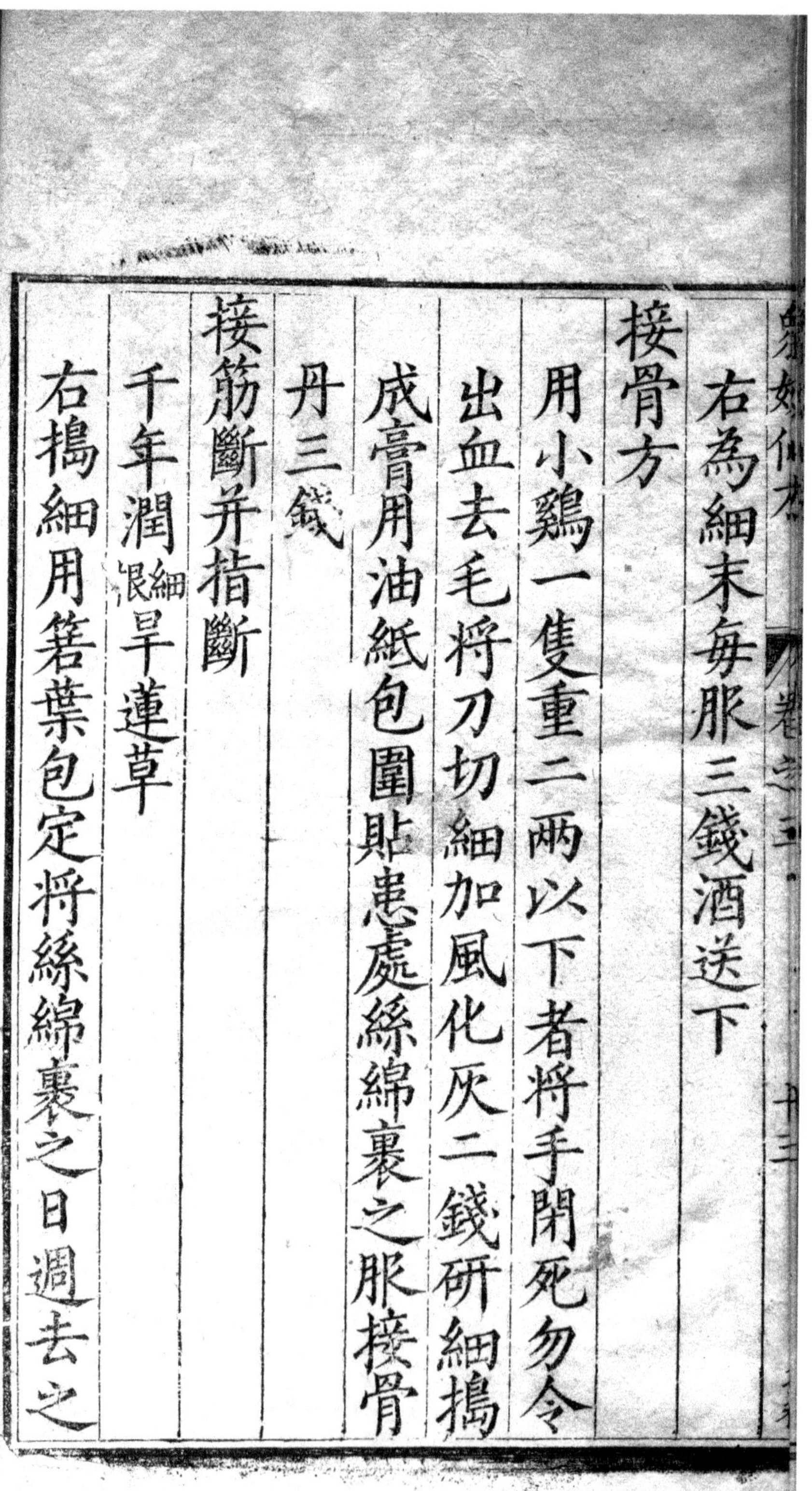

右為細末每服三錢酒送下

接骨方

用小鷄一隻重二两以下者將手閉死勿令出血去毛將刀切細加風化灰二錢研細搗成膏用油紙包圍貼患處絲綿裹之服接骨丹三錢

接筋斷并指斷

千年潤細根旱蓮草

右搗細用箬葉包定將絲綿裹之日週去之

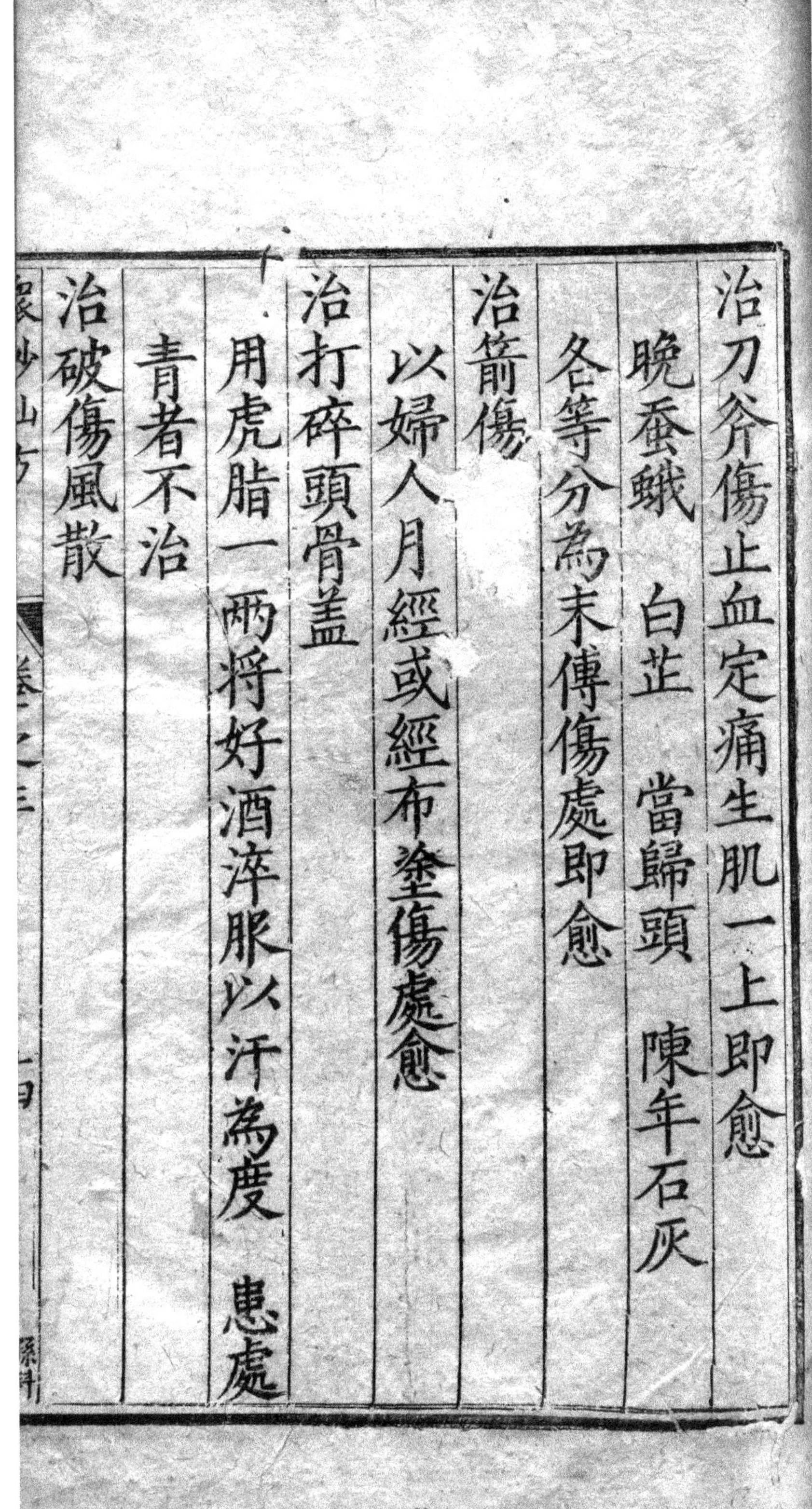

治刀斧傷止血定痛生肌一上即愈

晩蚕蛾　白芷　當歸頭　陳年石灰

各等分為末傳傷處即愈

治箭傷

以婦人月經或經布塗傷處愈

治打碎頭骨盖

用虎脂一兩將好酒淬服以汗為度　患處

青者不治

治破傷風散

蒼术（火燒）草烏

右為末溫酒服之汗出為度

又方　燒魚膠存性研末調熱酒服之愈

又方　狐貍二目不拘三五七副晾乾收貯凡有破傷風者將二目炭火微燒存性搗爛無灰酒、下立効

收口藥

小皂子樹（三根晒乾不見火獨根者）龍骨（二錢酒煆一次）血竭（一錢）

鳳凰蛻　松香（一錢）馬屁渤（一箇）乳香　沒藥

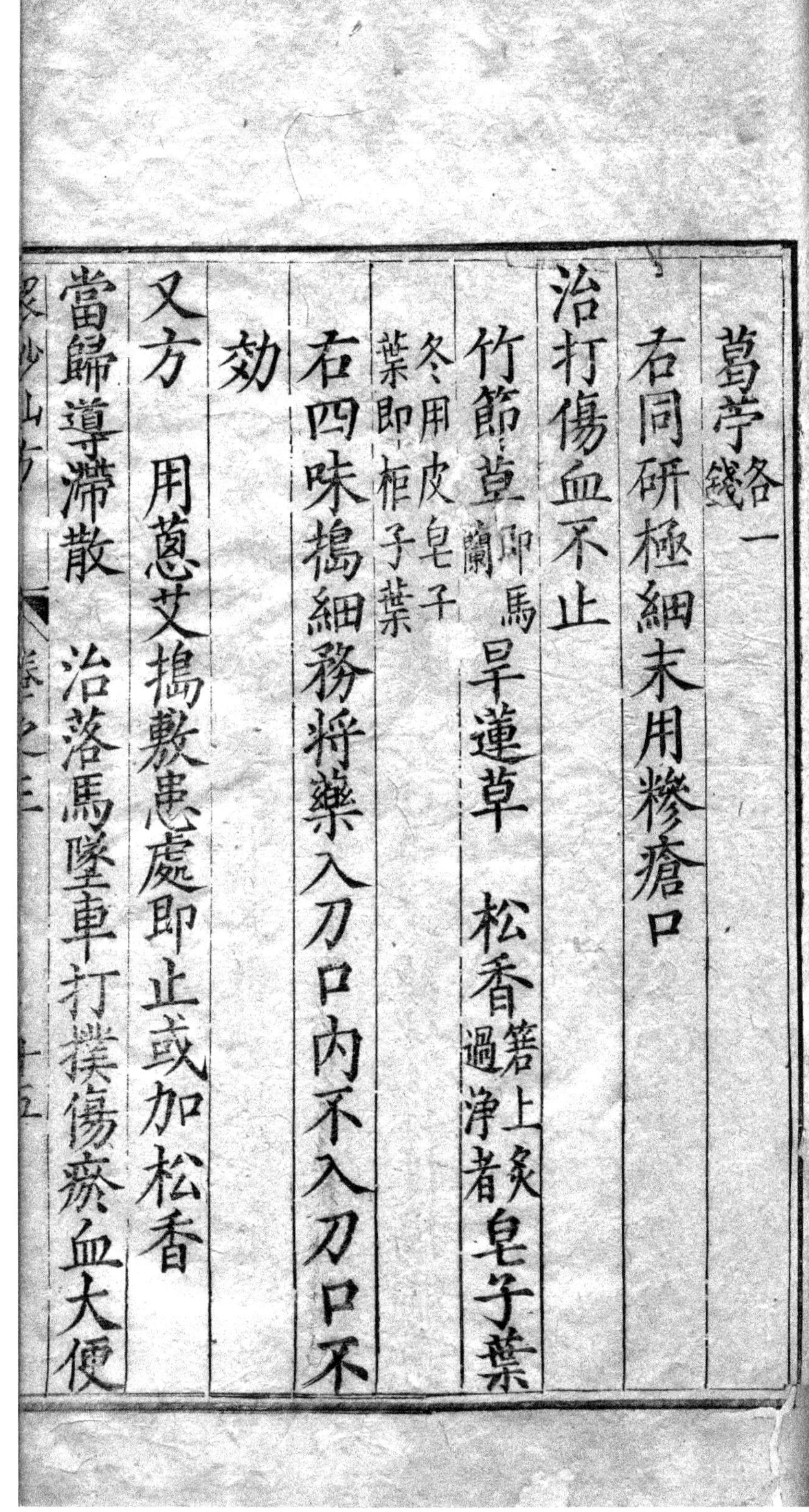

葛苧各一錢

右同研極細末用糝瘡口

治打傷血不止

竹節草即馬蘭　旱蓮草　松香篩上炙過淨者　皂子葉冬用皮皂子葉即柜子葉

右四味搗細務將藥入刀口内不入刀口不效

又方　用葱艾搗敷患處即止或加松香

當歸導滯散　治落馬墜車打撲傷瘀血大便

不通浮腫痛昏悶畜血壅欲死

大黄一兩 當歸二錢半 麝香少許

右爲末每服三錢熱酒下

雞鳴散 治從高墜下及木石壓傷瘀血凝積痛不可忍並以此藥推陳致新

大黄酒蒸一兩 桃仁七粒去皮尖 當歸尾五錢

右爲末酒一碗煎去柤五更雞鳴時服取下惡血即愈若氣絶不能言急以小便灌之即甦

杖棍瘡

一杖畢飲童便和酒免血攻心用熱豆腐鋪在杖紫去處其氣如蒸其腐即紫復以熱豆腐鋪之以紫肉散盡淡紅爲度

治刀傷及湯火傷用寒水石爲末敷之止痛最速且免破傷風之患

治湯火傷用醃菜葉貼之甚者將手足浸在醃菜汁中或浸鹽滷中俱愈

又方收臘雪藏在缾内封口至端午日將黄瓜

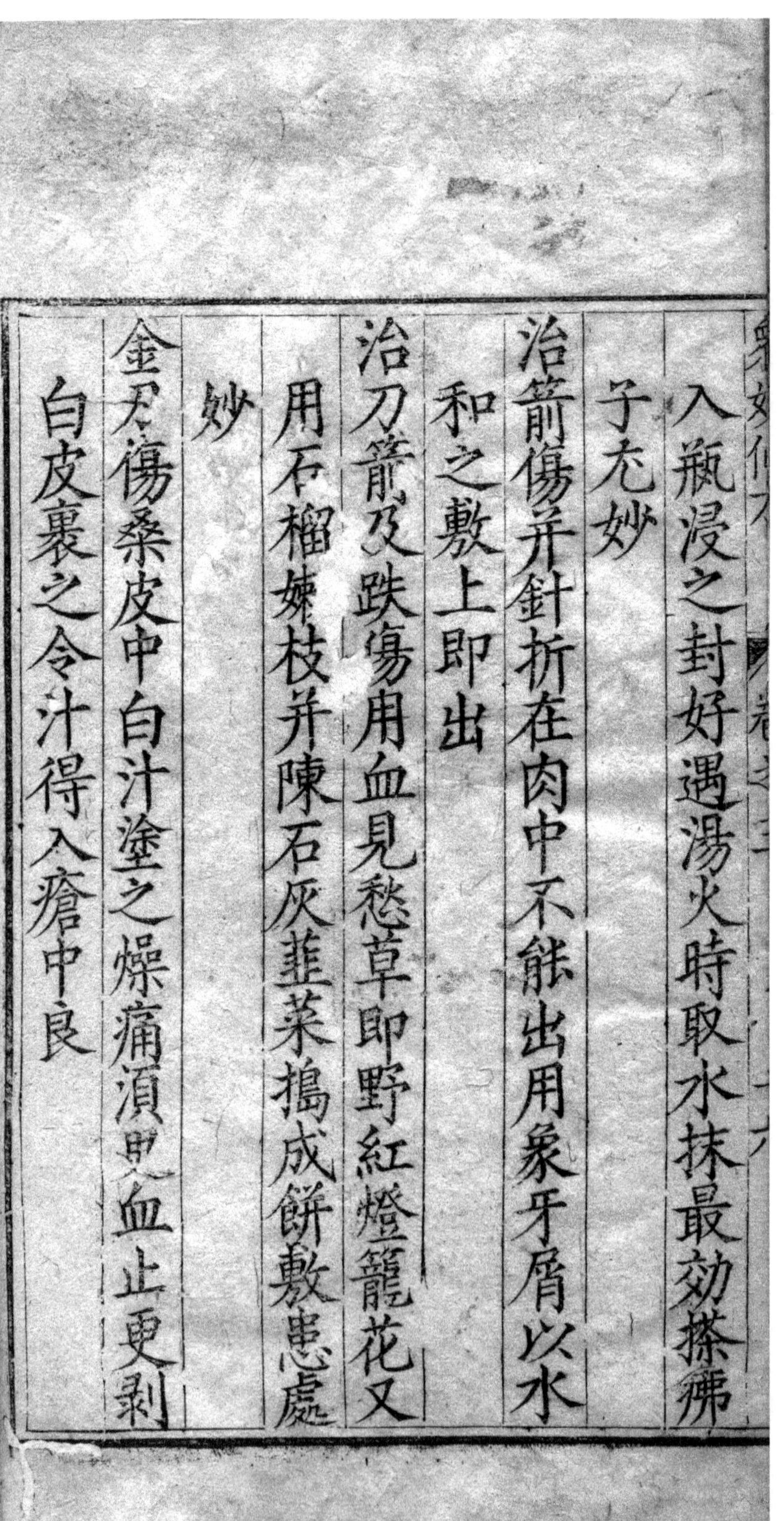

入瓶浸之封好遇湯火時取水抹最効攃㾙子尤妙

治箭傷并針折在肉中不能出用象牙屑以水和之敷上即出

治刀箭及跌傷用血見愁草即野紅燈籠花又用石榴嫩枝并陳石灰韭菜搗成餅敷患處妙

金刃傷桑皮中白汁塗之燥痛須臾血止更剥白皮裹之令汁得入瘡中良

治骨跌損脫者搗生蟹極爛用滾熱酒傾入連飲數碗即以蟹粗塗患處半日間骨内琵琶有聲[illegible]合不能飲者以數杯爲率　蟹脚中髓[illegible]　[illegible]熬爲末内金鎗中能續斷筋

治人[illegible]跌撲者将蘇木二三錢搥碎用紅花當歸稍各等分将酒四五碗煎至二三碗空心及肚飢時服下散其瘀血即無後患跌重者須服二三次但蘇木之刺誤飲入喉間最難得出須要用細絹濾得蘇木刺净熱飲爲妙

治箋片指爪等傷出血用壁喜窠或門隅上灰塵掩上即愈

治凡物刺肉腫痛用松脂爲末糁上将布東縛之其腫即消

凡人遇杖瘡傷最忌婦人看見亦忌與女人相近[illegible]其氣愈者復發未愈者難愈

凡人遇廷杖者未杖之先将蚺蛇膽用酒磨溫服如急用即切片口嚼以溫酒下之若無酒用童便或自己小便亦可杖後亦可用此

瘡最忌與婦女相見相近又收藏蛇胆将糯米十數粒拌了藏之即不壞

治跌撲墜馬傷骨損筋蒺莉一味炒黄色研爲細末酒調三錢熱服痛即止骨接筋續腫消

治磕破并刀傷出血用梛絮罨上血即止不復疼矣

治手足傷破輕粉白礬海螵蛸各五分龍骨冰片各二分研細末摻其上立愈

治遠行脚心腫痛用蚯蚓泥敷腫處高閣起脚

一夕即愈
治手指甲頭腫用烏梅搗碎去核肉只取仁研
末米醋調入漬之自愈
治杖瘡用馬齒莧熬塗效
又方用真菉豆粉炒爲末雞子清調敷重者服
熱酒一碗
又方用五倍子去穰米醋浸一日慢火炒黃爲
末乾摻如不破腫痛者以醋調敷
又方用雄黃二分無名異二分細研水敷極效

又方用米粉一兩赤石脂一錢生用水銀一分以麻油杵成膏攤紙上貼之緊縛如肉陷者用此膏填滿然後貼上效

治刀傷血出不止用門扇後塵敷之效

又方用滿草根擂汁塗筋封之可相續矣

治刀箭傷以乾桑葉爲末貼之妙

又方用黄丹白滑石研細敷之

治刀斧傷并惡瘡見血用石灰不拘多少韭菜汁調陰乾爲末敷上擦少時血止便安

又方用晚蚕沙生用爲末摻勻綿裹之隨手瘡愈血止效

又方五月五日採馬鞭草血見愁即草血竭擣爛同風化石灰爲末塗之即愈

又方用琥珀屑敷之止血生肌瘡口即合

又方用白芍藥一兩炒黄爲末酒調二錢服或米飲調亦止痛

治刀斧傷并一切破傷用綿花燒灰貼之極妙

又方用白龍骨三錢火煆白礬二兩半生半炒寒水

石五錢火煆五倍子二兩半生半炒共爲細末摻之一切破傷應手取效不生諸風極驗

又方治打撲傷損血聚皮不破用蘿蔔葉研細罨傷處以吊扎之

治打撲有瘀傷瘀血流注用半夏爲末調敷傷處一宿不見痕效

治攧撲有傷口嚼燈心罨之血即止或用冬青葉晒乾爲末摻傷處或細嚼敷上或用薑汁和酒等分拌生麪貼之或以桑根白皮擣汁

擦之或用鹽霜梅搥碎罨瘡口免破傷風

三蟾丹接骨止痛神效用活蝦蟆一箇無則乾者亦得用瓦二片將蝦蟆放其中二片仰覆合之以鐵絲縛定四面鹽泥固濟用文武火煆三時辰取出入乳香沒藥各五分同研細末用熱酒調下如無乳香沒藥亦得服之最效

治湯盪火燒用多年廟上獸頭爲末香油調敷上效

又方用螺螄殼多年乾白者火煆過爲末如瘡

破用乾摻如不破用清油調敷

又方用梔子濃調雞子清以鵝毛輕敷上

又方用生栢葉搗爛敷或用乾桑葉爲末乾者蜜調敷濕者乾摻或用鹽摻以手按之或以豆醬塗之

治向火多生火斑瘡有汁用黄栢薄荷葉爲末摻之

治誤吞金銀或銅錢入腹用石灰一杏核大硫黄一皁子大同研末酒調服

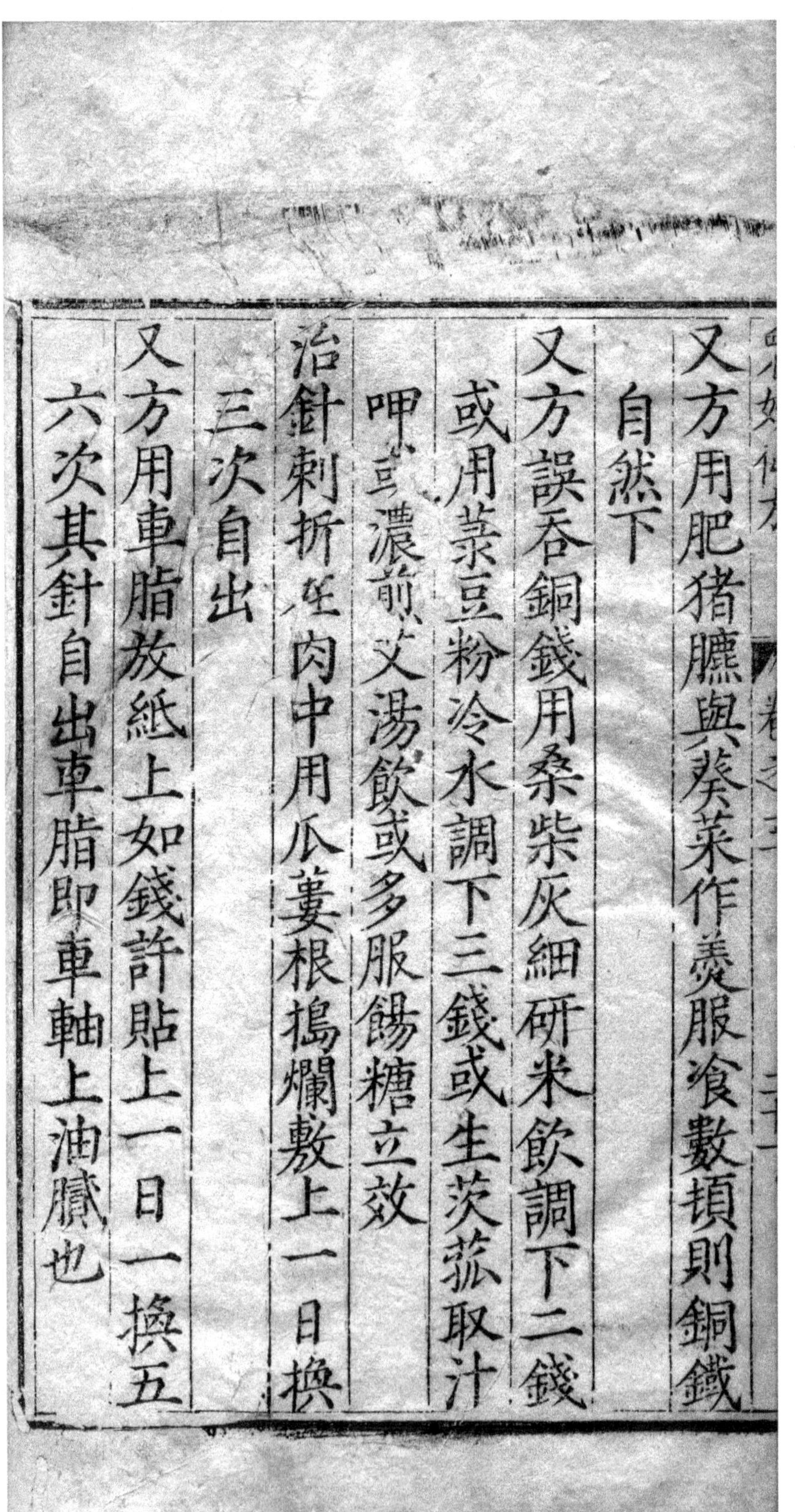

又方用肥猪臕與葵菜作羹服飡數頓則銅鐵自然下

又方誤吞銅錢用桑柴灰細研米飲調下二錢或用菉豆粉冷水調下三錢或生茨菰取汁呷之或濃煎艾湯飲或多服錫糖立效

治針刺折在肉中用瓜蔞根搗爛敷上一日換三次自出

又方用車脂放紙上如錢許貼上一日一換五六次其針自出車脂即車軸上油膩也

又方用蟯蜋七枚活擣爛成餅敷上以絹帛縛定一夜針即出此方神效

治竹木簽刺入肉用牛膠草根嚼罨之即出

治箭鏃中傷不出用活螻蛄即土狗虫研汁滴上三五日箭頭自出

又方用大雄鼠一枚去皮取精肉切薄片焙乾爲末每服二錢熱酒調下若覺箭瘡痒不得抓忍痒少時箭頭自出

又方以寒食餳灌注傷處應手清涼其箭拔鏃

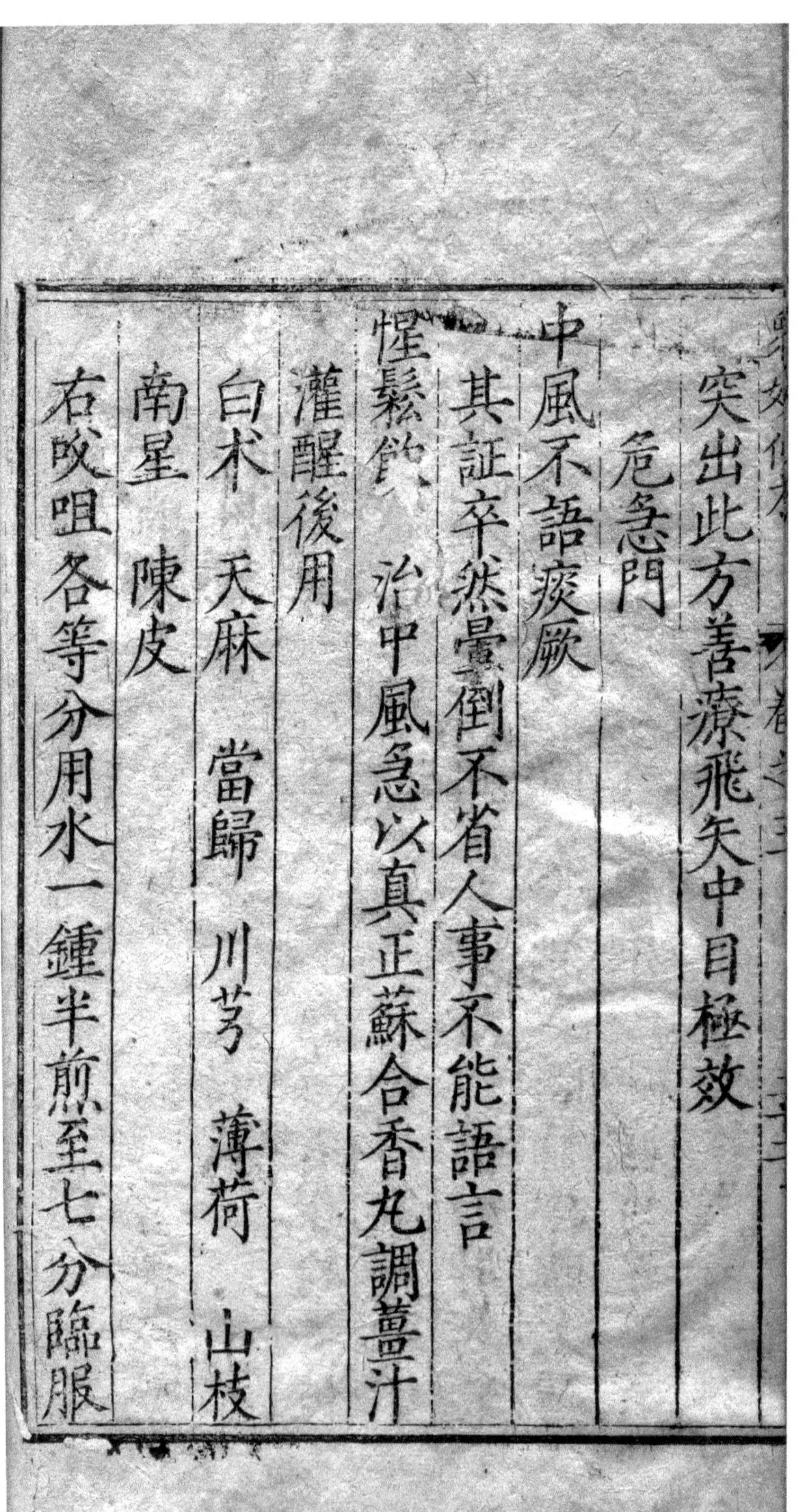

突出此方善療飛矢中目極效

危急門

中風不語痰厥

其証卒然暈倒不省人事不能語言

惺鬆飲　治中風急以真正蘇合香丸調薑汁

灌醒後用

白术　天麻　當歸　川芎　薄荷　山枝

南星　陳皮

右㕮咀各等分用水一鍾半煎至七分臨服

加竹瀝一酒盞調匀同服之

又方一時緊急藥末便速用香油一盞灌入喉中仍用鵞毛探吐痰涎立出神效

又方[illegible]飲用淡竹或苦竹或青水竹去枝葉截[illegible]尺餘長劈作二片每用不拘多少、或五六十片以新汲井水浸一宿如用急只浸一二時却以磚二片側立閣竹於磚上磚内以熱火烘竹青熱磚外以碗盛竹流下清水以瓦瓶收貯外以冷水浸瓶夜用或沉井

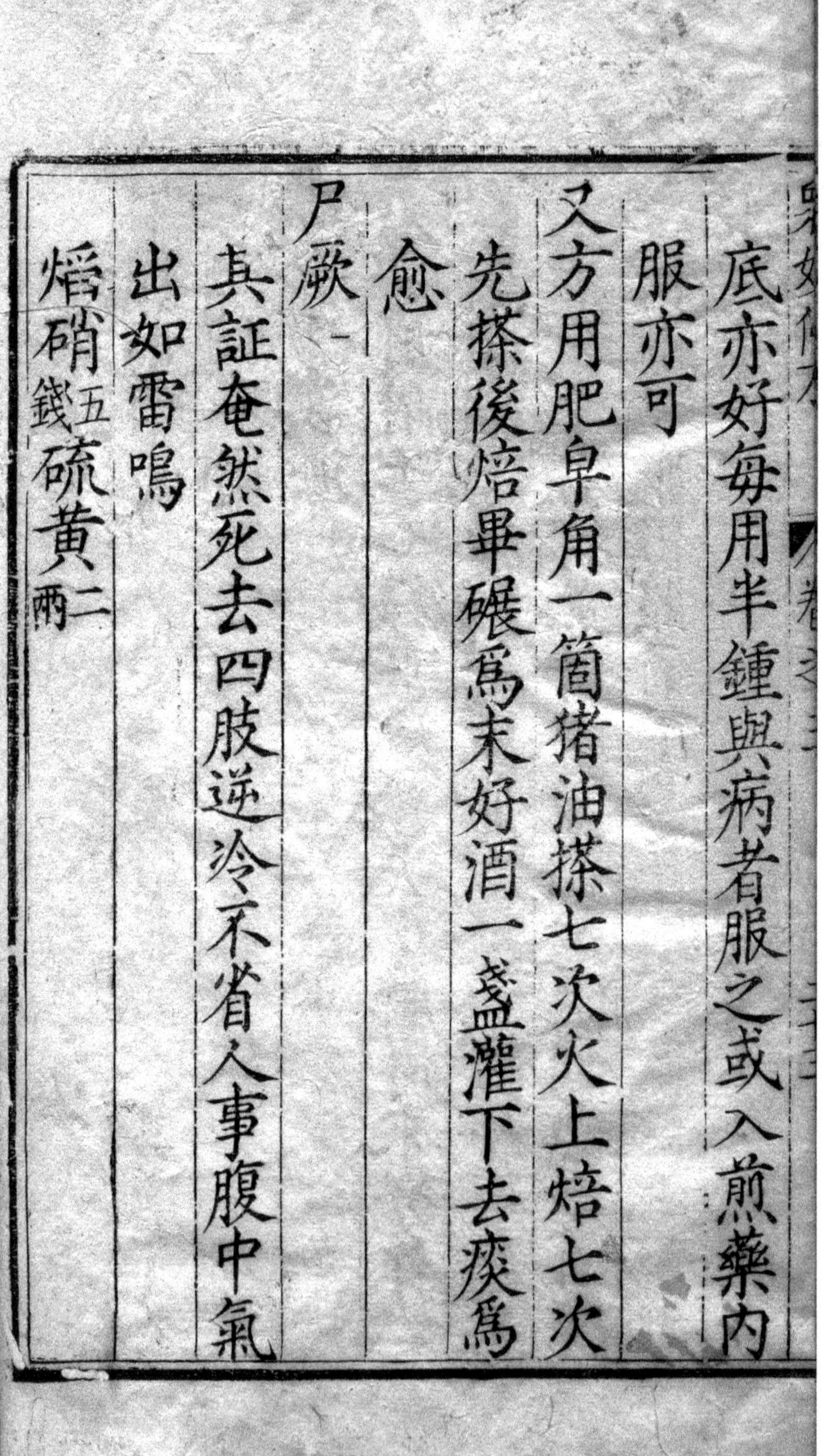

底亦好每用半鍾與病者服之或入煎藥内服亦可

又方用肥皂角一箇猪油搽七次火上焙七次先搽後焙畢碾爲末好酒一盞灌下去痰爲愈

尸厥

其証奄然死去四肢逆冷不省人事腹中氣出如雷鳴

焰硝五錢硫黄二兩

右研如粉作三服每服用好舊酒一大盞煎覺熖硝起傾於盞内蓋着服如人行五里又一服不過三服即醒兼灸百會穴四十九壯臍下氣海丹田三百壯身温止

又方用附子七錢重炮熱去皮臍爲末分作二服用酒三盞煎一盞服

又方用生薑自然汁半盞酒一盞同煎令百沸併灌二服仍照前灸

中惡鬼氣

其証暮夜或登厠或出郊野或遊冷室或行人所不至之地忽然眼見鬼物鼻口吸着惡鬼氣驀然倒地四肢逆冷兩手握拳鼻口出清血性命逡巡須臾不救此証與尸厥同但腹不鳴心腹俱煖凡中惡驀然倒地切勿移動其屍即令親戚衆人圍繞打鼓燒火或燒麝香安息香蘇合香樟木之類直候醒記人事方可移歸

鬼魘鬼打

其証初到客舍館驛及無人居冷房廳中覺鬼物魘打但其人呃呃作聲便令人呌喚如不醒此乃鬼魘也不救即死

牛黃一錢　雄黃一錢　硃砂半錢

右研為末和勻每挑一錢床下燒次挑一錢調酒灌之

又方用桃柳枝東邉者各折七寸煎湯灌下

又方用竈心土搥碎末服二錢并水調灌更挑半指甲許吹入鼻中更用艾灸人中穴并灸

兩脚大拇指内離甲一韮葉各灸七壯

救五絶死（自縊死溺水死打撲跌磕木石壓死産後血迷暈死中惡鬼擊死夜魘死）

凡心頭温者皆可救治用半夏湯泡七次爲末丸如豆大吹入鼻中嚏即活或用皂莢爲末吹入鼻中亦妙

又方用葱黄心或韮黄男左女右刺入鼻中深四五寸令目中出血即活

救自縊死須安定心神抱起緩緩解下用膝頭或手厚裹衣抵定糞門切勿割斷繩抱下安

被卧之刺雞冠血滴入口中男雌女雄一人以脚踏其兩肩以手少挽其頂髮常常緊勿放之一人以手揉其項撚正喉嚨按據胸上數數動之一人坐于脚後用脚裏衣抵住糞門勿令泄氣泄氣即死仍摩將臂腿屈伸之若已殭漸漸強屈之并按其腹雖氣從口出呼吸眼開猶引按莫置亦勿苦勞之用蘆管四筒取梁上塵如豆大入管中却將蘆管置死人兩耳鼻用四人各執一筒用力吹入耳鼻待

其氣轉但心下温無不活者頻以薑湯及粥飲含與之潤其喉嚨

救溺水死一宿者尚活用皂莢爲末綿裹塞糞門須臾出水即活

又方救起放大凳卧着脚後凳佔起磚一塊却用鹽擦鼻中待水自流出切不可倒提出水但心下温者皆可救

又方取竈中熱灰土不許將溺者埋于其中從頭至足水出七孔即活

又方以屈死人兩脚着生人肩上以死人背貼
生人擔走吐水即活
又方用酒瓶一箇以紙錢一把燒放瓶中急以
瓶口覆溺水人口面上或臍上冷則再燒紙
錢于瓶内仍覆口面臍上去水即活前數方
皆效柰人不諳曉多以爲氣絶而不與救療
惜哉從其便而用之可也
救木石壓死并跌磕傷從高墜下跌死氣絶不
能言者取藥不便急擘開口以熱小便灌之

又方撲打墜損惡血攻心悶亂疼痛用乾荷葉五斤燒令烟盡空腹以童便温一盞調下三錢日三服

救中惡鬼擊客忤等一切卒死用菖蒲根生搗絞汁灌鼻中或口中即活

又方治客忤卒死還魂湯用麻黄三兩去節杏仁七十箇去皮尖甘草一兩以水二碗煎至一碗去柤灌之通治諸卒死

治鬼擊病卒著人如刀刺胸腹内痛不可按熟

艾水煮服若卒心痛爲客氣所中者當吐出
虫物
又方卒死肘動而無氣用菖蒲屑內耳鼻孔中
吹之及着舌底
又方小[illegible]吐利而不知何病用狗屎一丸
絞取汁灌之無濕者水煮乾者取汁
又方用葱白納下部及鼻中立活
治胸脇腹內絞急切痛如鬼擊之狀不可按摩
或吐血衄血用熟艾如拳大水五盞煮三盞

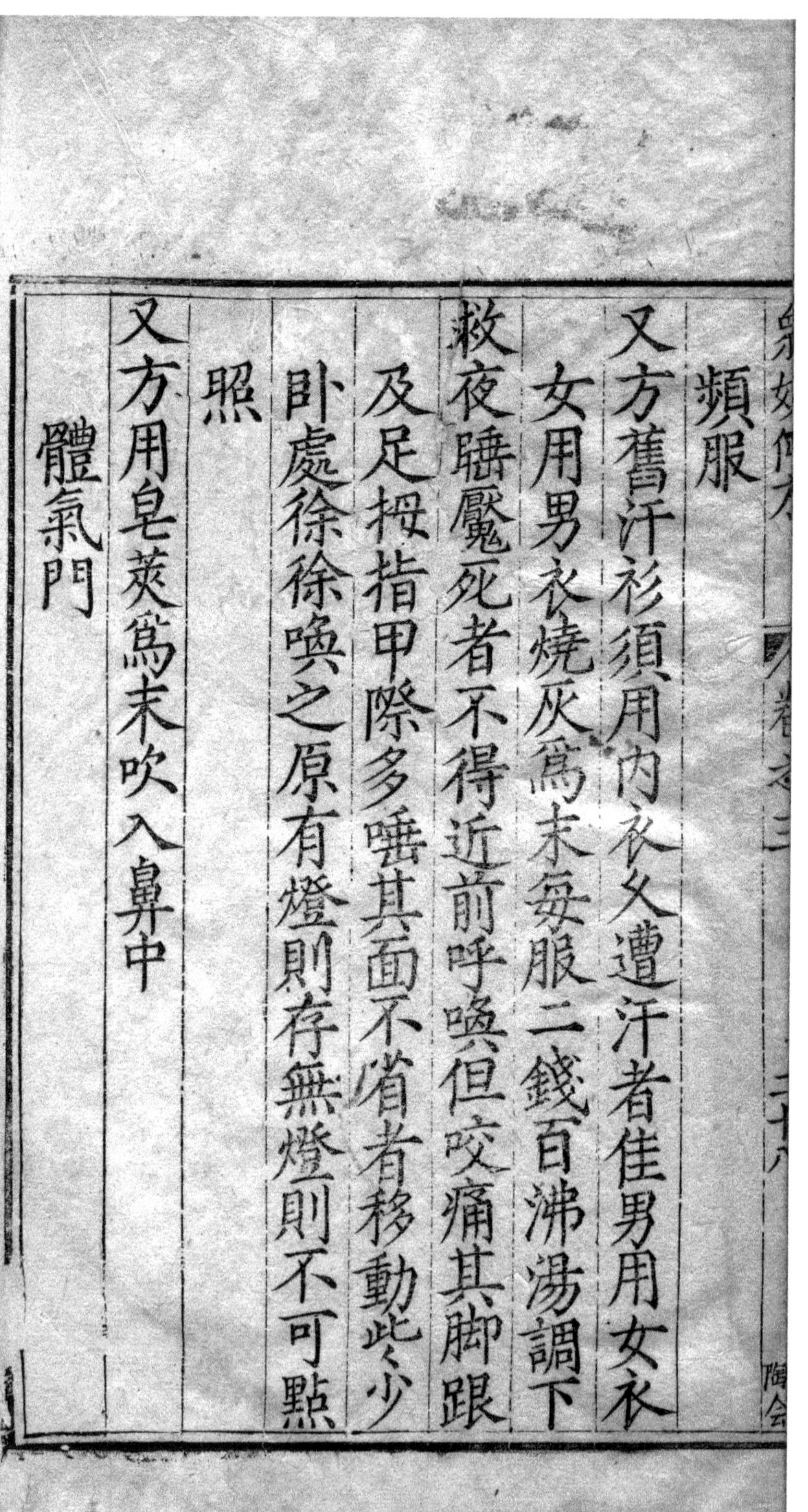

頻服

又方舊汗衫須用內衣久遭汗者佳男用女衣女用男衣燒灰爲末每服二錢百沸湯調下

救夜魘魘死者不得近前呼喚但咬痛其脚跟及足拇指甲際多唾其面不省者移動些少卧處徐徐喚之原有燈則存無燈則不可點照

又方用皂莢爲末吹入鼻中

體氣門

治體氣

田螺大者一箇　巴豆去殻　膽礬一豆許　麝香少許

右将螺用水養三日去泥土揭起螺靨入礬豆麝在螺内以線拴住放磁器内次日化成水凢用須五更時将藥水以手自抹在兩腋下不住手抹藥直待腹内欲行臟腑却住手先要揀深遠無人到處空地内去大便黑糞極臭是其驗也以厚土盖之不可令人知之如不盡再以藥水抹之又去大便次日用後

藥擦之永去病根枯白礬一兩蛤粉半兩樟腦一錢

右爲細末研勻每用少許擦之

又方

阿魏　蛤粉

各等分爲細末搽納肌窩内自愈

又方　香白芷一兩乾姜一兩

共爲細末用熟黄酒生葱一大鍾送下汗出爲度

又方　用自唾以手指擦脇下數遍以指甲去

其垢隨用熱水洗手數遍十餘日全愈

治腋氣一名狐臭又名猪狗臭用密陀僧爲末以帶皮生姜蘸濕臭處頻頻塗之其臭自除如暑天汗出時塗更好

治體氣每清晨用自便洗兩腋愈

心氣門

香砂七氣湯　治心腹疼痛

陳皮　青皮　厚朴　半夏　三稜　蓬朮各一錢半　香附子二錢　砂仁一錢　甘草五分　木香五分　檳榔

一錢　右用水一鍾半姜三片煎至八分溫服

又方　治心氣疼及胃脘諸痛

肥梔子十枚去殼姜汁浸炒如脾豚大連殼用　撫芎一錢　香附童便製一錢

右用水煎三滾滴三茶匙姜汁入内再煎一滾百草霜細研二茶匙調和服之立効

又方　用生明礬末一錢川椒末二分白滾湯調下忌魚腥蕎麥麪

又方

白礬煉二錢　石榴皮二錢如無石榴皮白礬一味

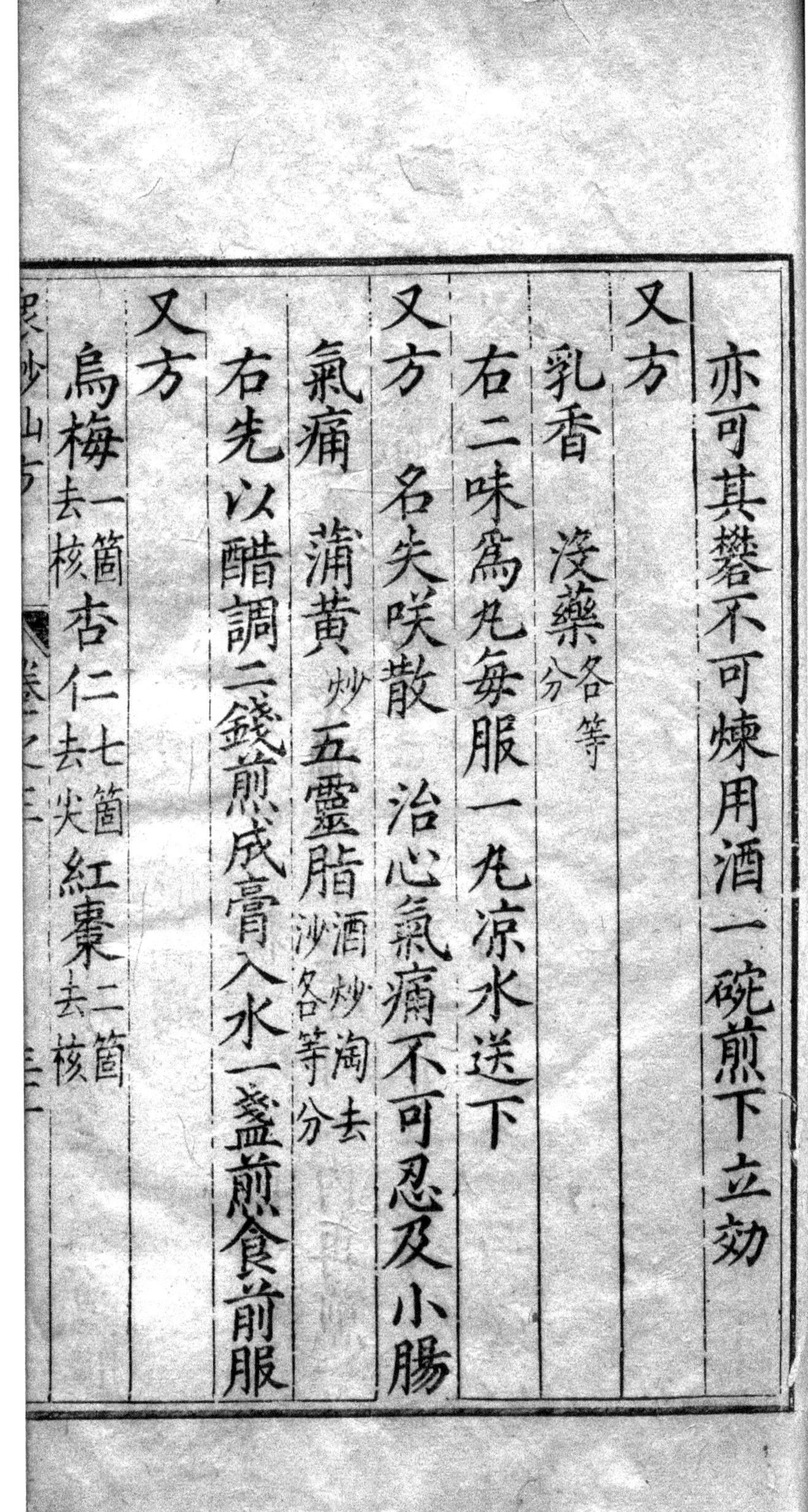

亦可其礬不可煉用酒一碗煎下立効

又方

乳香 沒藥各等分

右二味爲丸每服一丸凉水送下

又方 名失咲散 治心氣痛不可忍及小腸

氣痛 蒲黃炒 五靈脂酒炒淘去沙各等分

右先以醋調二錢煎成膏入水一盞煎食前服

又方

烏梅一箇去核 杏仁七箇去尖 紅棗二箇去核

右搗作一服男用好酒女用神醋不拘時服

治冷心氣疼

乳香三分火煉去油　明礬一錢火煉過

右爲末好酒送下

治心脇痛如錐刺者用陳皮二錢枳殼二錢甘草三錢共爲末以槐條煎湯服之愈

治心急痛將烏梅一箇黑棗三箇俱去核杏仁七箇去皮尖同搗爛加些麝香在內煎酒服再不發惟有孕之婦切不可服

又方荔枝核慢火燒存性爲末酒調服

又方用槐條一把水二碗煎七八滚溫服即効

治男婦心疼口噤牙閉欲死者用隔年老葱根白五七根搗爛取汁将病人之口挖開用銅茶匙將汁入口中以香油送汁入喉其人即甦少停其腹中虫積盡化爲黄水從大小便中出立効若葱乾無汁略加水在内取汁

治急心痛用竈中心對鍋底紅土爲末用方寸匕熱疼滚湯下冷疼酒下立効

治心氣痛不問年月久近用史君子七枚連殼署搗放瓦上焙乾篩極細末以鷄蛋一箇打開將清黄同煎藥擂攪成漿隨用真正黑沙糖三錢研服之立愈或以鷄蛋難生食將蛋殼熬湯下之妙甚妙甚 此方驗一次

治心頭痛即氣痛用檳榔爲末以白沙糖等分以無根水送下男用平檳榔女用爲的平者陰高者陽

治心痛用生地黄一味取汁搜麪作餺飥或作

冷淘隨人所食多少但忌用鹽能療一切心痛無問久新服之良久當利即愈

又方治卒心痛用橘皮去白炙少許煎飲之

又方

治苦熱飲氷水及冷水過多心脾疼痛久不愈者用漢椒二十粒浸於漿水盆中一宿漉出還以水吞之其病即愈更不復作

又方

治蛔虫日夜咬人腹內痛不可忍者用苦楝

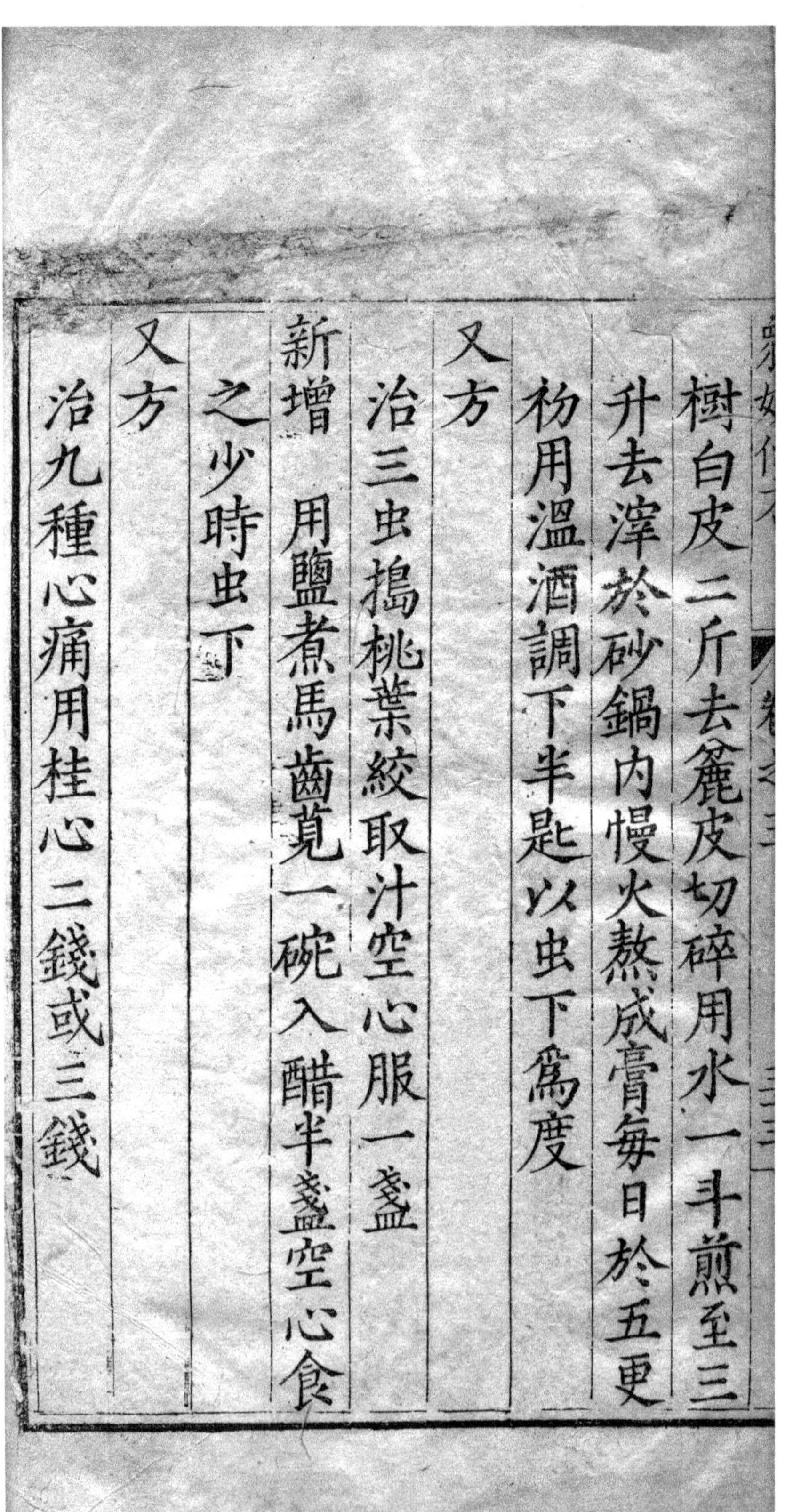

樹白皮二斤去麄皮切碎用水一斗煎至三升去滓於砂鍋内慢火熬成膏每日於五更初用溫酒調下半匙以虫下為度

又方

治三虫搗桃葉絞取汁空心服一盞

新增 用鹽煮馬齒莧一碗入醋半盞空心食之少時虫下

又方

治九種心痛用桂心二錢或三錢

爲末以酒一大盞煎至半盞乘熱服之立效

疝氣門

治疝氣方

柑橘核六兩炒熟不要焦研去殼淨肉四兩

荔枝核新剥出者灰火煨焦存性二兩

小茴香簸去粃者去沙土炒轉色

一兩

不可焦

山查蒸熟去核晒乾待用一兩

右除橘核爲末以其有油不可同磨另碾爲末和匀每服空心酒下二錢忌魚豆粉麪芋頭柑橘此疾一方不能取效須服三四料可

除根

又方用天花粉壯人九錢瘦人七錢煎好生酒熱服被盖出汗覺小肚内有塊響滚下

又方　用橘核晒乾去厚薄殼兩層研細每服五錢用老洒一二盞砂鍋中煮三五沸空心服再用熱酒一二盞礶盛餘藥服盡一切下部諸疾皆療

又方　試有神効　取杉樹子一歲一粒燒研灰用好酒下粒少者一二次服粒多者數次

脹立愈

又方　用雙蒂茄子懸於房門上出入用眼視之茄淹所患亦淹茄乾亦乾矣

一方　令絲[illegible]上初結者直待枯蒲架結盡葉落方下[illegible]灰存性爲末煉蜜調成膏每晚好酒調一匙下如在左則左睡在右則右睡

蒼六散　治下元虛損偏墜腎莖疼痛

好茅山蒼术六斤　一斤老米泔水浸二日

夜一斤酒浸三日夜切片晒乾一斤斗子青
鹽半斤炒黃色去鹽不用一斤小茴香四兩
炒黃色去茴香不用一斤大茴香四兩炒黃
黑色去茴香不用一斤桑椹子二斤取汁製
過晒乾

右[illegible]末空心每服三錢酒下

又方治[illegible]疝氣小便難者用雞子一枚敲碎
取黃以溫水調服之不過三服

又方用茴香一斤外以老生姜二斤取自然汁

浸茴香一夜約姜汁盡入茴香内以好青鹽二兩同炒赤取出焙燥研羅爲末無灰酒煮糊爲丸如桐子大每空心食前服三十丸或五十丸温酒米飲任下此藥治疝氣累有效

又方治男子陰腫核大如升人不能治者以馬鞭草擣爛塗之

治婦人陰腫堅硬用小狗稱切碎炒熟舊絹作囊盛熨冷即易之

治小腸疝氣痛用香附子（炒去毛）茴香（鹽炒）各等分

爲細末每服三錢空心熱酒調下立愈

治偏墜不時舉發冷痛用布爲袋入艾與綿在内将來包裹陰囊切勿使之着冷其病自不發倘夏月有汗頻換可也若用蘄艾尤妙

脚氣門

治脚氣方

麻黃三兩炒黃　姜蚕三兩炒爲末　乳香　没藥各五錢

右共研爲末丁香一錢爲末每服一兩好酒調下取醉及汗出至脚爲度盖條汗乾即愈

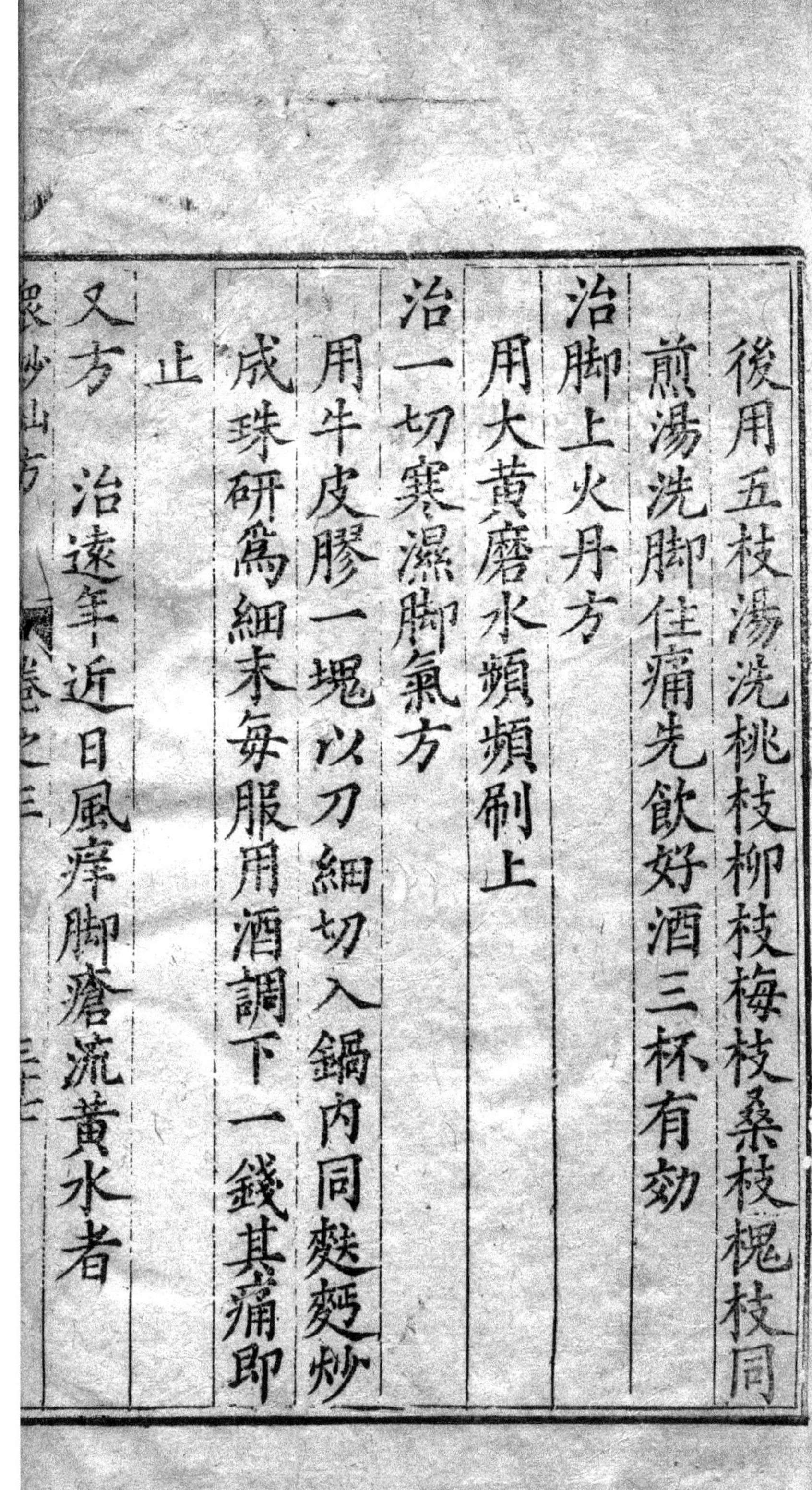

後用五枝湯浇桃枝柳枝梅枝桑枝槐枝同
煎湯洗脚住痛先飲好酒三杯有効

治脚上火丹方
用大黄磨水頻頻刷上

治一切寒濕脚氣方
用牛皮膠一塊以刀細切入鍋内同麸麸炒
成珠研爲細末每服用酒調下一錢其痛即
止

又方　治遠年近日風痒脚瘡流黄水者

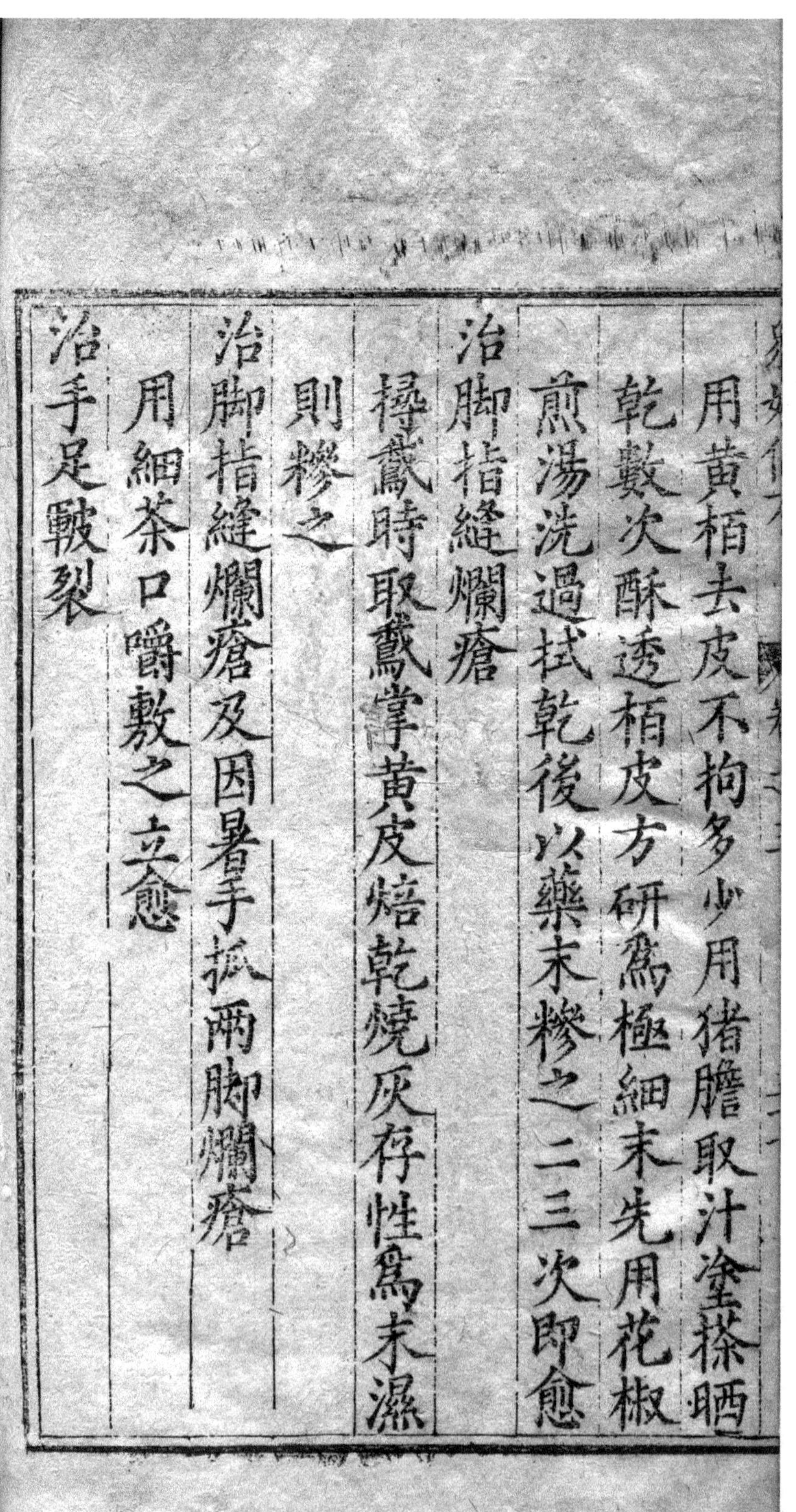

用黃栢去皮不拘多少用猪膽取汁塗搽晒乾數次酥透栢皮方研為極細末先用花椒煎湯洗過拭乾後以藥末糝之二三次即愈

治脚指縫爛瘡

撏鵞時取鵞掌黃皮焙乾燒灰存性為末濕則糝之

治脚指縫爛瘡及因暑手抓兩脚爛瘡

用細茶口嚼敷之立愈

治手足皸裂

瀝青二兩 黃蠟一兩

右用火熬攪匀兎礶盛貯先以熱湯洗令皮軟拭乾將藥於慢火上畧炙擦傅

治手足皸裂春夏不愈者

生姜汁 紅糟 鹽 猪膏臘月者佳

右研爛炒熱擦入皸內一時雖痛少頃皮軟皸合再擦即安

治脚轉筋

急將大蒜磨脚心令徧熱即瘥

治腰脚軟用二蚕沙炒熱熨之

治脚氣用杉木或節煮汁浸脚甚妙

又方治脚氣疼痛槐柳楮桑桃五件枝煎湯洗脚能消腫住痛亦飲酒三盃

又方用水紅花子汁浸之

又方治脚氣每夜用鹽塗擦腿膝至足甲淹少時却用熱湯泡洗昔有一人脚氣諸方不効後得此方常用淹洗不再發

又方治脚氣攻注用水中大螺一箇以鹽半匕

和殺生搗碎疊於患人臍下一寸三分用寬

綿緊繫之仍辦溺器以待其通此遇異人傳

授仙方神驗又曾有人苦脚氣攻注或教槌

數螺付兩股上便覺冷氣趨下至足既而亦

安

又方治脚氣并脚汗用蘿蔔煎湯洗之或晒乾

爲末鋪襪内或用楊花如綿絮鋪在襪内尤

佳

治脚氣并轉筋腹脹者用吳茱萸二兩木瓜一

大箇切碎用水二碗煎至一碗去滓溫服如人行十里仍進一服或吐汗利即瘥外用獨頭蒜一枚口嚼爛入鹽一撮輕掩於患處一時許愈

痔漏門

經驗膽槐丹

十月上巳日取槐角子揀肥嫩結實者用新黃瓦盆二箇如法固濟埋於背陰墻下約二三尺深預先尋取黑牛膽五六箇臘月八日

取出槐子裝入膽內高懸陰乾至次年清明日取出入好磁瓶内盛放每日空心滚白湯吞服初一日一粒二日二粒三日三粒加至十五日十五粒以後日減一粒周而復始不問遠年近日痔瘡並皆服之其効如神亦能補虛

又方　治痔漏卧床策杖方能移步者

旱蓮草一小把連鬚水洗淨用粗碗搗極爛如泥極熱酒一盞衝入飲之剩渣再搗爛敷

患處重者不過三服即愈

又方　用五倍子皮硝煎數十沸取去渣乘熱盛木盆中四圍板蓋留中一孔薰蒸良久用手搧洗至湯冷方住甚効

又方治痔漏用蟯蜋不拘多少焙乾爲末先用白礬水洗貼之

又方用槐花炒枳殼去穰各一兩爲末用醋糊爲丸如桐子大每服二十丸米湯空心食前下

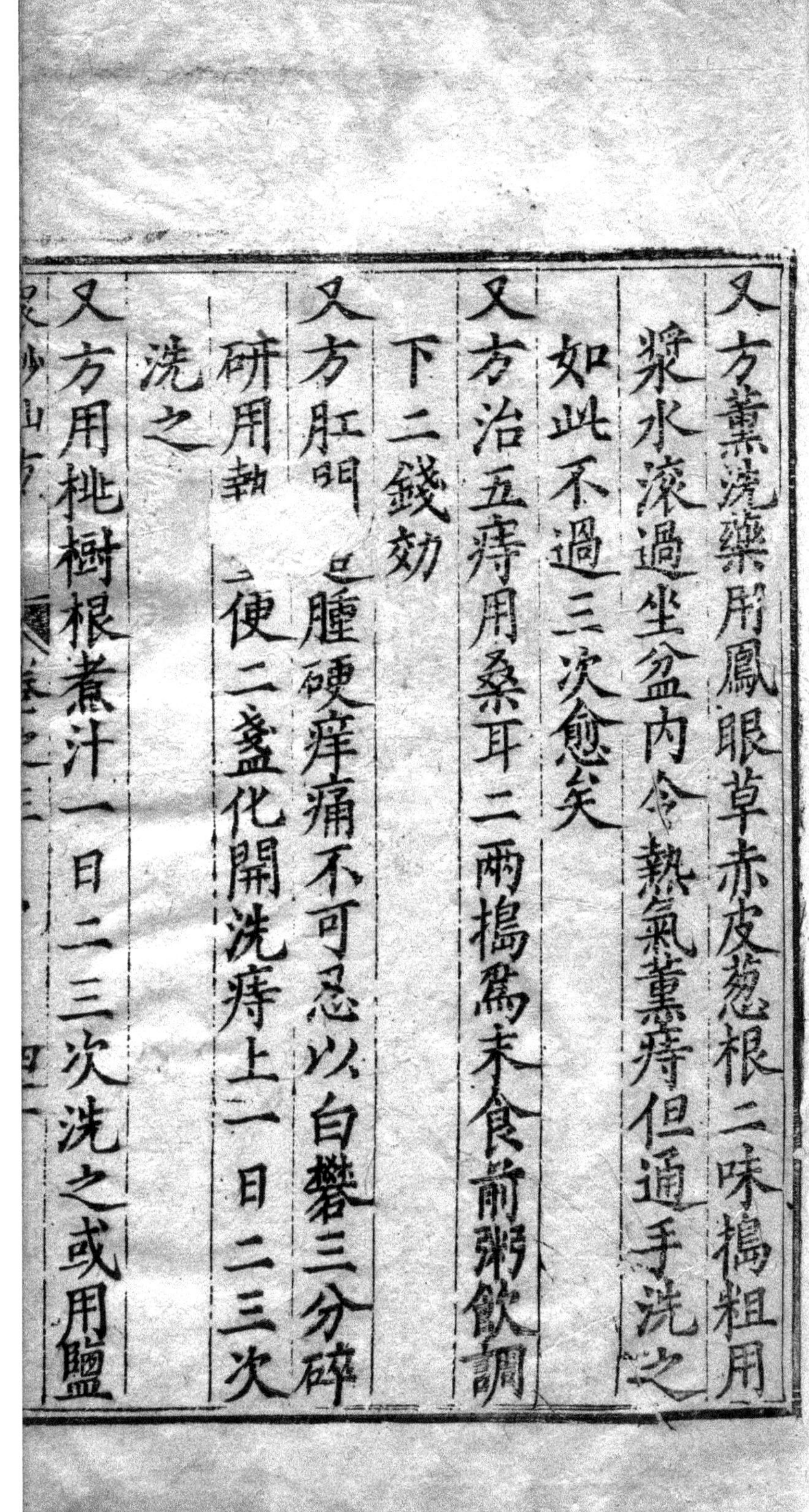

又方薰洗藥用鳳眼草赤皮葱根二味搗粗用
漿水滚過坐盆内令熱氣薰痔但通手洗之
如此不過三次愈矣
又方治五痔用桑耳二兩搗爲末食前粥飲調
下二錢効
又方肛門[illegible]腫硬痒痛不可忍以白礬三分碎
研用熱[illegible]使二盞化開洗痔上一日二三次
洗之
又方用桃樹根煮汁一日二三次洗之或用鹽

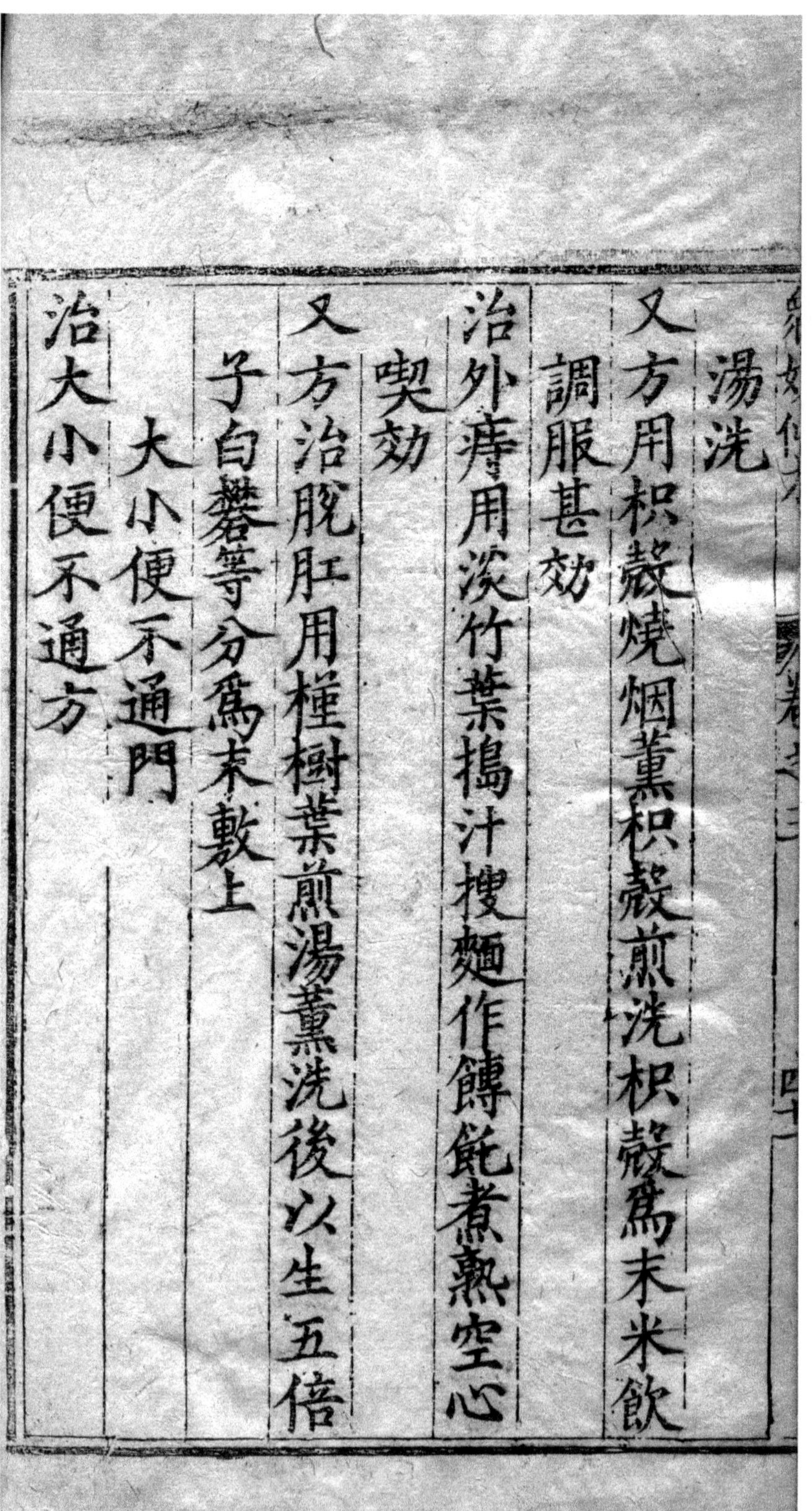

湯洗

又方用枳殼燒烟薰枳殼煎洗枳殼爲末米飲調服甚効

治外痔用淡竹葉搗汁搜麪作餺飥煮熟空心喫効

又方治脫肛用槿樹葉煎湯薰洗後以生五倍子白礬等分爲末敷上

大小便不通門

治大小便不通方

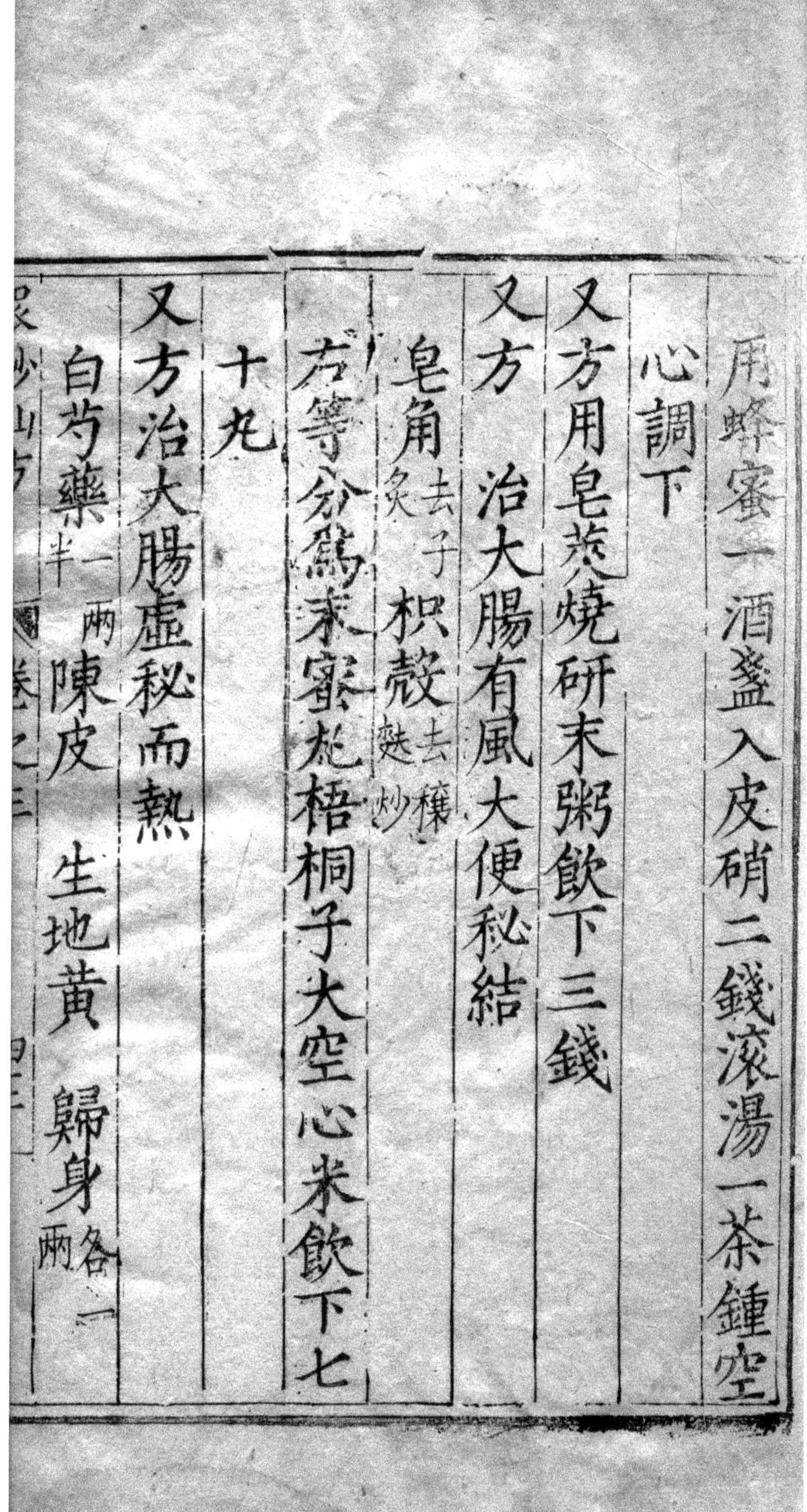

用蜂蜜一酒盞入皮硝二錢滚湯一茶鍾空心調下

又方用皂莢燒研末粥飲下三錢

又方 治大腸有風大便秘結

皂角(炙去子) 枳殼(去穰麸炒)

右等分爲末蜜丸梧桐子大空心米飲下七十丸

又方治大腸虚秘而熱

白芍藥(一两半) 陳皮 生地黄 歸身(各一两)

條芩　甘草二錢

右爲末糊丸白湯下七八十丸

又方　潤血燥大便不通

麻子仁　當歸　桃仁　生地黄　枳殼各一兩

右爲末煉蜜丸如梧桐子大每服五十丸空心白湯下

又方　名五仁丸　治津液枯竭大腸秘澁

栢子仁半兩　桃仁　杏仁炒去皮尖各一兩　陳皮四兩另爲

末　松子仁一錢二分　郁李仁炒二錢

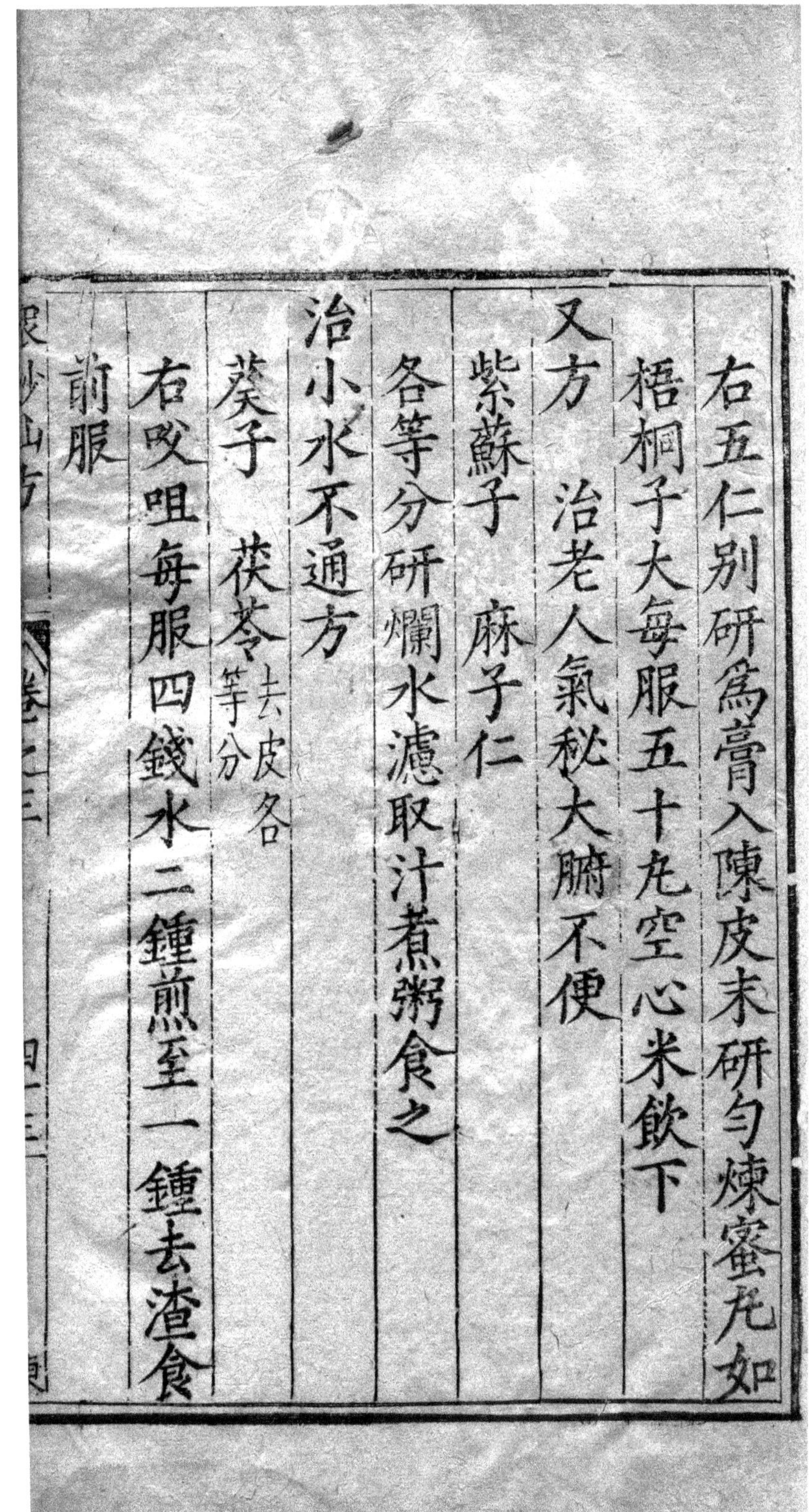

右五仁別研爲膏入陳皮末研匀煉蜜丸如梧桐子大每服五十丸空心米飲下

又方　治老人氣秘大腑不便

紫蘇子　麻子仁

各等分研爛水濾取汁煮粥食之

治小水不通方

葵子　茯苓去皮各等分

右㕮咀每服四錢水二鍾煎至一鍾去渣食前服

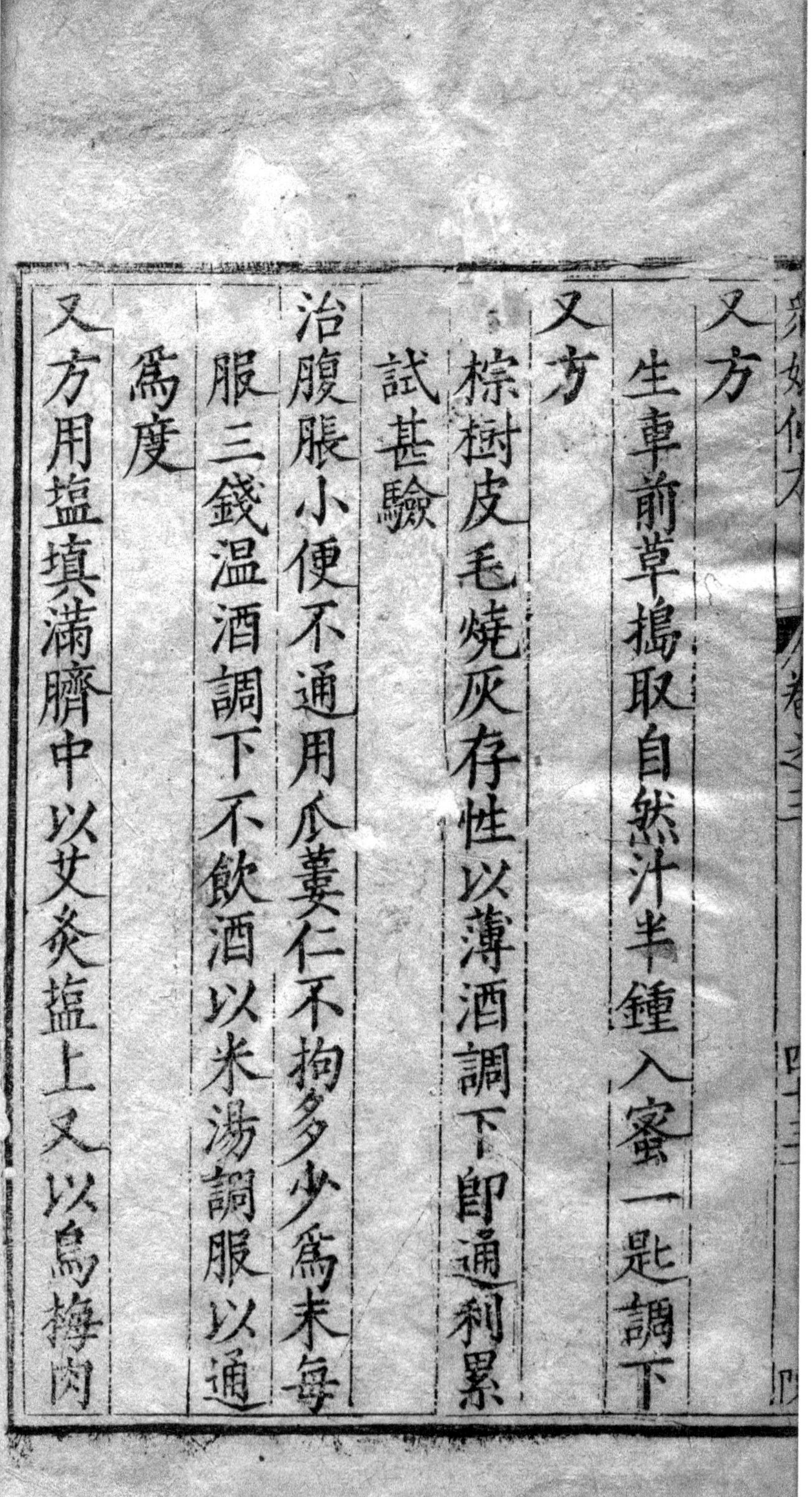

又方
生車前草搗取自然汁半鍾入蜜一匙調下
又方
椶樹皮毛燒灰存性以薄酒調下即通利累試甚驗
治腹脹小便不通用瓜蔞仁不拘多少爲末每服三錢温酒調下不飲酒以米湯調服以通爲度
又方用塩填滿臍中以艾灸塩上又以烏梅肉

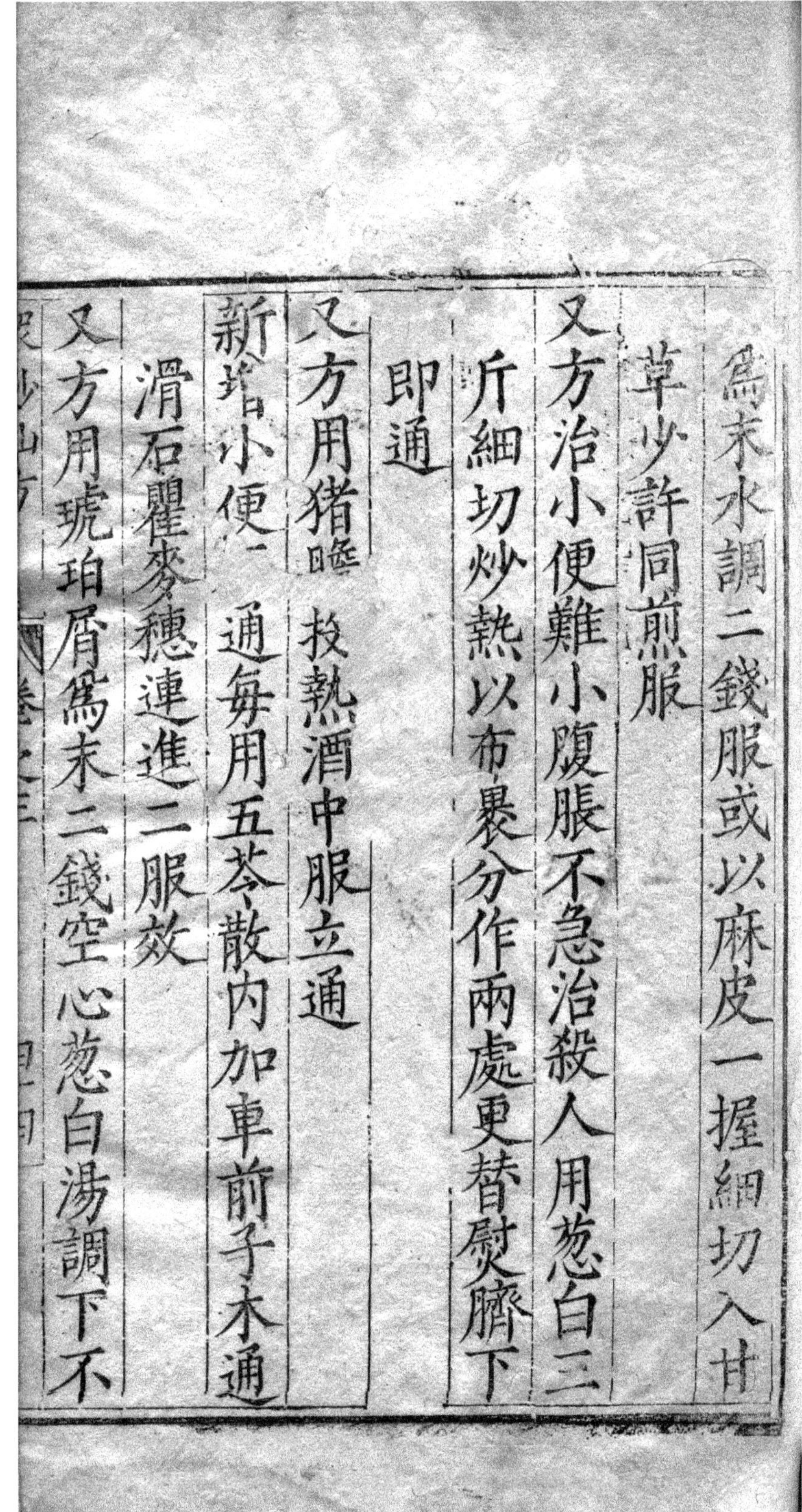

爲末水調二錢服或以麻皮一握細切入甘草少許同煎服

又方治小便難小腹脹不急治殺人用葱白三斤細切炒熱以布褁分作兩處更替熨臍下即通

又方用猪脬 投熱酒中服立通

新増小便不通每用五苓散内加車前子木通滑石瞿麥穗連進二服效

又方用琥珀屑爲末二錢空心葱白湯調下不

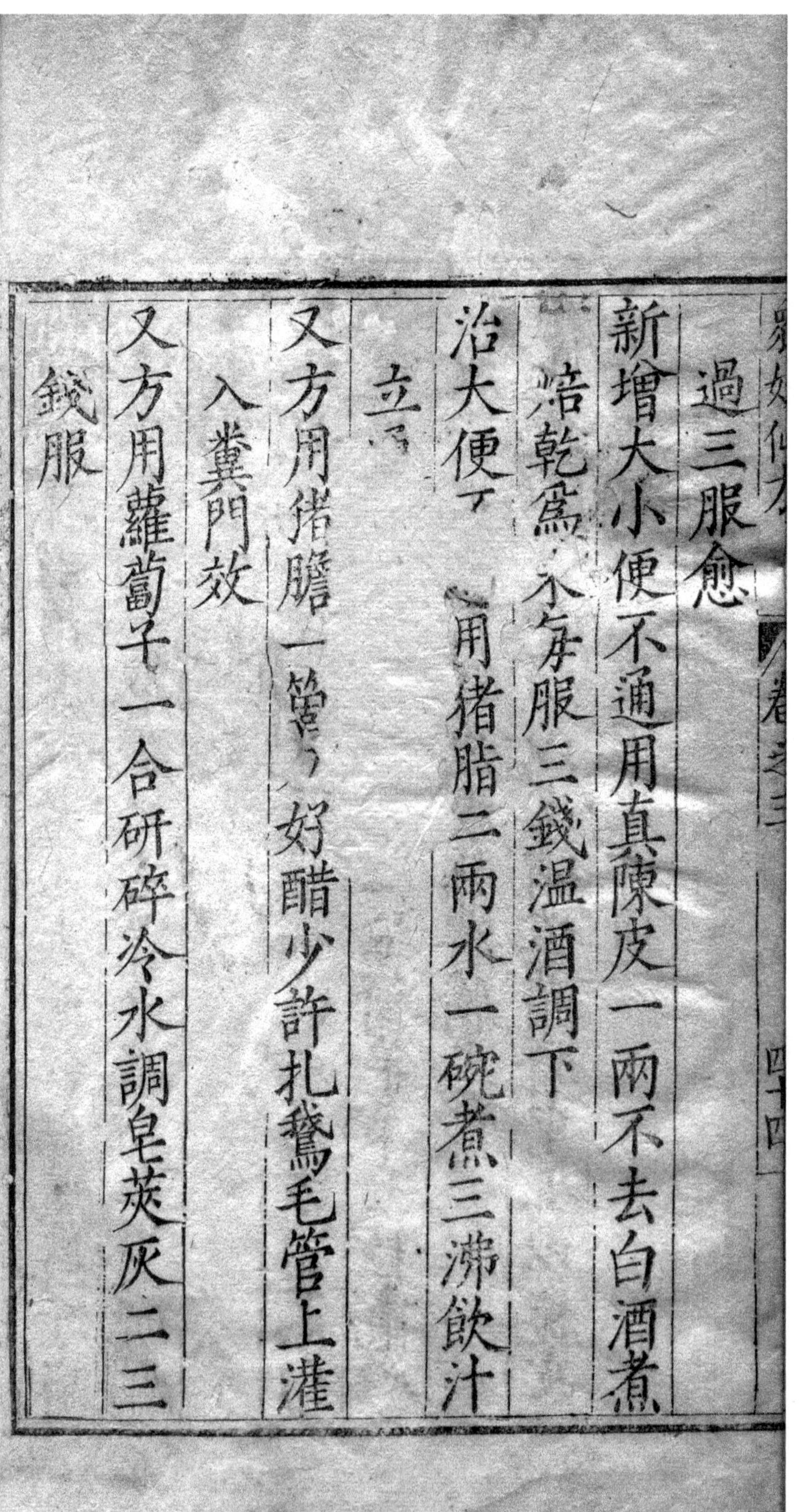

過三服愈

新增大小便不通用真陳皮一兩不去白酒煮

焙乾爲末每服三錢温酒調下

治大便下[illegible]用猪脂二兩水一碗煮三沸飲汁

立[illegible]

又方用猪膽一[illegible]好醋少許扎鵞毛管上灌

入糞門效

又方用蘿蔔子一合研碎冷水調皂莢灰二三

錢服

新增蘇麻粥治虛弱老人大便秘結紫蘇子麻子仁無則芝麻代之右等分不拘多少研爛煮粥食之

治小兒大小便不通腹脹如鼓者治方用葱白連根一大箇勿洗[illegible]三箇羊屎七粒竈心灰一把共搗碎泡煨熱縛臍上愈

治小便不通神効以皮硝填滿臍中上以槐皮蓋之却以艾灸槐皮卽通

頭痛門

都良丸　治頭風疼甚效

用白芷洗淨煉蜜爲丸如彈子大每服以荆芥煎湯調服若因虛頭疼以人參一兩川芎五錢煎湯服之甚妙

頭疼方

細茶　香附子　川芎各一錢

右用水一鍾煎至八分臨卧服下即止

菊花散　治風熱上攻頭痛不止

甘菊花去梗　旋覆花去梗　防風去蘆　枳殼麩炒　羌活去蘆

蔓荆子　石膏　甘草炙已上各一錢半

止痛太陽丹

天南星　川芎各等分

右爲細末用連鬚葱白同搗爛作餅貼於太陽痛處

治頭痛方

右用水調草决明子末貼兩太陽穴效

治頭痛用皂莢爲末吹入鼻中得嚔則止

治遠年近日一切偏正頭痛用蘿蔔取汁一蜆

穀令病人仰卧右痛注左鼻左疼注右鼻左右皆疼兩鼻並注之

治偏頭疼絶妙用蓽撥爲末令患者口含水左邉疼令左鼻吸一　右邉疼令右鼻吸一字即効

治偏頭痛用萆蔴子一兩去皮研爛貼痛處

腰痛門

治腰痛萆薢木仙枸杞杞等分酒煮

又方　治腰疼併或時閃腰

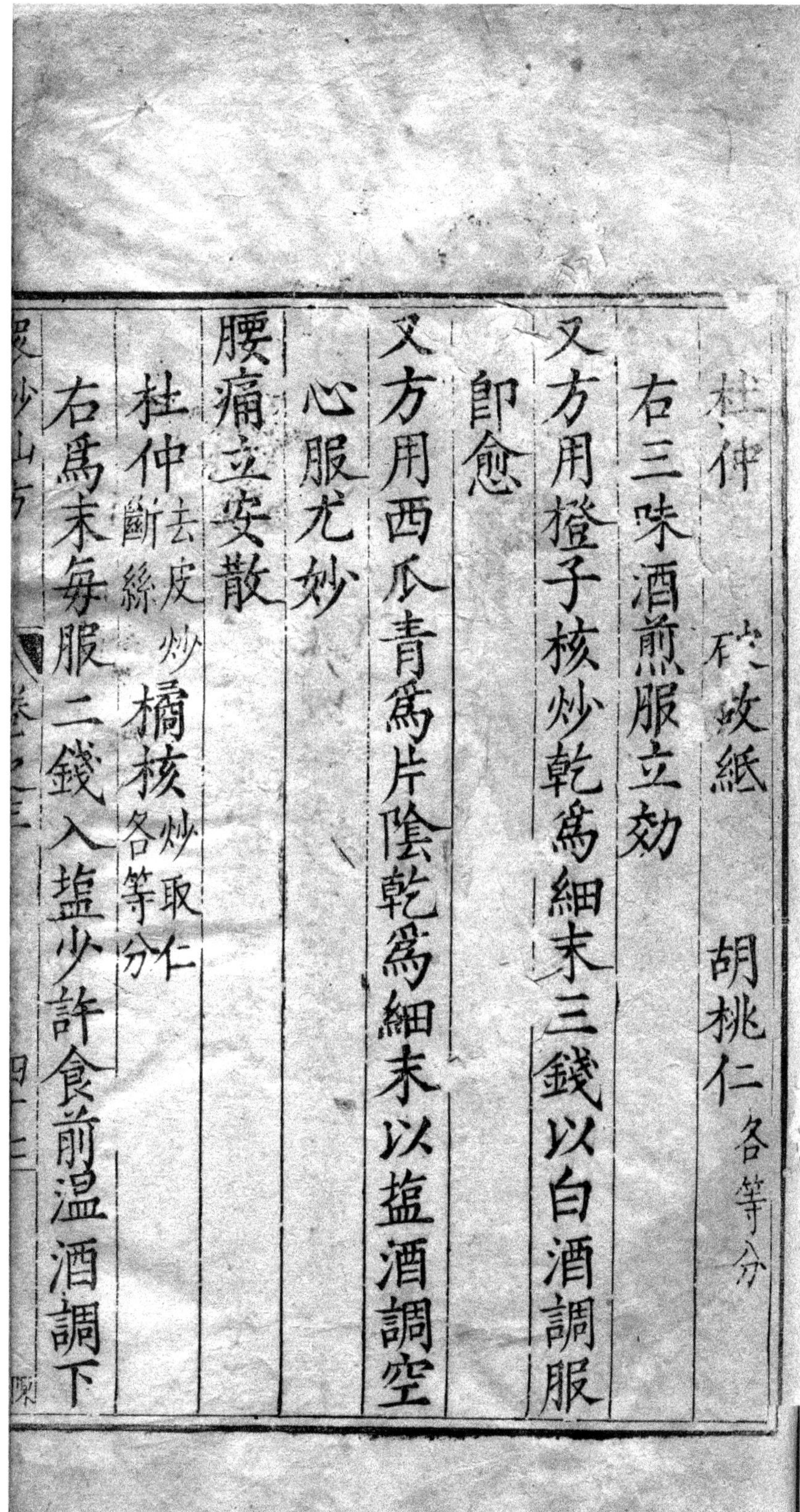

杜仲　破故紙　胡桃仁各等分
右三味酒煎服立効
又方用橙子核炒乾爲細末三錢以白酒調服
即愈
又方用西瓜青爲片陰乾爲細末以塩酒調空
心服尤妙
腰痛立安散
杜仲去皮斷絲炒　橘核炒取仁各等分
右爲末每服二錢入塩少許食前温酒調下
衆妙仙方　卷之三　四十三

舒經湯　治臂痛不能舉有人常苦左臂痛或以爲飲或以爲風爲濕諸藥悉投繼以鍼灸俱不得効用此方而愈蓋是氣血凝滯經絡不行所致非風非濕腰以下食前服腰以上食後服

片薑黃二錢如無則嫩莪术代　赤芍藥　當歸　海桐皮去粗皮　白术以上各一錢半　羌活　甘草炙各一錢

右作一服用水二鍾生薑三片煎至一鍾去滓磨沉香汁少許食前服

治積年腰痛兼閃挫腰痛用細白麵一塊如拳大燒令通赤好酒二大盞淬酒内便飲令盡仰卧少頃效

脇痛門

治脇痛方

草豆蔻炒　枳殼炒　赤芍藥　砂仁　烏藥　香附子各等分

右用水二鍾煎至一鍾温服

治脇下疼痛神效

小茴香一兩，炒 枳殼五錢，麩炒

右爲末，每服二錢，鹽湯調下。

雜治門

凡人患小膀轉筋，皆因兩腿感寒，氣血不能融運，筋不得養，故致攣縮而轉也。患此疾者，不分寒暑，先於未發時，常以布與綿等裹煖小膀，使血氣和煖流行，則筋自不轉矣。

凡人或盜汗不止，用香白芷一味，不拘多少，爲末，將自己唾津調塗臍上，自止。

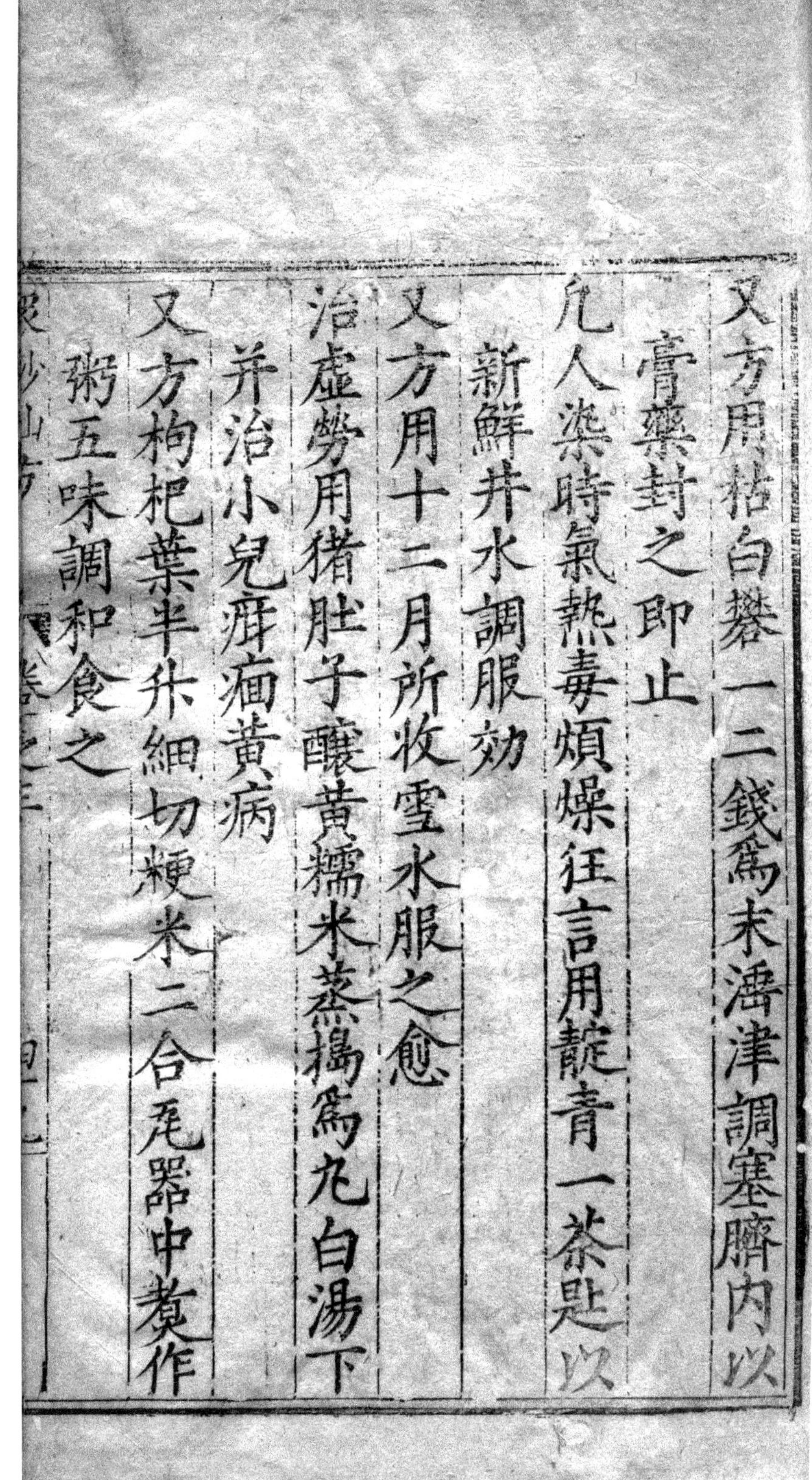

又方用枯白礬一二錢爲末滔津調塞臍内以
膏藥封之即止
凡人染時氣熱毒煩燥狂言用靛青一茶匙以
新鮮井水調服効
又方用十二月所收雪水服之愈
治虛勞用猪肚子釀黃糯米蒸搗爲丸白湯下
并治小兒痞痼黃病
又方枸杞葉半升細切粳米二合瓦器中煮作
粥五味調和食之

又方治骨蒸勞熱及五痔腸風下血傳尸勞氣并蟲咬心痛用鰻鱺魚酒醋五味煮熟食之

治氣卒奔上呼吸有聲喘急欲死者用韭菜搗汁飲

治氣結聚心下不散用桃樹上不落乾桃子三兩爲末每服空心溫酒調二錢服

又方治大渴用深掘大瓜蔞根削去麄皮寸切以水浸一日一換浸五日取出爛研細絹絞汁如作粉乾之服方寸匕日三四次入牛乳

尤佳

治夜多小便用純糯米蒸糕一片臨卧炙令軟熟啖之仍以溫酒下不飲酒湯下多啖愈佳坐良久待心下空便睡一夜十餘行者當夜便止

治心恙狂惑用　　碗真麻油四兩共和勻楊枝二　條逐一條攪一二百下換遍楊枝直候油酒相和如膏煎至七分一碗狂者強灌之令熟睡或吐或不吐覺來即醒

衆妙仙方　卷之三

治舌强腫起如猪胞以針刺舌下四邊大脉血出即消效切勿刺着中央脉令人血不止則殺人或以百草霜醋調付舌上下脱去再付須臾而消此患、識失治則死凡舌腫舌下必有虫狀如螻蛄卧蚕有頭有尾頭小白可燒鐵針烙頭上即消

治舌脹出口外用雄鷄冠刺血以盞盛浸舌就嚥下即縮

又方治舌無故出血以炒槐花爲末糝之愈

又方用亂髮燒灰水調一錢服

新增治舌上出血如箸孔者用香薷一握濃煎汁服之亦治心煩去熱

治口唇緊小難以開合不能飲食不治即死用白布作燈炷如指大安斧刃上燃燒令刃上汁出拭取付唇上酒二三度或用舊青布燒灰以酒服或和猪脂塗付又以蚘殼燒灰付之又以蠐螬虫燒灰猪脂調付又燒亂髮蜂房六畜毛灰用猪脂調付又馬齒莧煑汁洗

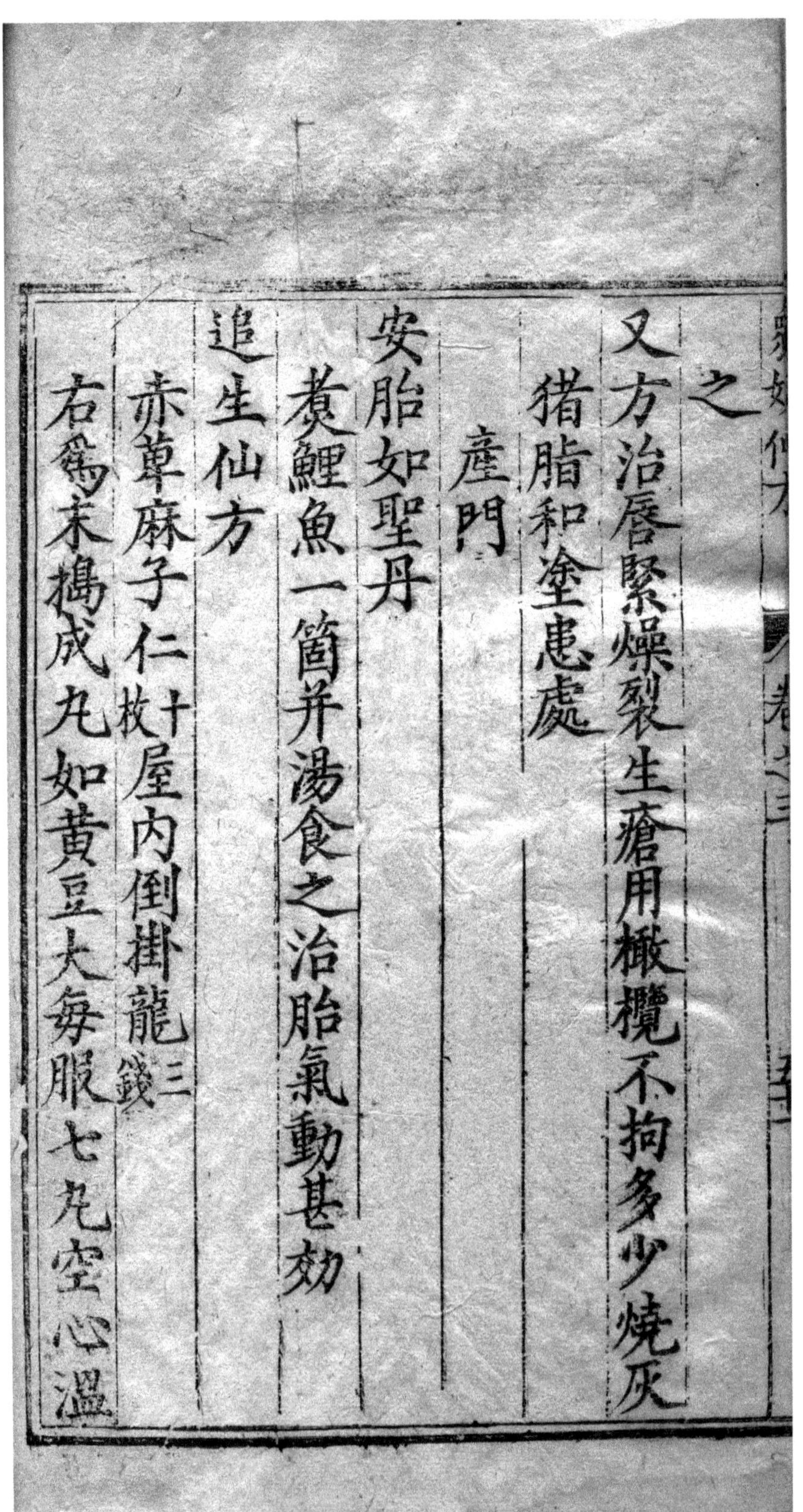

之

又方治唇緊燥裂生瘡用橄欖不拘多少燒灰猪脂和塗患處

産門

安胎如聖丹

煮鯉魚一箇并湯食之治胎氣動甚効

追生仙方

赤草麻子仁十枚 屋内倒掛龍三錢

右爲末擣成丸如黄豆大每服七丸空心溫

酒下神効

難產方

用魚鰾三寸燒過爲末酒下橫者令直即下

治橫生方

木栢枝有刺者佳一握約長五七寸六七莖

切碎和生甘草一二㕮水服

治胎衣不下惡血湊心　其證心頭迷悶胎衣

上逆衝心須臾不治其母即亡

乾漆五錢爲末　大附子一枚炮去皮臍爲末

右用大黄末五錢酒醋熬乾入前二味爲丸如梧桐子大每服三十丸淡醋湯吞下須臾又進二服胎衣立下此藥可預先合下

又方 用赤小豆炒過用水三升煑二升去豆取汁溫服胎衣立下

又方 用婦人自己手足指甲燒灰酒調一服須臾又進一服更令有力婦人抱起將竹筒於心上趕下妙

治孕婦逆生 其證孕婦欲產時遇腹痛不肯

舒伸行動多曲腰眠卧忍痛其兒在腹中不得轉動故脚先出謂之逆生須臾不救子母俱亡

烏蛇蜕一條 蟬蜕十四箇 血餘胎髮一毬

右各燒灰服二錢酒調下併進二服仰卧霎時兒即順生

又方 用槐子二十粒并井花水吞下

治產後眩暈生花不省人事

截鹿角不拘多少燒灰以酒調服即止

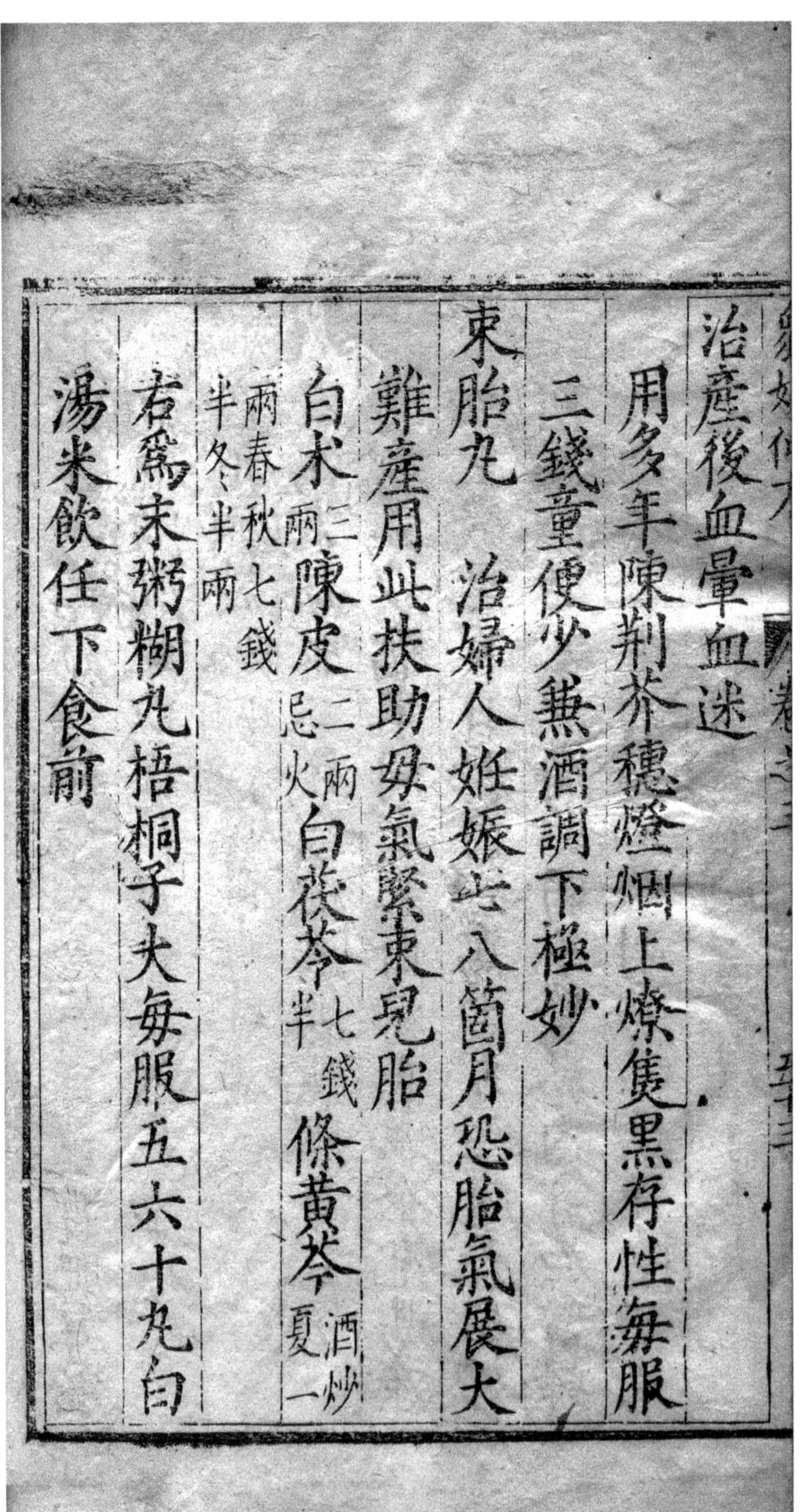

治産後血暈血迷

用多年陳荊芥穗燈烟上燎焦黑存性每服三錢童便少兼酒調下極妙

束胎丸　治婦人妊娠七八箇月恐胎氣展大難産用此扶助母氣緊束兒胎

白朮三兩　陳皮二兩忌火　白茯苓七錢半　條黄芩酒炒夏一兩春秋七錢半冬半兩

右爲末粥糊丸梧桐子大每服五六十丸白湯米飲任下食前

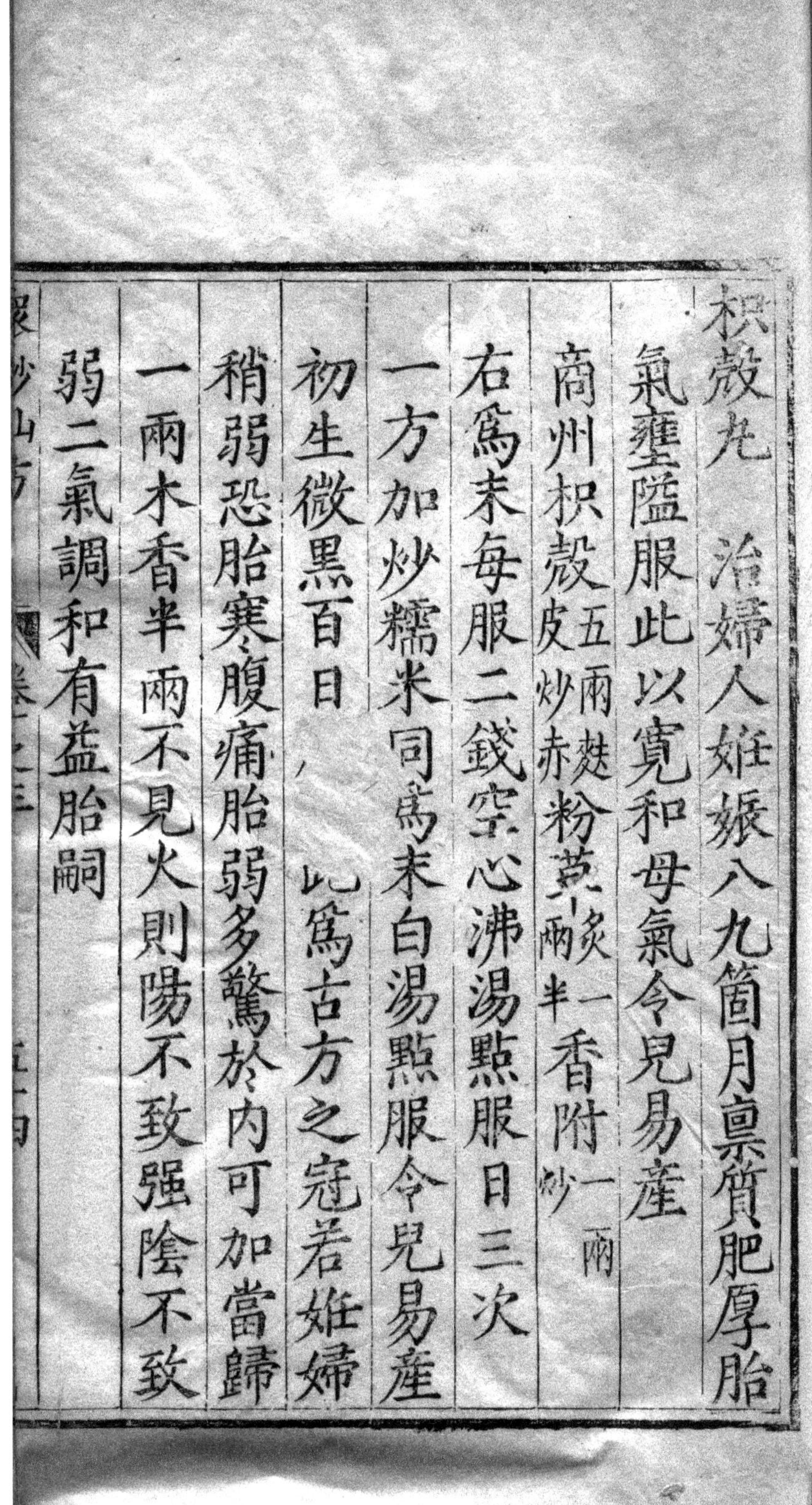

枳殼丸　治婦人妊娠八九箇月稟質肥厚胎氣壅隘服此以寬和母氣令兒易產

商州枳殼五兩麩皮炒赤　粉草炙一兩半　香附一兩炒

右爲末每服二錢空心沸湯點服日三次

一方加炒糯米同爲末白湯點服令兒易產初生微黑百日

此爲古方之冠若妊婦稍弱恐胎寒腹痛胎弱多驚於內可加當歸一兩木香半兩不見火則陽不致强陰不致弱二氣調和有益胎嗣

達生散 治婦人姙娠八九箇月服此以扶正氣散滯氣姙婦稍虚者得此尤佳

大腹皮薑製 白朮 白芍藥 當歸各一錢 陳皮 人參 紫蘇 蘇葉各五分 甘草一錢半

右作一劑水煎服夏加黄芩或黄連五味子春加川芎防風秋加澤瀉冬加砂或通加枳殻縮砂胎動加苧根金銀上氣加紫蘇地黄性急加柴胡多怒加黄芩食少加縮砂神麯渴加麥門冬黄芩能食黄揚腦有痰加半

夏黄芩

救生散　治妊娠婦禀受瘦怯不宜服枳殼散破氣之藥此方安胎益氣令子緊小易產

人參　神麯炒　麥芽炒　訶子煨去核

白术麩炒　橘紅炒

右六味各等分爲細末每服三錢水一鍾煎至七分空心食前溫服議者謂今時入月合進瘦胎易產之藥多用枳殼散非爲不是但妊婦肥實者可也若本瘦怯不宜服此藥惟

救生散安胎益氣令子緊小無病易產最爲穩當

育麟丸 治婦人臨產艱難及產後血塊未盡諸症

當歸三錢 川芎二錢 枳殼一錢麸炒 香附一錢半炒 粉草七分 蘇葉八分 陳皮二錢

右爲末加琥珀末二錢蜜爲丸如圓眼核大每服一丸臨產芎歸湯產後陳皮湯磨服

神寢丸 治姙婦臨產月日破滯氣瘦胎易產

通明乳香五錢另研 商州枳殼一兩麸炒

右爲末煉蜜丸梧桐子大空心温酒或米飲

吞下臨月用之瘦胎易產極効

三合濟生湯 以枳殼芎歸達生三方抽其精

粹而合成此湯治臨產艱難雖一二日不下

者服此自然轉動下生

枳殼二錢麸炒 香附一錢半炒 粉草七分 川芎二錢

當歸三錢 蘇葉八分 大腹皮姜汁洗一錢半

右用水二鍾煎至一鍾待腰腹痛甚服之即

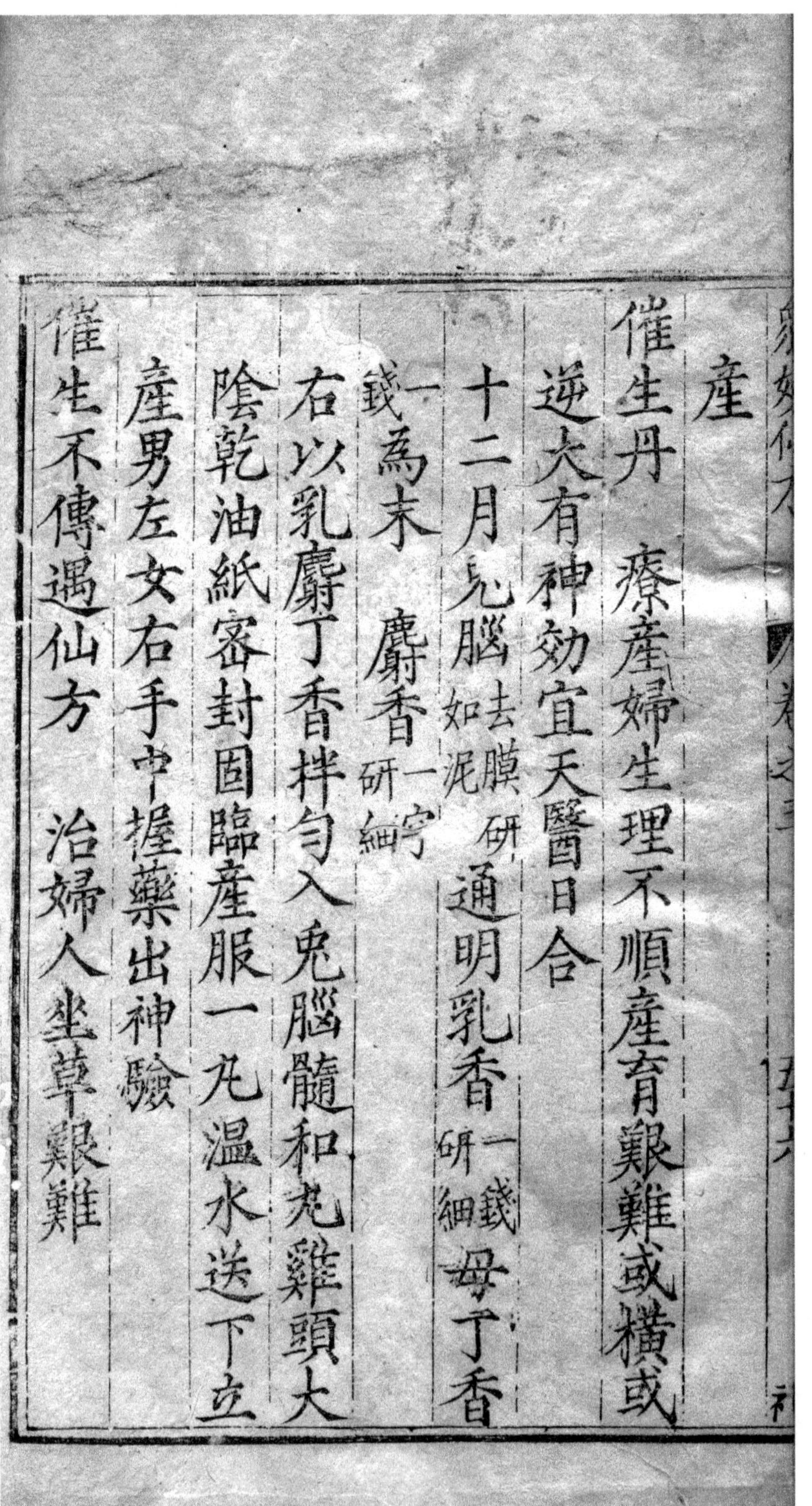

產

催生丹　療產婦生理不順產育艱難或橫或逆大有神効宜天醫日合

十二月兎腦去膜研如泥　通明乳香一錢研細　母丁香一錢為末　麝香一字研細

右以乳麝丁香拌勻入兎腦髓和丸雞頭大陰乾油紙密封固臨產服一丸溫水送下立產男左女右手中握藥出神驗

催生不傳遇仙方　治婦人坐草艱難

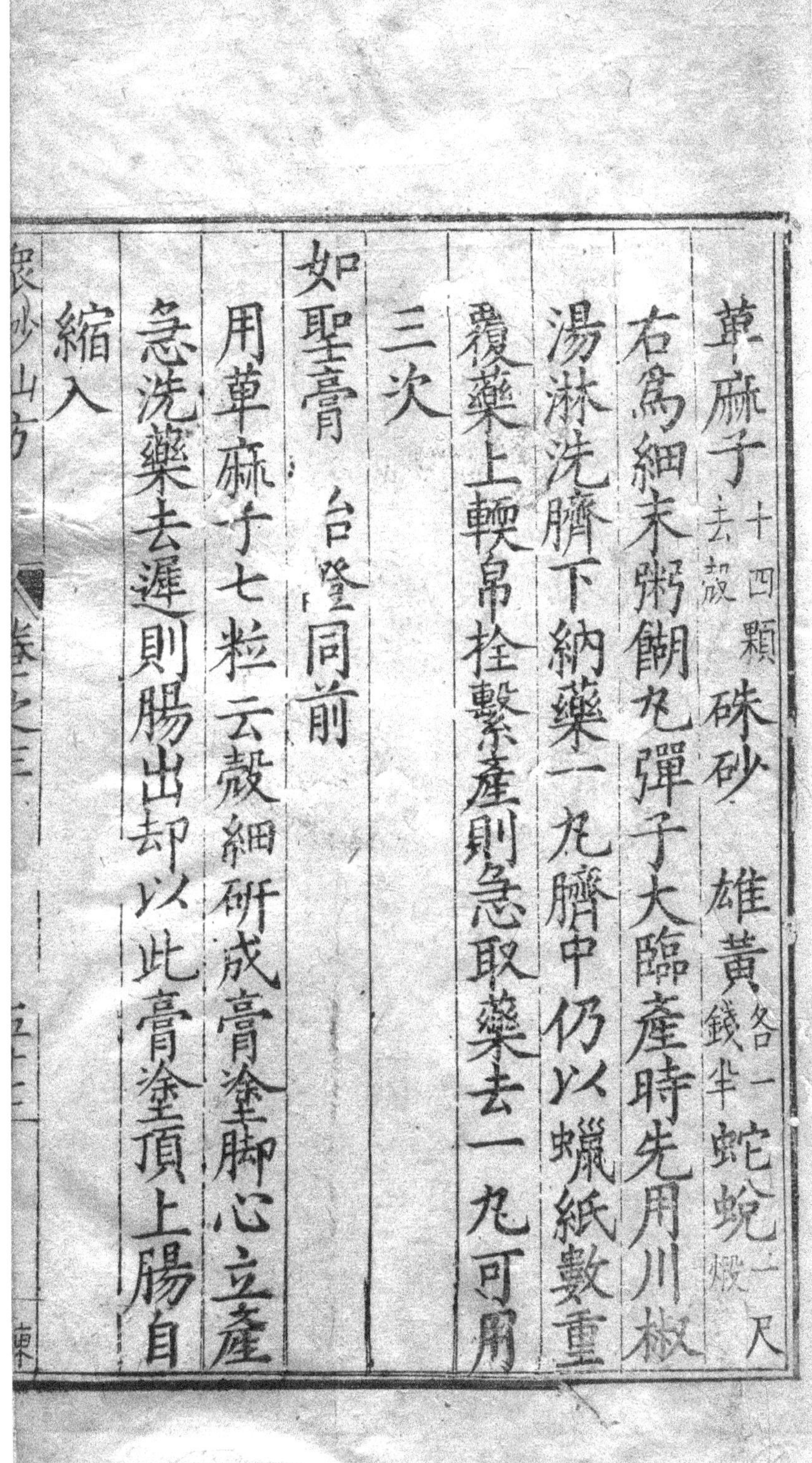
草麻子十四顆去殻　硃砂　雄黄各一錢半　蛇蜕一尺

右爲細末粥餬丸彈子大臨産時先用川椒湯淋洗臍下納藥一丸臍中仍以蠟紙數重覆藥上輭帛拴繫産則急取藥去一丸可用三次

如聖膏　台塗同前

用草麻子七粒云殻細研成膏塗脚心立産急洗藥去遲則腸出却以此膏塗頂上腸自縮入

衆妙仙方　卷之三　五十三　陳

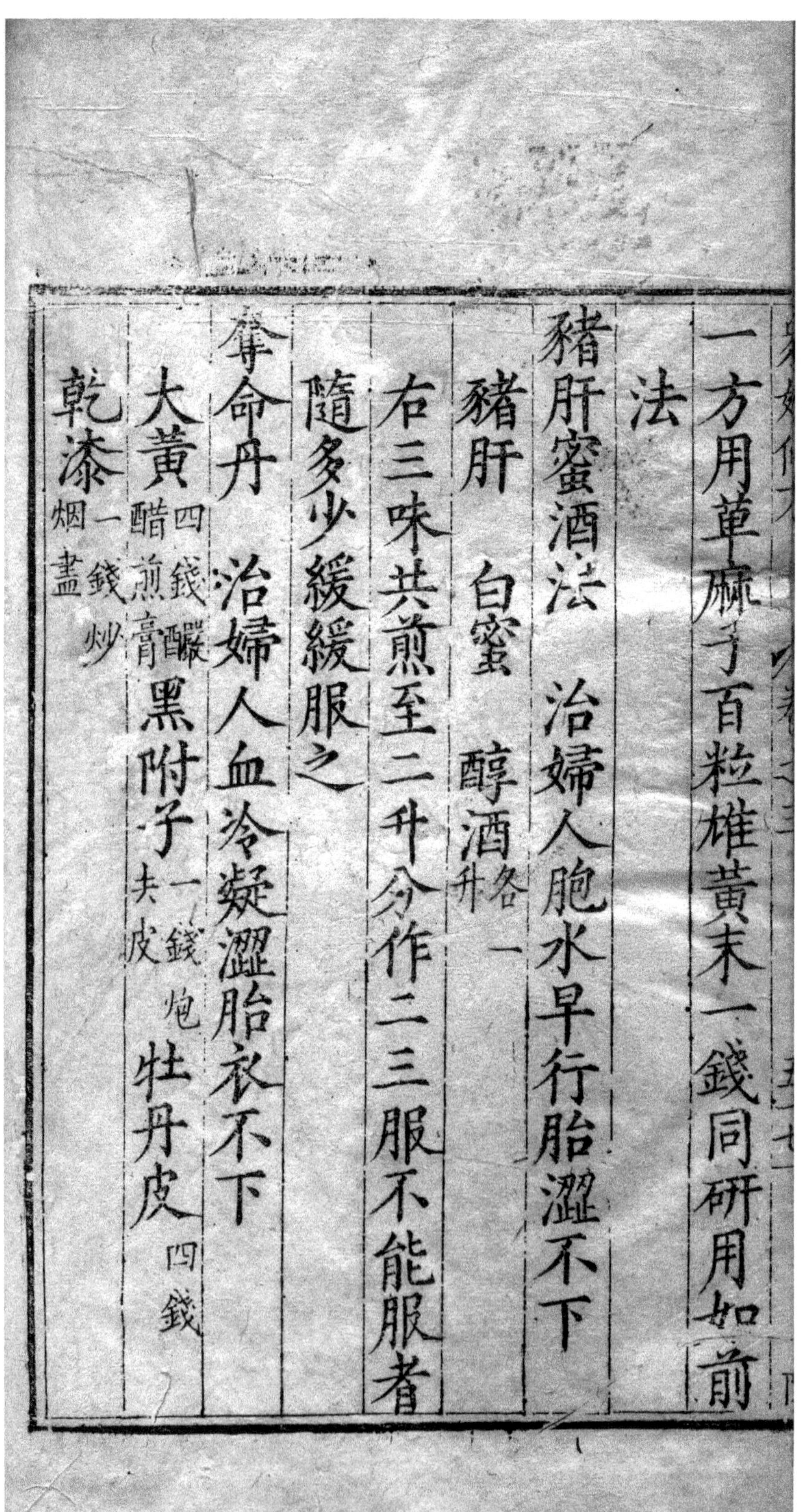

一方用萆麻子百粒雄黄末一錢同研用如前法

豬肝蜜酒法　治婦人胞水早行胎澀不下

豬肝　白蜜　醇酒各一升

右三味共煎至二升分作二三服不能服者隨多少緩緩服之

奪命丹　治婦人血冷凝澀胎衣不下

大黄四錢醋醲醋煎膏　黑附子一錢炮去皮　牡丹皮四錢

乾漆一錢炒烟盡

右爲末以大黃膏同雞子白擣匀梧桐子大溫酒急吞五七九如未下再用後方

牛膝湯　治婦人生理不順用此滑利水道令兒易產

牛膝一錢酒洗　瞿麥一　滑石二錢　當歸酒洗　木通各一錢　葵菜子一錢二分半如無用黃蜀葵花

右剉分三服水二鍾煎至八分溫服須先合預備

治產後卽眠致敗血衝心發暈欲死者卽便扶

起用陳皮煎湯加些好醋服之愈

治難產將本年曆日前面簿殼有字幷印在上者燒灰白滚湯服即產

產難及胞衣不出取貝母七枚作末酒調下

治死胎難下者用麝香五分研末官桂二錢另研末和匀作一次溫酒調服即下

治胎橫不下用牛糞和酒糟放在鉢內炒至極熱將糞在臍上以布巾束之立下

產後暈絕半夏一兩爲末冷水丸如大豆納鼻

孔中即愈此扁鵲法也

治孕婦咳嗽貝母去心麩炒令黄去麩爲末研沙餹拌匀丸如雞豆大含化一丸神效

治婦人胎漏用葱一把濃煑汁飲之神效

治婦人胎漏下血手足厥冷欲死用生艾汁二盞牛皮膠白蜜各二兩煎一盞半稍熱服之無生艾濃煎乾艾一方加刮下青竹茹一大塊同煎效

治婦人因爭鬬或跌撲從高墜下或爲重物所

壓觸動胎氣腹痛下血服此後覺胎動極熱胎氣已安用縮砂不拘多少於熨斗內炒令熱透去皮取仁研爲末每服二錢熱酒調下不飲酒煎鹽湯或米飲下

又方用苧根一把洗淨生薑五片煎湯調粥服之

治孕婦心腹絞痛用棗子十四枚燒焦爲末童便調服

治孕婦兒在腹中哭用多年空屋下鼠穴中土

一塊令孕婦噙之即止
治婦人胎前產後赤白痢用敗龜板一箇醋炙
黄搗爲末米飲調下
又方治懷胎下痢赤白絞痛者用雞子一箇烏
者尤妙筯頭鬨一竅子傾出清汁留黄在内
黄丹一錢入前雞子殼内打令匀再用紙厚
裹黄土固濟火中煨取出焙乾爲末每服二
錢米飲調下一服愈者是男二服愈者是女
試效

又方應急催生隨其便而用之用清油同蜜等分少許湯調頓服蜀葵子炒爲末順流水温暖調服亦下死胎好京墨新汲水濃磨服之墨水裹兒出效敗筆頭二箇燒灰以藕節研自然汁温酒調下效産婦坐草時取路傍草鞋一隻用鼻絡小耳繩燒灰温酒調服如得左足者是男右足者是女覆者兒死側者兒驚自然理也似非切要之藥催生極驗

催生方

用百草霜滑石香白芷各一錢爲末童便醋
下或當歸湯下或薑汁下效
治婦人子死腹中口中屎臭舌青口出冷氣指
甲青用瓜蔞根爲末逆流水調五錢服
又方治子死胎不下胞破不生此方累效治人
幾萬數用鬼臼不拘多少黄色者去毛研爲
末細如粉不用羅以十指撚之每服二錢用
無灰酒一盞同煎至八分通口服立生如神
新增產後血崩不止香附子二兩炒蓮蓬殼五

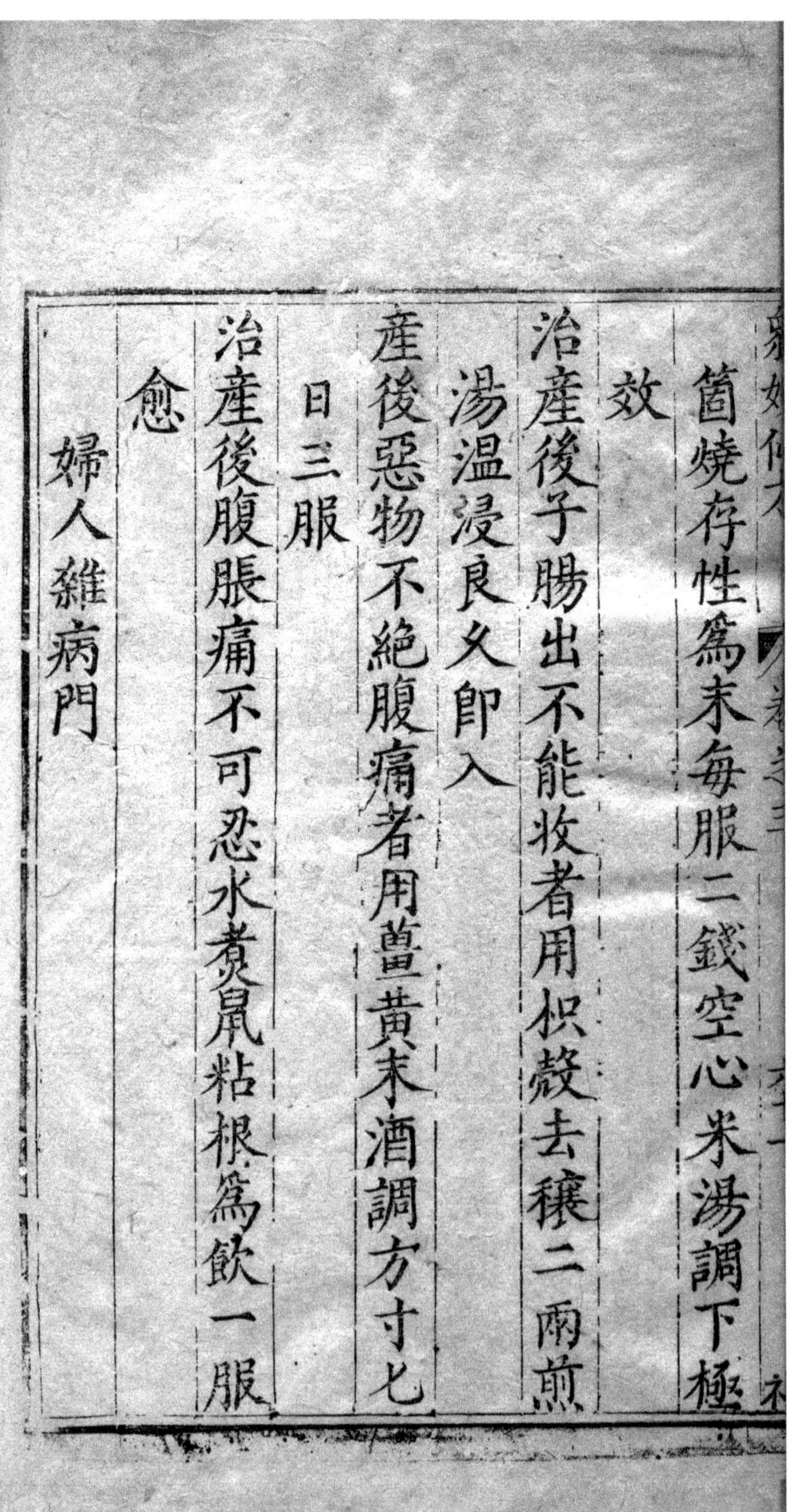

箇燒存性爲末每服二錢空心米湯調下極效

治產後子腸出不能收者用枳殼去穰二兩煎湯温浸良久卽入

產後惡物不絕腹痛者用薑黃末酒調方寸匕日三服

治產後腹脹痛不可忍水煮鼠粘根爲飲一服愈

婦人雜病門

魏元君濟生丹　專治婦人女子赤白帶下等疾
以蕎麥麪不拘多少用雞子清爲丸每服三五十丸白湯送下
治婦人血崩不止諸藥不效服此立止
用甜杏仁上黃皮燒存性爲細末每服三錢空心熱酒調下
又方　用白礬飛過爲末麪糊爲丸如指頭頂大每服一丸黃酒送下

又方

香附子（童便浸冬七日夏三日）地膚子（即禿掃箒也乾者炒用如用乾苗亦妙過若用生苗擣汁調和上二味服之更妙）舊椶履底（用其舊者洗净燒灰存性）

右三味各等分爲末以熱酒調服初覺血多以漸而少由紫色而紅以至於無如血仍前不止加荷葉蒂焙乾爲末和前藥用酒調服即止大抵此病原於心不可驟止之須以漸且調且止既止之後用前四物朮芩香附方

服甚好

又方　用香附炒焦黑研末酒下三錢三服即止

又方治血崩垂死者

用草鞋鼻頭一雙每取三寸又用箬皮包亂髮俱燒灰存性用酒煎調服即甦而血亦止

又方

敗棕燒灰五錢　五靈脂五錢　蓮蓬殼燒灰五錢　香附子一兩

右爲末醋糊爲丸米飯湯送下或七丸或十

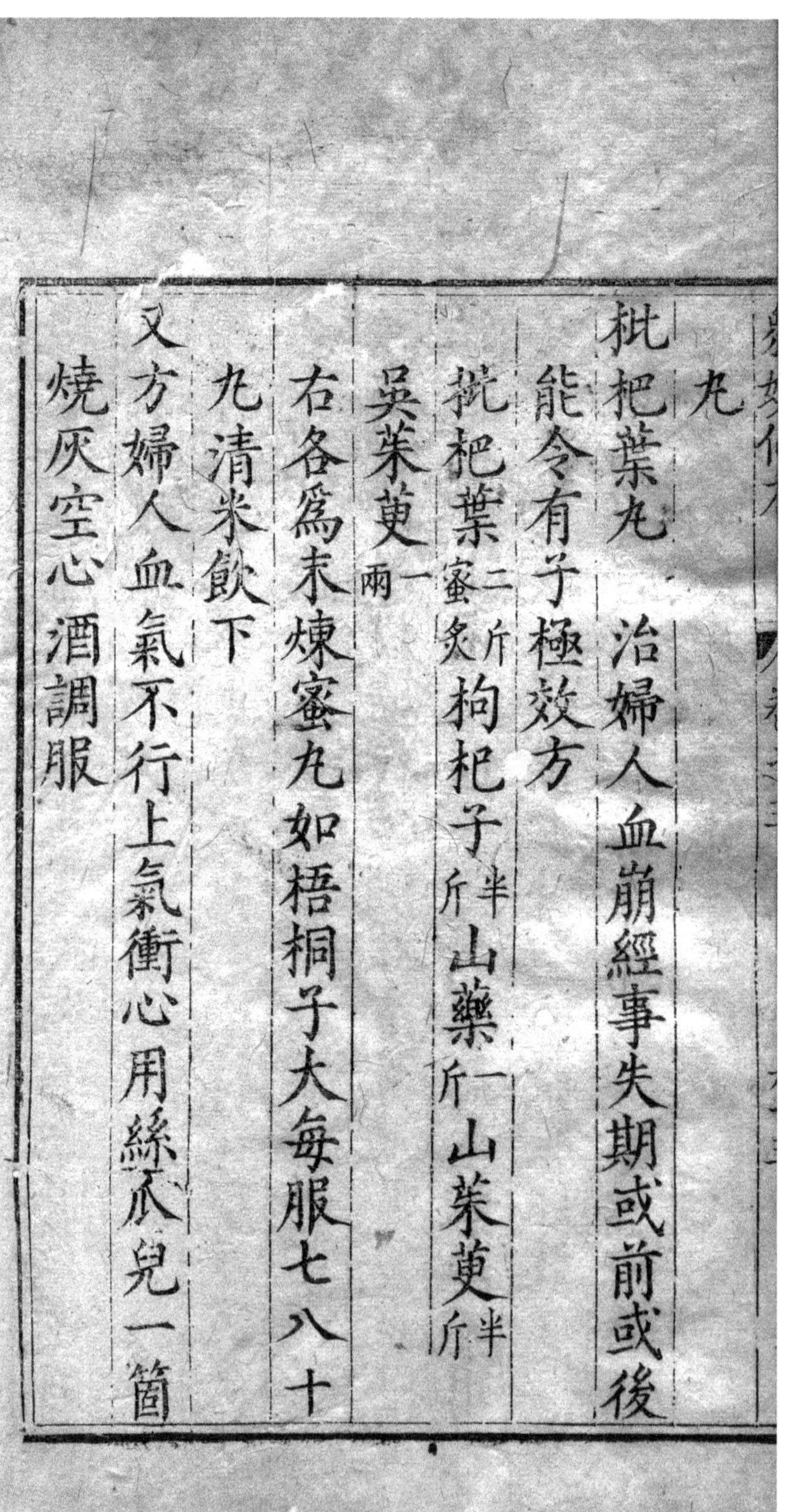

丸

枇杷葉丸　治婦人血崩經事失期或前或後能令有子極效方

枇杷葉二斤蜜炙　枸杞子半斤　山藥一斤　山茱萸半斤　吴茱萸一兩

右各爲末煉蜜丸如梧桐子大每服七八十丸清米飲下

又方婦人血氣不行上氣衝心用絲瓜兒一箇燒灰空心酒調服

治婦人血崩用槐木耳燒灰爲末每服二錢酒
調下效
治婦人血崩不止用槐花一兩椶花燒灰五錢
水煎入盐少許空心服或以烏梅湯下
又方用蓮蓬殼燒存性酒服方寸匕
治血崩不止用白匾豆花焙乾爲末紫者不用
炒米煑飲入炒盐少許空心數服即效
治血崩用野紅花取根洗浄研汁半盞以温酒
半盞相和服之立止

治婦人赤白帶下用好酒同艾葉不拘多少煑雞卵一箇熟空心只食雞卵

又方 治婦人赤白帶下用酸石榴五枚連皮搗汁每服半錢空心下

治婦人血風攻腦旋暈倒地不知人事用嫩蒼耳草不拘多少陰乾為末熱酒調服一錢效

治婦人臟燥悲傷欲哭象鬼神所附者用小麥一升甘草三兩大棗五兩每服一兩水二盞煎至一盞服

治婦人自哭自笑用紅棗燒存性水飲調下甚
效
治婦人乳癰用赤小豆三合酒研爛去柤温服
留柤傳患處
又方用皁莢刂ㄅ海蛤粉為末熱酒下搽
散亦
治婦人癧扨用小便服之每日温酒服一盞至
一十日血片下即瘥
治婦人血山崩用木耳一兩半生半炒為細末

空心米飲調下只作一次服效

飲食門

黑砂糖與鯽魚同食生疳虫與笋同食成癥癖

雞肉與[illegible]虫

猪肉與薑[illegible]

猪羊肉與蕎[illegible]同食發風熱

葱與蜜同食相反致疾

蟹與柿同食腹痛成瀉痢

莧菜與鱉同食生血鱉

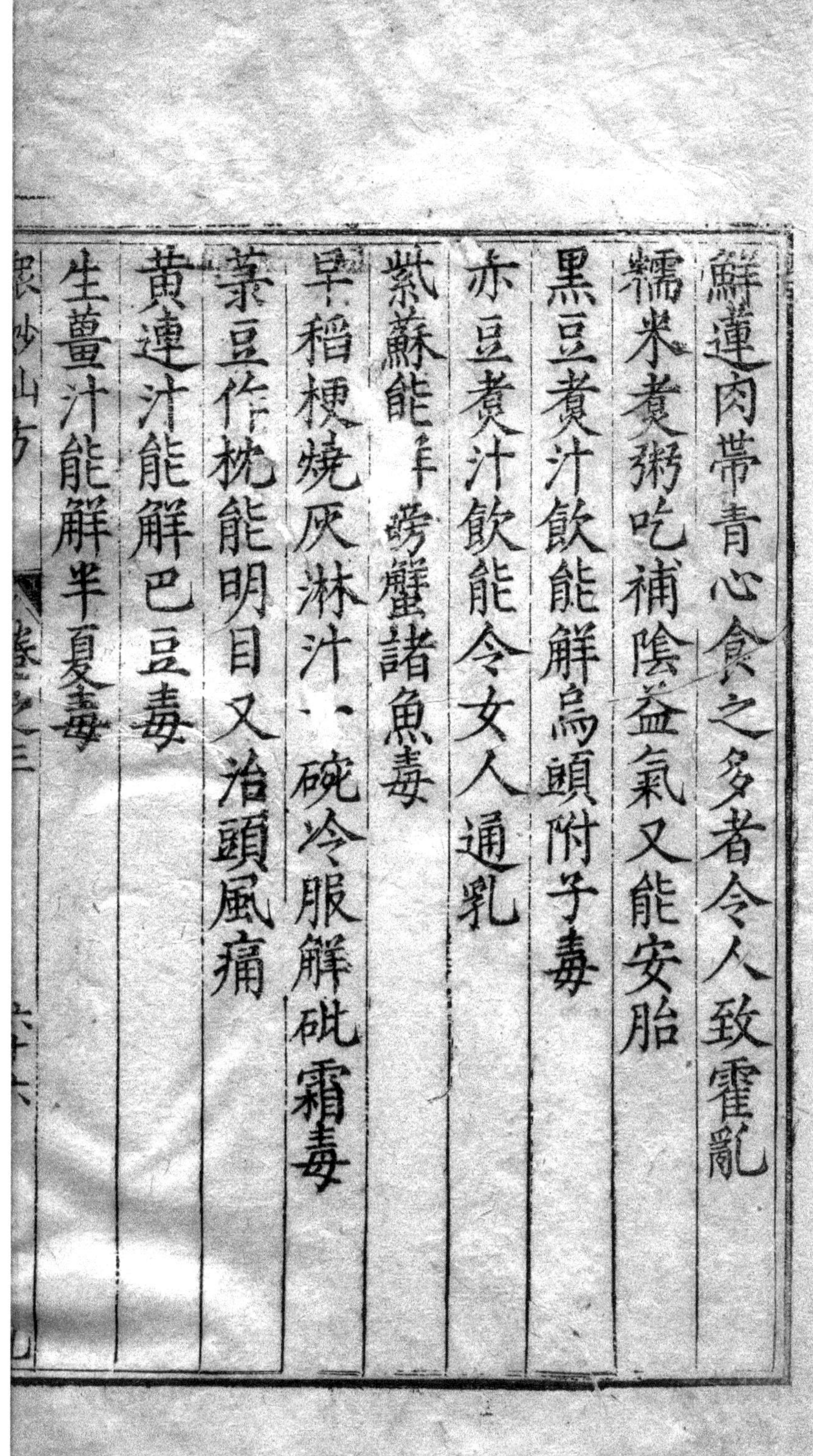

鮮蓮肉帶青心食之多者令人致霍亂

糯米煮粥吃補陰益氣又能安胎

黑豆煮汁飲能解烏頭附子毒

赤豆煮汁飲能令女人通乳

紫蘇能解螃蟹諸魚毒

旱稻梗燒灰淋汁一碗冷服解砒霜毒

菉豆作枕能明目又治頭風痛

黃連汁能解巴豆毒

生薑汁能解半夏毒

萹豆能治霍亂轉筋吐瀉又觧河魨毒

芝蔴嚼爛敷女人裙邉風瘡立效

鹿角菜治小兒骨蒸癆熱散風熱邪氣

芫荽如小兒瘡疹不出以酒研之噴在卧處即出

食盐早間将来擦牙牙不出血并治牙蛀牙齦腫痛

醬内蛆用草烏五七箇切碎撒入醬内自死

三月三日採桃花陰乾浸酒服之𤼵痊惡鬼令

人好顏色除水腫石淋利大小便下三蟲除
百病

衣服門

油汙衣服先将滑石研極細末摻在油汙跡上
又将薄草紙盖在滑石上用熨斗火慢慢隔
紙熨之油即去
又方用未傾銀生礶為末河水調敷油處晒乾
無跡
墨汙衣服用濕飯粘放墨跡上以手磋之将水

洗去再磋再洗墨跡即除

收藏毛褐羢氈皮衣帽等須要晒乾打淨待冷用紙包花椒四散婁在衣內再用青布包緊不生蛀虫或以苧麻鋪在箱內及放在衣服內外尤妙

漆汙衣服用香油磋洗以温湯擺過又細研杏仁磋之温湯再洗二三次無跡

血汙衣服即用水急洗之則去

瘡癬膿血汙衣用牛皮膠煎湯洗之即淨

蟹黃汙衣即用蟹殼内白腮條磋洗之即浄

雜事門

驗缸罈内油有無攙水用乾紙團一箇捻緊入油罈底放開少頃仍将紙團寬寬捻出有水無水即見

凡缸罈上有碎縫用鐵屑将醋調抹縫上鐵屑綉牢即不漏

治菜園生虫用死蟹拋糞坑内取其糞澆菜虫自滅

治酒酸用炒黑豆二升石灰二升量酒多少加減石灰另炒黄乘熱傾入酒缸内一二日即轉好

治燭淋将塩放在淋缺之處自止或以末淋之前四圍俱先放些塩燭自不淋矣

又方如燭淋在這一邊将筯一隻倒轉遞過去横放在不淋那一邊燭臺之上淋自止

治蒼蠅用梨蘆為末酒拌放盤碟内或洒在梛枝上蒼蠅食之即昏暈落地令人去之如在

内室以雞啄之尤便

凡裱褙字畫加些蘿蔔汁在漿糊内即不瓦

凡裱書冊字畫用生礬末并花椒末黄蠟入漿糊内褙之蛀鼠不侵

凡藏書畫將獐腦包放在内不生蠹魚

凡磚縫内生草用官桂為末鋪入磚縫中草自不生

凡大人小兒擡轎出路若遇面前簾内風来即將其轎倒擡而行即不受風寒之患

凡人坐各處座船如遇船傍有坑側房出糞水眼者須防行李裝重之時橫風使蓬此眼內進水濕壞行李等項宜塞之

凡人遇雷電之　切記不可仰睡恐觸天怒其雷天解手時切勿對日對月亦恐觸犯陰陽以致損壽也

黑髭鬚髮方取桑椹黑者一斤加科斗子一斤瓶盛封閉懸屋東頭一百日化為黑泥染白髮如漆又取二七枚和胡桃脂研如泥拔去白

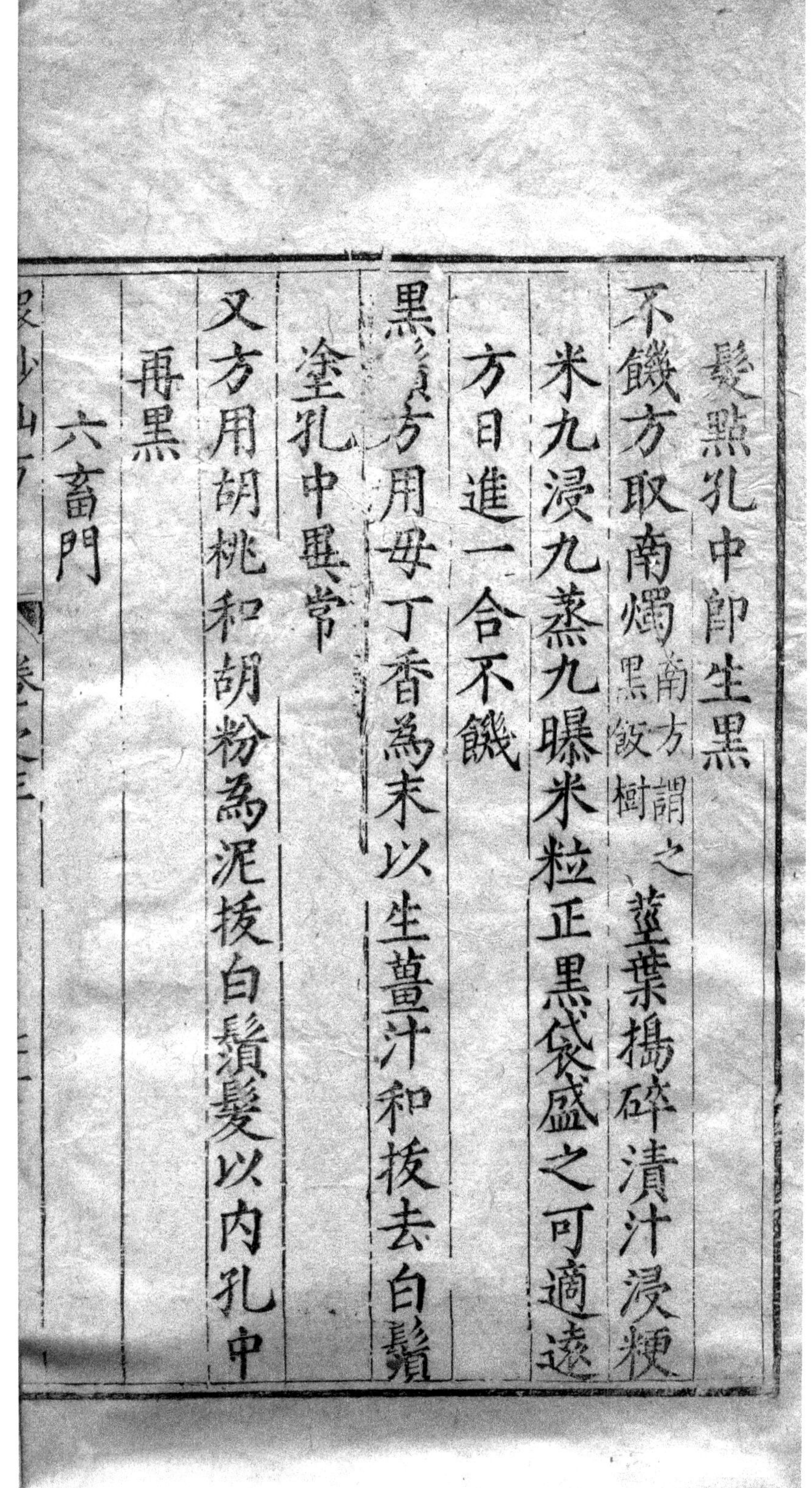

髮點孔中卽生黑

不饑方取南燭（南方謂之黑飯樹）莖葉搗碎漬汁浸粳米九浸九蒸九曝米粒正黑袋盛之可適遠方日進一合不饑

黑鬚方用母丁香為末以生薑汁和拔去白鬚塗孔中異常

又方用胡桃和胡粉為泥拔白鬚髮以内孔中再黑

六畜門

治猫癩以栢油擦之再發再擦二三次除根

治狗虱用朝腦擦毛内以大桶或箱悶盖之虱即墮地急令人掐死之

治猫狗虱癩用桃樹葉搗爛遍擦其皮毛隔少時洗去之一二次俱除

治雞病以真麻油灌之愈

治雞哮用白菜葉包鼠糞蘸香油挜之愈

治雞瘟用猪肉切碎喂之愈

又方将雄黄為末拌飯喂之愈

治猪瘟用白蘿蔔連葉喂之愈

治狗咬用杏仁去皮尖搗爛塗之愈

治牛馬六畜因食水穀有傷并瘟疫用酒加些

麝香末在内灌之神效

治牛馬疥癩用蕎麥梗燒灰存性淋水洗之愈

又方用梨蘆爲末水調塗愈

治風犬咬傷取人糞新拋者急塗之方免後患

不然毒入人心即不可救切記切記

治鶴病用蛇或鼠或大麥煮熟喂之愈

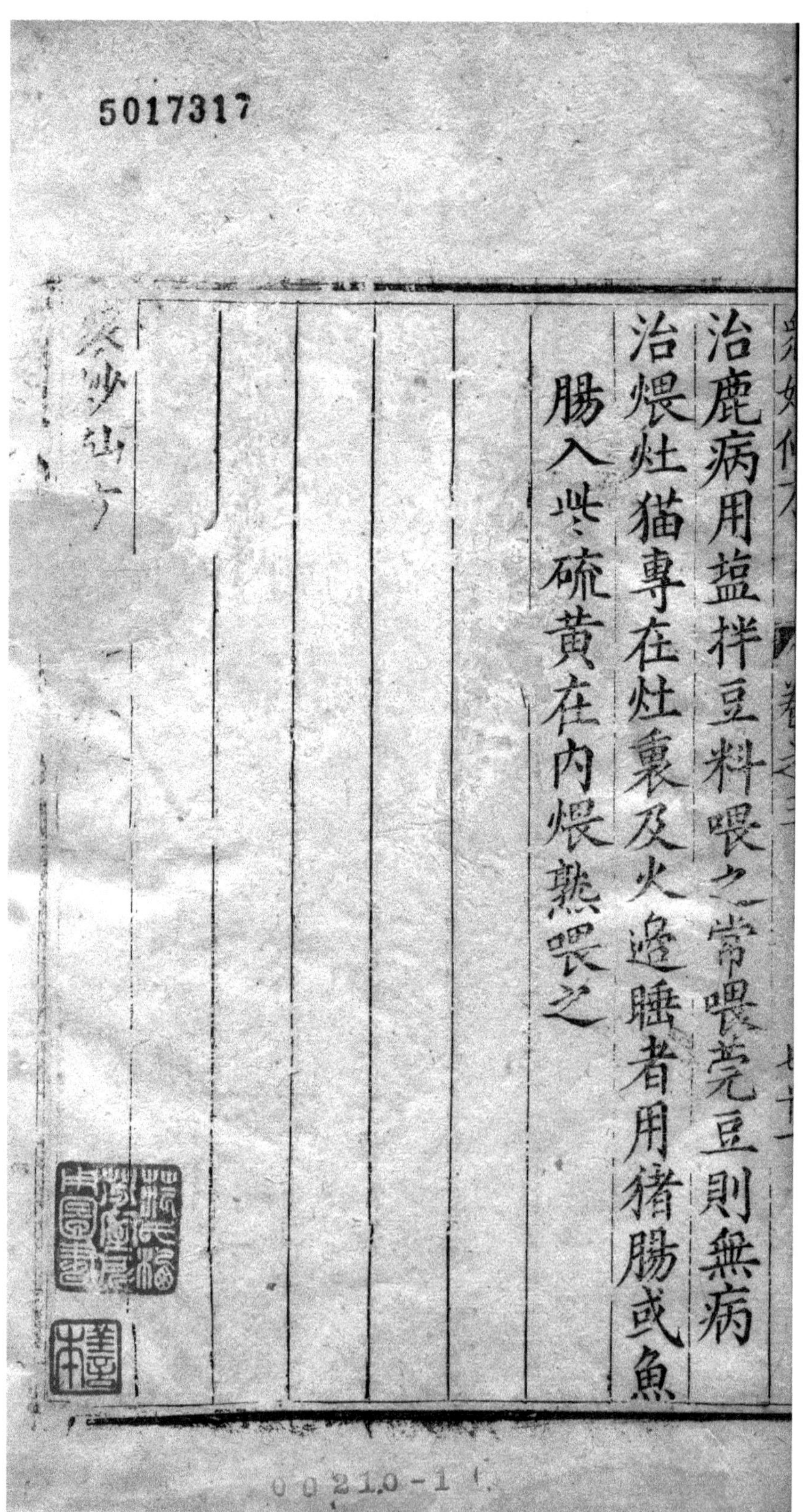

治鹿病用葢拌豆料喂之常喂莞豆則無病

治猥灶猫專在灶裏及火邊睡者用豬腸或魚腸入些硫黄在内煨熟喂之

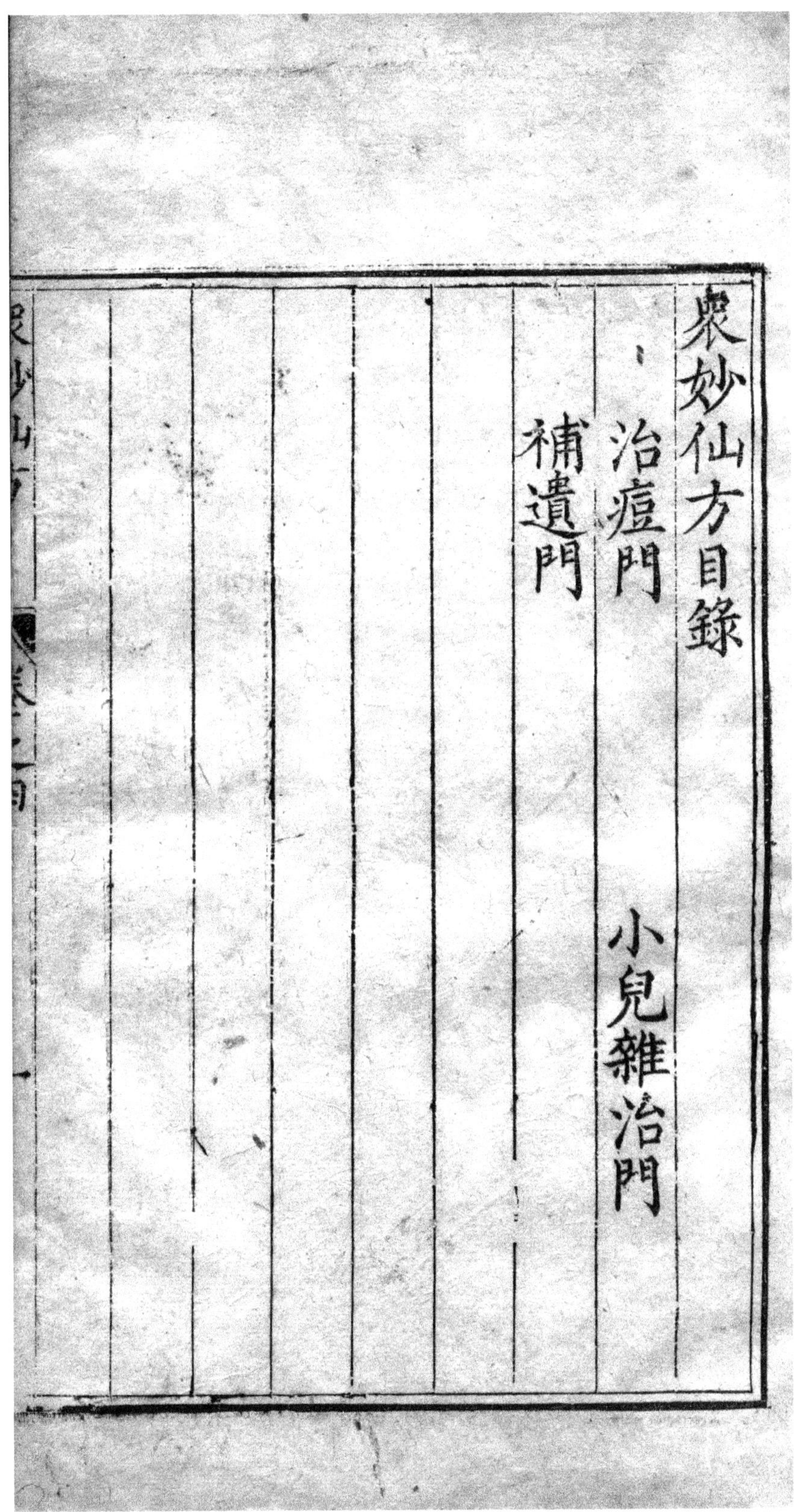

衆妙仙方目錄

衆妙仙方 卷二目

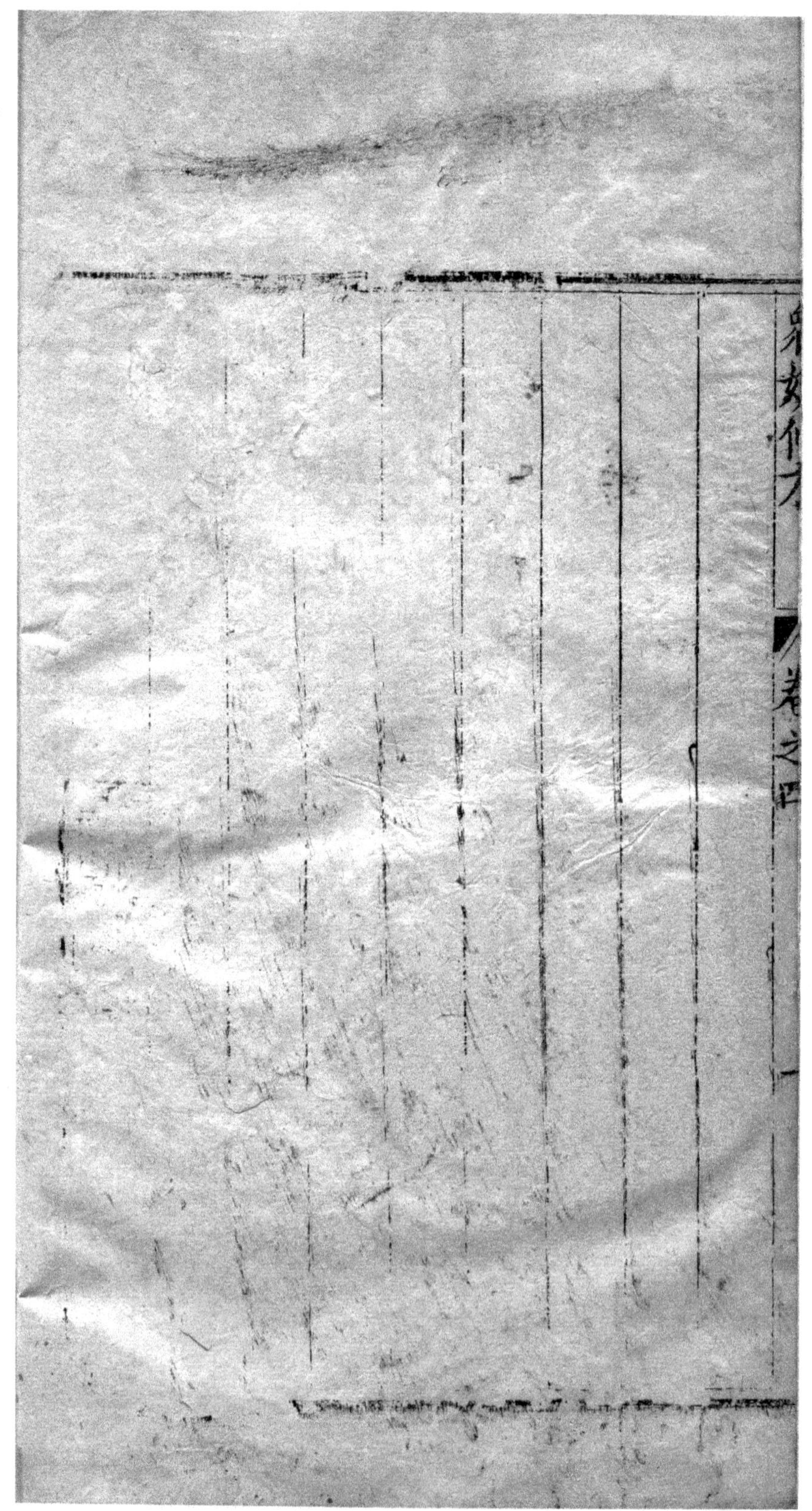

衆妙仙方卷之四

治瘡門

淡豆豉　用一二枚研極細末入兒口以乳咲之能利臍屎其毒自消

抱龍丸　牛膽南星八錢入蠟月牛膽中陰乾百日內用如無生者水浸一二日焙用　麝香一錢　雄黃水飛　辰砂細研水飛　天竺黃各四錢　牛黃二錢

為末煮甘草糊丸如雞實大遇兒中暑發熱與服三歲一丸薄荷湯下

硃砂散　先用磁石引去鉄屑研極細末每服一錢用蜜水調吃

黄栢膏　碾爲細末用香油成膏傅於頭頂兩腮上

白芥子　碾末水調敷足心白芥子乃子之白者壮方多有之今俗以菜白者用之非也

乾臙脂　用蜜水調勻塗目上此乃澆花鋪内紅花膏子對菉豆粉成坏者

羌蘇散　痘疹初熱用此方

寬活　蘇葉　陳皮　香附　甘草
四聖散　真紫草　木通　枳殼　甘草
如聖湯　赤芍　甘草　木通　粉葛
升麻　紫草
胡荽酒　用荽数莖搗爛入酒鍋内煎滚候温
口噴從上至足心勿噴頭面
犀角地黄湯　生犀角　生地黄　牡丹皮
赤芍　甘草
人牙散　治痘初出光壮忽然黑陷心煩氣喘

妄語或見鬼神急治之不然毒氣入臟必死

人牙燒存性　雄雞冠血　調人牙調酒吃

猪尾膏　治痘成斑難出用此方即出如不出不治

硃砂三錢　梅腦五厘　真射香五厘

用小猪尾尖上血研勻前藥用紫草煎湯送下龍腦即片腦一名氷片其色如氷一名梅花腦以形似梅花也曰龍腦者香如龍腦也味辛苦微寒温平無毒龍腦本方一字該二

分五厘今已减矣

紫草散　用紫草茸水煎服茸乃春月初生之芽也色澤而紅嫩者得陽氣之多用發痘瘡故效脾氣虛者减用多則作泄

紫草木香散　治痘出不快大便泄利

紫草　南木香　赤茯苓　白术　甘草

紫草木通湯　治痘出不快

紫草　木通　人參　赤茯苓　甘草

快班散　治痘出不快

紫草　蟬退　人參　赤芍

四順清涼飲　七日前用

大黄　當歸　赤芍　甘草

涼膈散　連翹　枝子　大黄　甘草　朴硝

黄芩　淡竹葉　薄荷葉加些蜜煮

八珍散　人參　白术　白茯苓　熟地黄

川芎　當歸　甘草　白芍

惺惺散　人參　白术　白茯苓　薄荷葉

白芍　甘草　桔梗　天花粉　細辛

導赤散　治小便不通

生地黄　木通　甘草　片黄芩

加味犀角消毒飲　治毒氣壅盛壯熱心煩瘡疹未出口生瘡不能飲乳

牛旁子　荊芥尾　防風　升麻　生犀角

甘草　麥門冬　桔梗

小柴胡湯　半夏　人參　片黄芩　柴胡

甘草

大連翹飲　十四日後

連翹 赤芍 枝子 木通 甘草 防風
黄芩 柴胡 當歸 荊芥 瞿麥 滑石
蟬蛻 車前子 牛旁子
活血散 白芍藥炒過碾為細末每服一錢酒
調下
活血湯 初起紅腫血凝不散
芎歸 赤芍 生地 紅花 蘇木
白术散 治煩渴吐瀉除身熱清神生津液痘
無顔色首尾可服

人參　白术　白茯苓　甘草　木香

藿香各七分　乾葛一錢四分

木香散　和表裏行津液扶陰助陽腹脹渴瀉

其効如神

丁香　甘草　木香　大腹皮　人參

桂心　赤茯苓　青皮　前胡　訶黎勒

半夏

異功散　除風寒養氣血救表裏使痘瘡易出

易靨不致痒塌

附子　官桂　木香　當歸　白茯苓

人參　陳皮　丁香　肉豆蔻　半夏

白术　厚朴

小異功散　和胃助氣

人參　白术　白茯苓　甘草　陳皮

木香

豆蔻丸　泄瀉用

木香　砂仁各三錢　白龍骨　訶子肉煨去核

肉豆蔻各五錢　赤石脂　枯白礬各七錢

麪糊丸黍米大每服三五十丸温米湯送下

理中湯　乾姜　甘草　白术　人參

治中湯　加青皮　陳皮

人參麥門冬散　靨後餘熱不除煩渴吐瀉斑

疹傷食

麥門冬　人參　甘草　陳皮　白术

厚朴

白虎湯　即化班散

白石羔煅過五錢　知母二錢　甘草一錢　加粳米一撮煎

清肺湯　人參　柴胡　杏仁　枳殼　桔梗

荊芥　半夏　甘草　五味子　桑白皮

赤芍　旋覆花　麻黄

二和湯　藿香尾　香附子

為末每服一字水調服

二母湯　肥知母　貝母　水煎服

甘桔防風湯　防風　桔梗　甘草

射干鼠粘子湯　射干　甘草　升麻

鼠粘子

解肌湯 麻黄 葛根 肉桂 黄芩 芍藥
甘草
黄連解毒湯 黄連 黄栢 黄芩 枝子
八正散 瞿麥 扁蓄 滑石 大黄 木通
甘草 車前子 山枝子
托裏散 人參 當歸 黄芪 川芎 防風
桔梗 白芷 甘草 厚朴 桂
胃苓散 朱苓 澤瀉 白朮 茯苓 陳皮
厚朴 甘草

瀉心湯　黄連一兩為末每服一字至五分一
錢臨卧温水調

瀉青丸　當歸　龍膽草　川芎　梔子
防風　大黄　羌活
煉蜜丸如雞頭大每服半丸或一丸竹葉湯
同沙糖温水調下

瀉白散　桑白皮　地骨皮　甘草

生犀散　生犀角　地骨皮　赤芍　柴胡根
白粉葛　甘草

瀉黄散　藿香葉　山枝子　石羔　防風
　甘草
獨聖散　治瘡疹陥入不發色黯而氣欲絶服
　此漸𤊶色潤紅活
　用川山甲嘴上鱗三五片燒灰存性研爲細
　末酒調之服
無價散　舊本治痘黒陥欲死者此藥用純陽
　未與陰交者可用
　人猫猪犬臘晨燒　少許徵將蜜水調

百者救生無一死　萬錠黃金也不消

將四味於臘月早辰日未出時貯於銷銀鍋内用炭火煅以烟盡白色為度每用一字蜜湯調服

百祥丸　治痘瘡變壞歸腎紫色黑陷此藥大峻以宣風散代之腎主虛不可瀉乃瀉膀胱之腑則腎邪去矣下之後急以小異功散以溫脾土使脾土健旺而勝腎水腎水既衰黑陷必當復起愚意此證必先矣保脾土脾衰

腎脏致成黑陷百祥丸之類皆不得已而用之十救一二醫者與瀉膀胱於後不若保脾土於先

用大戟入漿水内煮極軟去骨晒乾復納汁中煮浮盡焙乾為末留元汁為丸如粟米大每服三十九丸芝麻湯送下

四聖丹　點疔痘陷痘用油胭脂和成膏以銀簪撥開疔口點入少許

豌豆四十九粒　亂髮燒灰　珍珠五七粒　無胭脂以銀硃

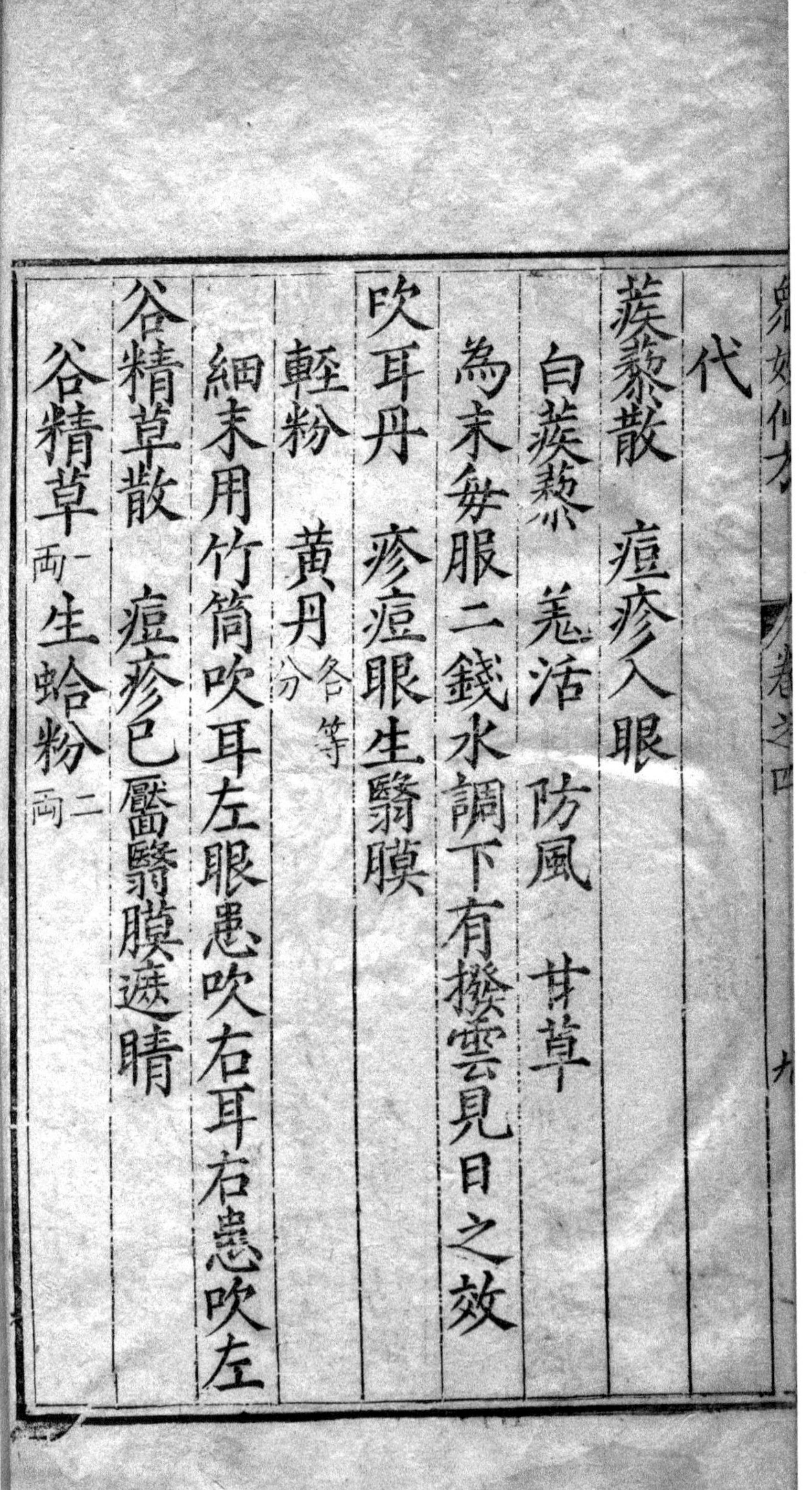

代

蒺藜散　痘疹入眼

白蒺藜　羌活　防風　甘草

為末每服二錢水調下有撥雲見日之效

吹耳丹　疹痘眼生翳膜

輕粉　黃丹各等分

細末用竹筒吹耳左眼患吹右耳右患吹左

谷精草散　痘疹已醫翳膜遮睛

谷精草一兩　生蛤粉二兩

為細末用豶猪肝一葉以竹刀批片子摻藥
在内用草繩縛定置磁器内貯水慢火煮熟
令兒食之不拘時

洗肝散 痘後風熱攻目腫脹流淚大便堅秘
薄荷 歸 羗活 山梔子 大黄 防風
甘草 川芎

防風散 治痘後目中風熱赤腫流淚及痘風
瘡
荆芥 當歸 川芎 防風 赤芍 防巳

枝子

通神散　班瘡入目內生翳障

白菊花　菉豆粉　谷精草

為末每服一錢乾柿一個米泔水一盞同煎

候水乾吃柿七次可效

六味柴胡湯　靨後身熱不除别無他證

人參　玄參　柴胡　龍膽草　麥門冬

甘草

奇方　治痘出不透腹痛甚或忽靨者

用蝉蜕二十五個去足嘴洗淨為末每服一錢沸湯調下腹痛亦止透出神效乳母亦可服

敗草散　瘡破膿水不乾　屋爛草　乃盖屋多年爛草如無盖墻爛草亦可其草經霜露感天地陰陽之氣善解痘毒不拘多少晒乾或焙乾為細末每用乾摻若因瘡痒掀破血淋漓或瘡爛膿水不絕粘黏衣裳難以坐卧可用二三升攤薦上令兒坐卧神效

綿繭散　出蛾綿繭不拘多少炭火煅過白礬煅過秤匀乾摻瘡上

韶粉散　痘瘡雖愈毒氣未散瘡痂雖落其瘢猶黯或凹凸内起當用此藥塗之

韶粉一两　輕粉一錢　用猪油成膏塗瘡痂上

雄黄散　因痘瘡牙齦生疳蝕虫瘡

雄黄一錢　銅緑二錢　研極細量瘡大小乾摻其上

溫膽湯　半夏　枳實　橘紅　竹茹　甘草

茯神　棗仁

妙應方　治小兒痰多破積追虫化食治疳熱等證

宣黃連一兩五錢去蘆泡三次　胡黃連三錢洗　青皮一兩泡去穰　莪朮五錢泡去皮煨　牛胆南星三錢　白芥子三錢淘洗泡水泡後晒乾另為末　青礞石一錢將罐子用硝一兩黃泥作盖炭火煆過　硃砂一錢五分為衣　史君子　山查子各一兩

為末米粉糊丸每早米湯送七分

退火丹

氷片二厘　硃砂五分　滑石一錢

共研細用甘草五分煎湯不時調服除熱退赤

五日催出退熱　紫草　蟬退　枳殼　木通
山查子　川芎　羌活　甘草　白芍
用生姜一片糯米一撮同煎

六日催齊除熱
荊芥　牛蒡子　甘草　紫草　山查　川芎
羌活　木通　蟬退　連翹　姜一片

七日滯色催出

紫草　蟬退　白芍　木通　山查　甘草

羌活　連翹

八日已出血滯

牛旁　蟬退　玄參　赤芍　甘草　木通

防風　紅花　牡丹皮

七日催出

紫草　蟬退　白芍　木通　羌活　川芎

甘草　連翹

八日起脹

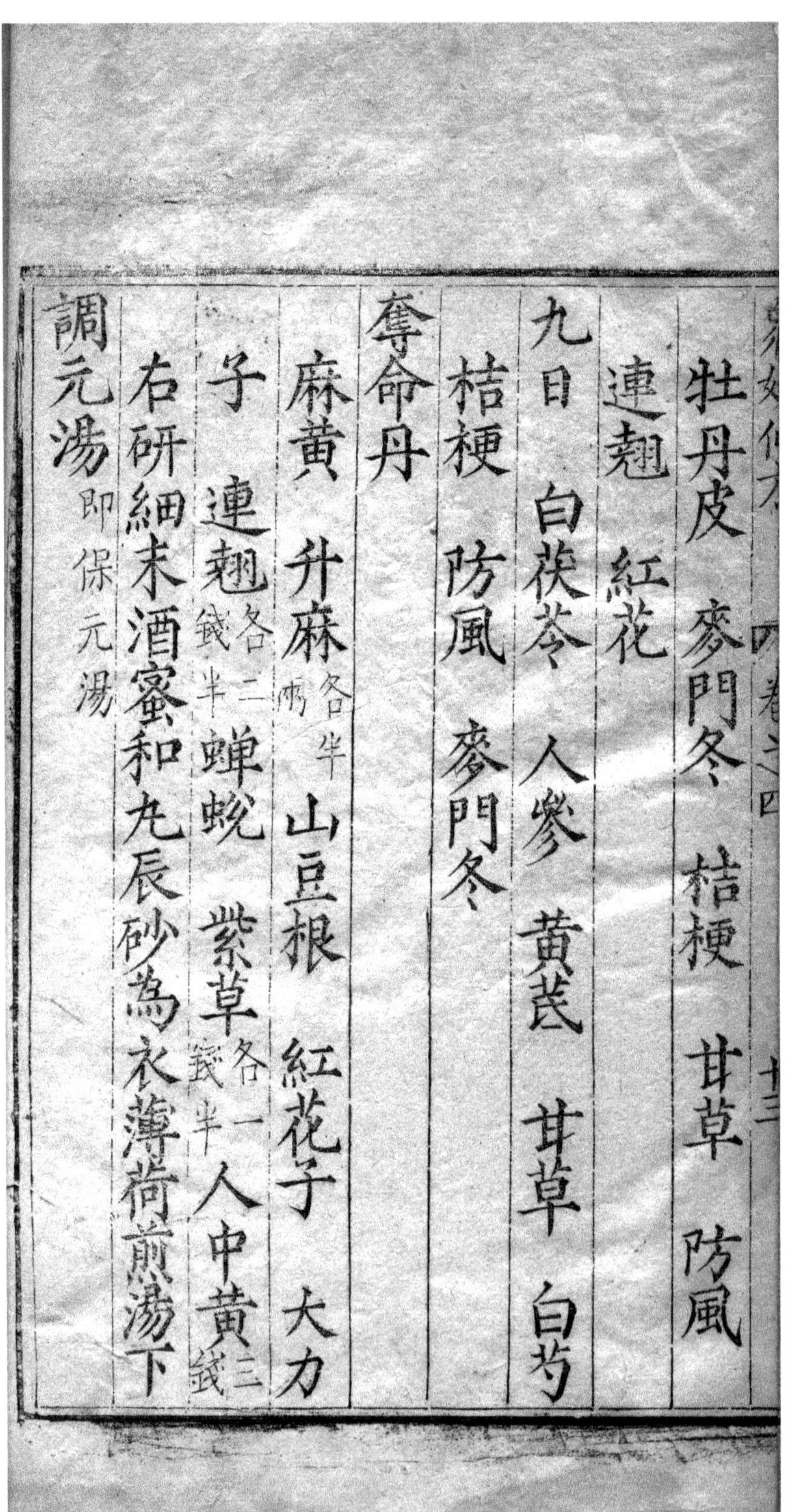

牡丹皮　麥門冬　桔梗　甘草　防風

連翹　紅花

九日　白茯苓　人參　黃芪　甘草　白芍

桔梗　防風　麥門冬

奪命丹

麻黃　升麻各半兩　山豆根　紅花子　大力子　連翹各二錢半　蟬蛻　紫草各一錢半　人中黃三錢

右研細末酒蜜和丸辰砂為衣薄荷煎湯下

調元湯即保元湯

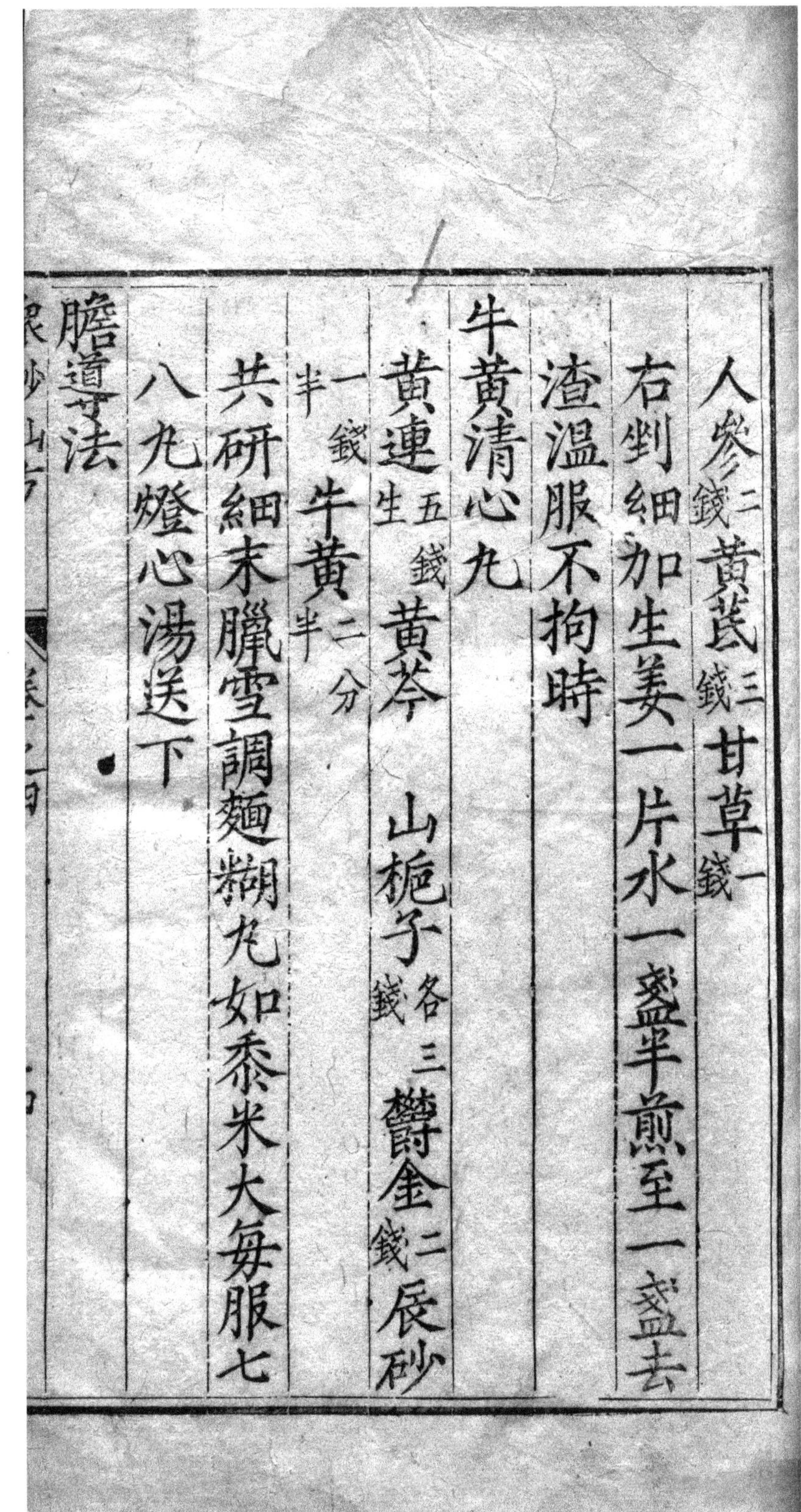

人參二錢 黃芪三錢 甘草一錢

右剉細加生姜一片水一盞半煎至一盞去渣溫服不拘時

牛黃清心丸

黃連生五錢 黃芩 山梔子各三錢 鬱金二錢 辰砂一錢半 牛黃二分半

共研細末臘雪調麪糊丸如黍米大每服七八丸燈心湯送下

膽導法

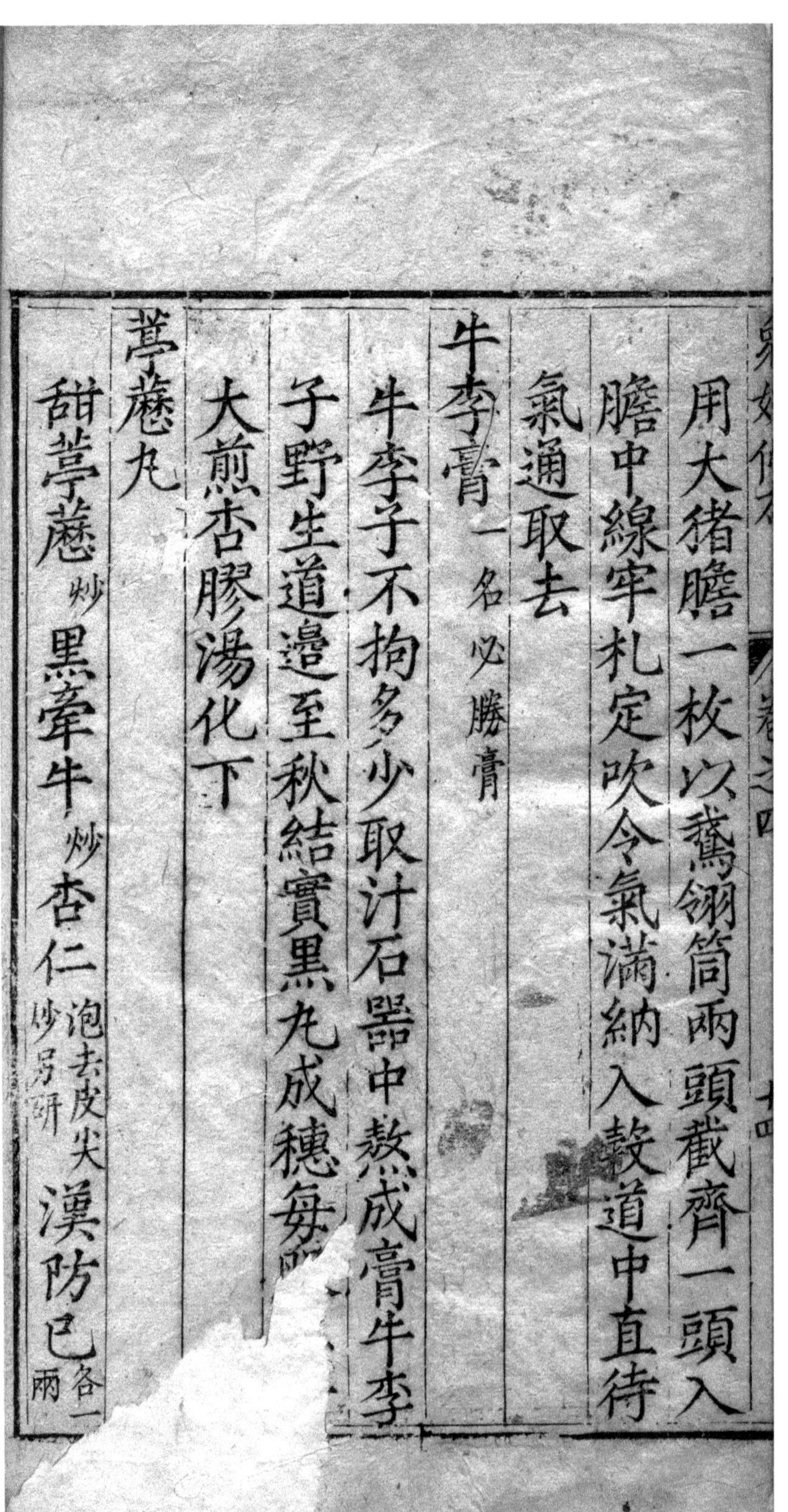

用大猪膽一枚以鵞翎筒兩頭截齊一頭入膽中線牢扎定吹令氣滿納入穀道中直待氣通取去

牛李膏 一名必勝膏

牛李子不拘多少取汁石器中熬成膏牛李子野生道邊至秋結實黑丸成穗每服[illegible]大煎杏膠湯化下

葶藶丸

甜葶藶炒 黑牽牛炒 杏仁泡去皮尖炒另研 漢防己各一兩

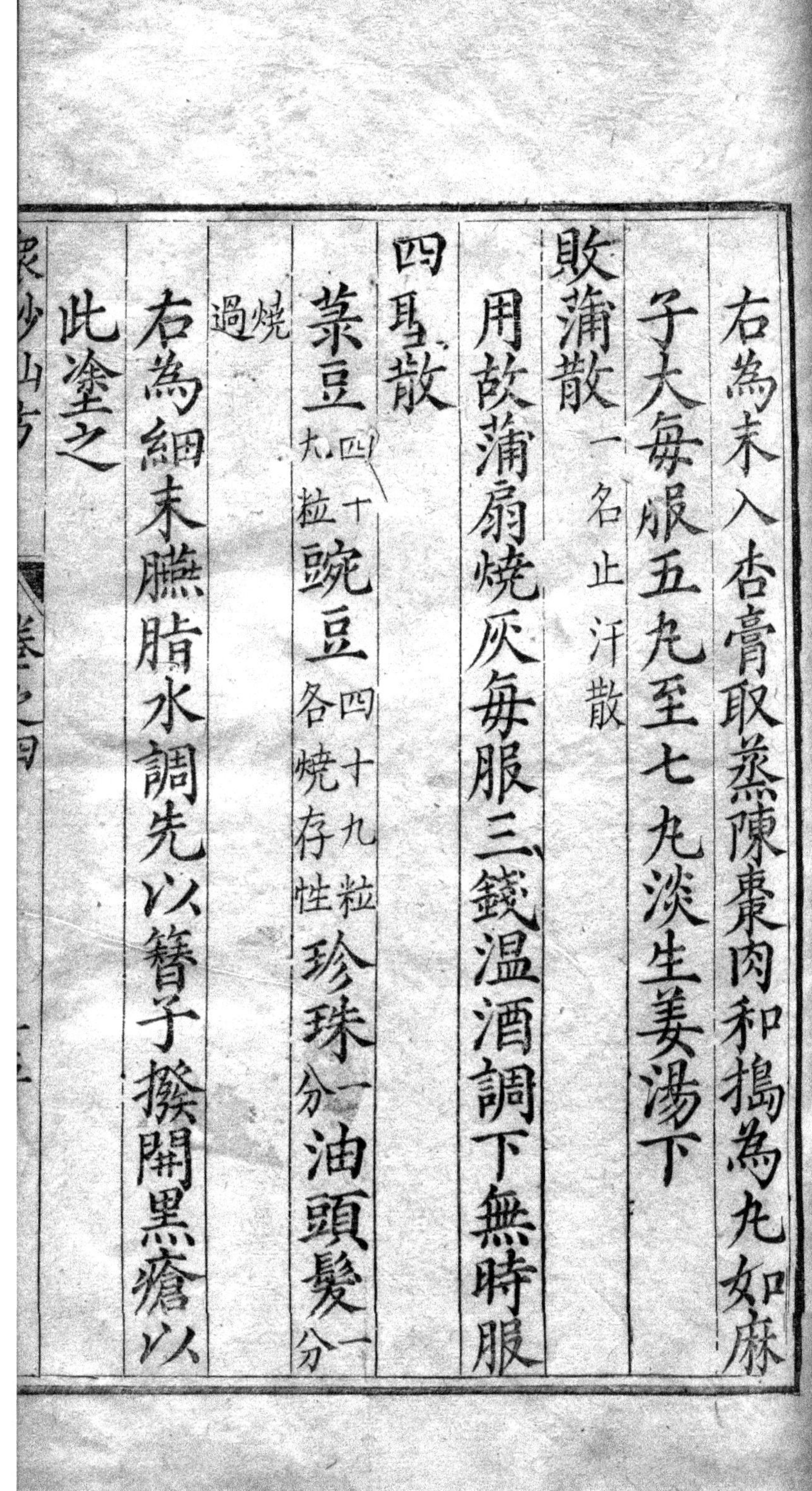

右為末入杏膏取蒸陳棗肉和搗為丸如麻子大每服五丸至七丸淡生姜湯下

敗蒲散 一名止汗散

用故蒲扇燒灰每服三錢温酒調下無時服

四耳散

菉豆四十大粒 豌豆四十九粒各燒存性 珍珠一分 油頭髮一分燒過

右為細末臙脂水調先以簪子撥開黑瘡以此塗之

水楊湯

水楊柳五斤淨洗春冬用枝秋夏用枝葉剉斷用長流一大釜煎六七沸先將三分中一分置浴盆内以手試不甚熱亦不可太温先服宜用湯藥然後浴洗漸漸添湯以痘起發先壯為度不拘次数

臙脂塗法

先以升麻一味煎濃湯去渣却用臙脂於湯内揉出紅汁就以本綿蘸湯於瘡上拭之

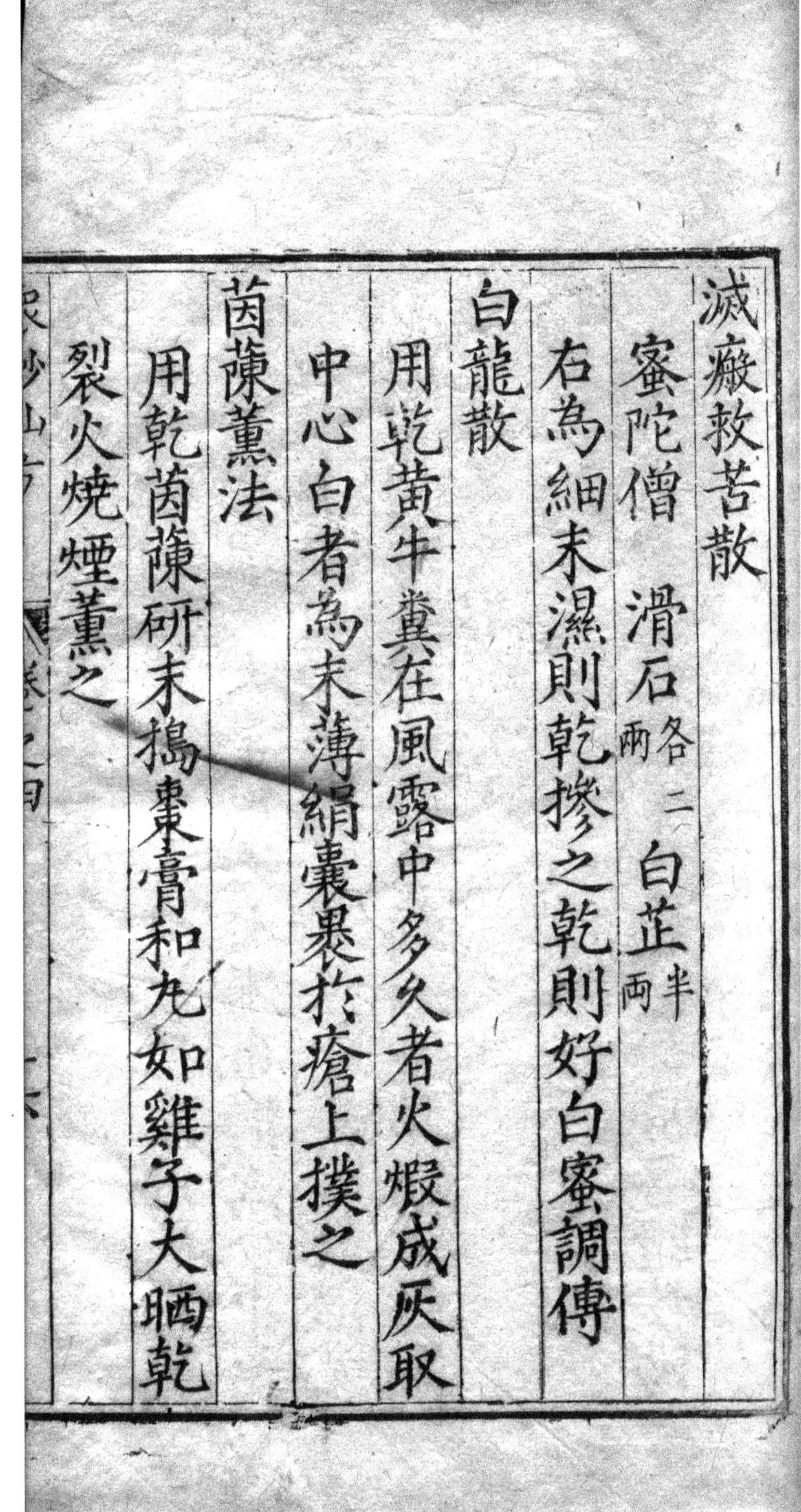

滅瘢救苦散

密陀僧　滑石各二兩　白芷半兩

右為細末濕則乾摻之乾則好白蜜調傳

白龍散

用乾黃牛糞在風露中多久者火煆成灰取中心白者為末薄絹囊裹於瘡上撲之

茵蔯薰法

用乾茵蔯研末擣棗膏和丸如雞子大晒乾裂火燒煙薰之

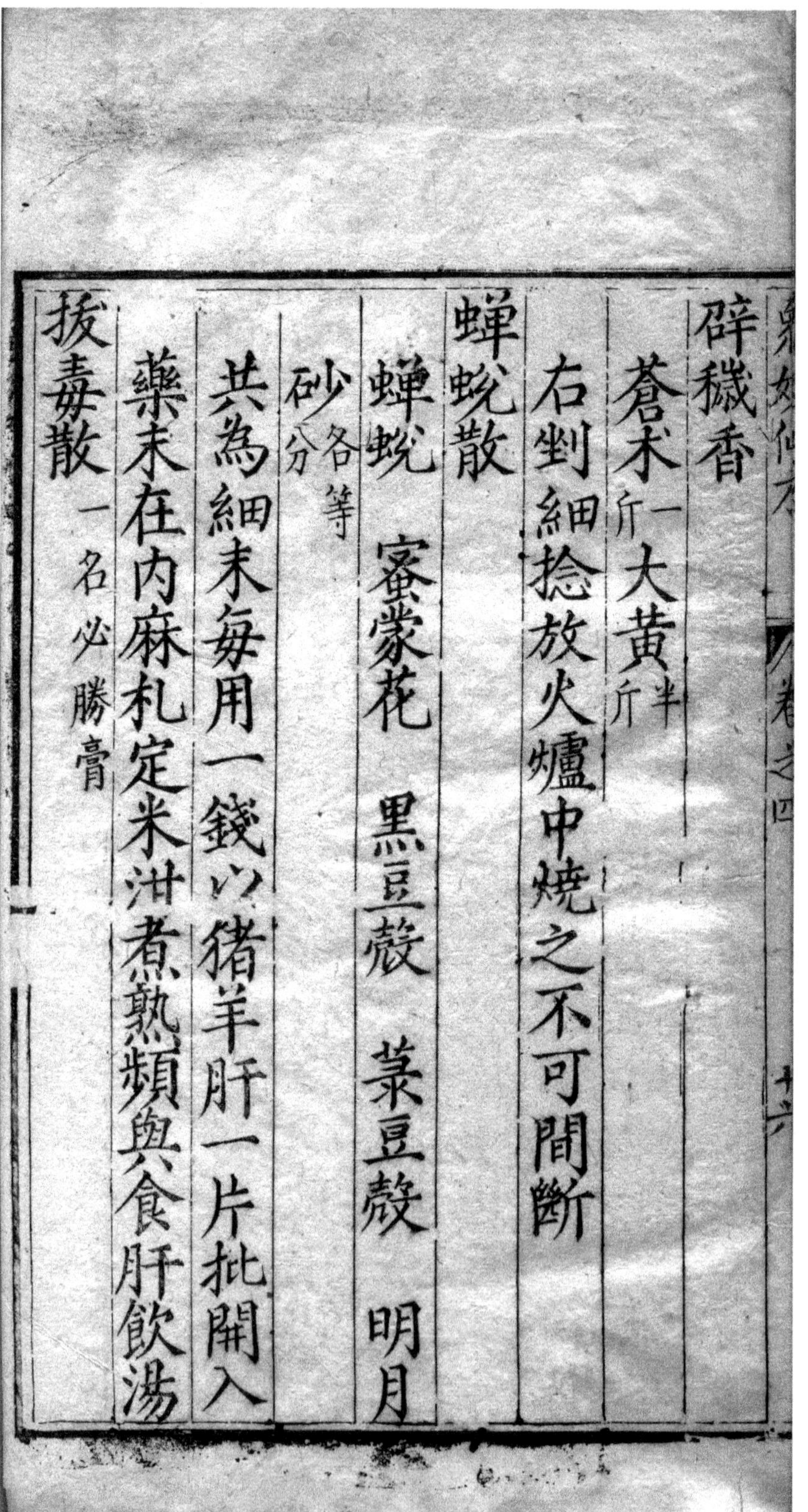

辟穢香

蒼术一斤 大黄半斤

右剉細捻放火爐中燒之不可間斷

蟬蜕散

蟬蜕 蜜蒙花 黑豆殼 菉豆殼 明月砂各等分

共為細末每用一錢以猪羊肝一片批開入藥末在内麻扎定米泔煮熟頻與食肝飲湯

拔毒散 一名必勝膏

馬齒莧杵汁　猪膏脂　石蜜

右以三味共熬為膏塗腫處

百花膏

石蜜不拘多少畧用湯和時時以鵞翎刷之瘡痂亦易落無痕

龍腦膏

生梅花腦子一錢研取新殺獖猪心一箇取心中血研和丸如菉豆大每用一丸新汲東流水少許化下如心煩狂躁紫草燈心湯下

若瘡陷伏者溫酒化下一方加大辰砂五分

尤妙或用腦子少許辰砂一錢同研末取小

猪尾尖血兩三點研和成膏又名猪尾膏以

木香湯化下立效

東垣鼠粘子湯

鼠粘子炒香　當歸身　甘草炙各一錢　柴胡　連翹

黄芪　黄芩各一錢半　地骨皮

右剉細水一大盞煎至六分去渣溫服腹空

服藥畢日休與乳食

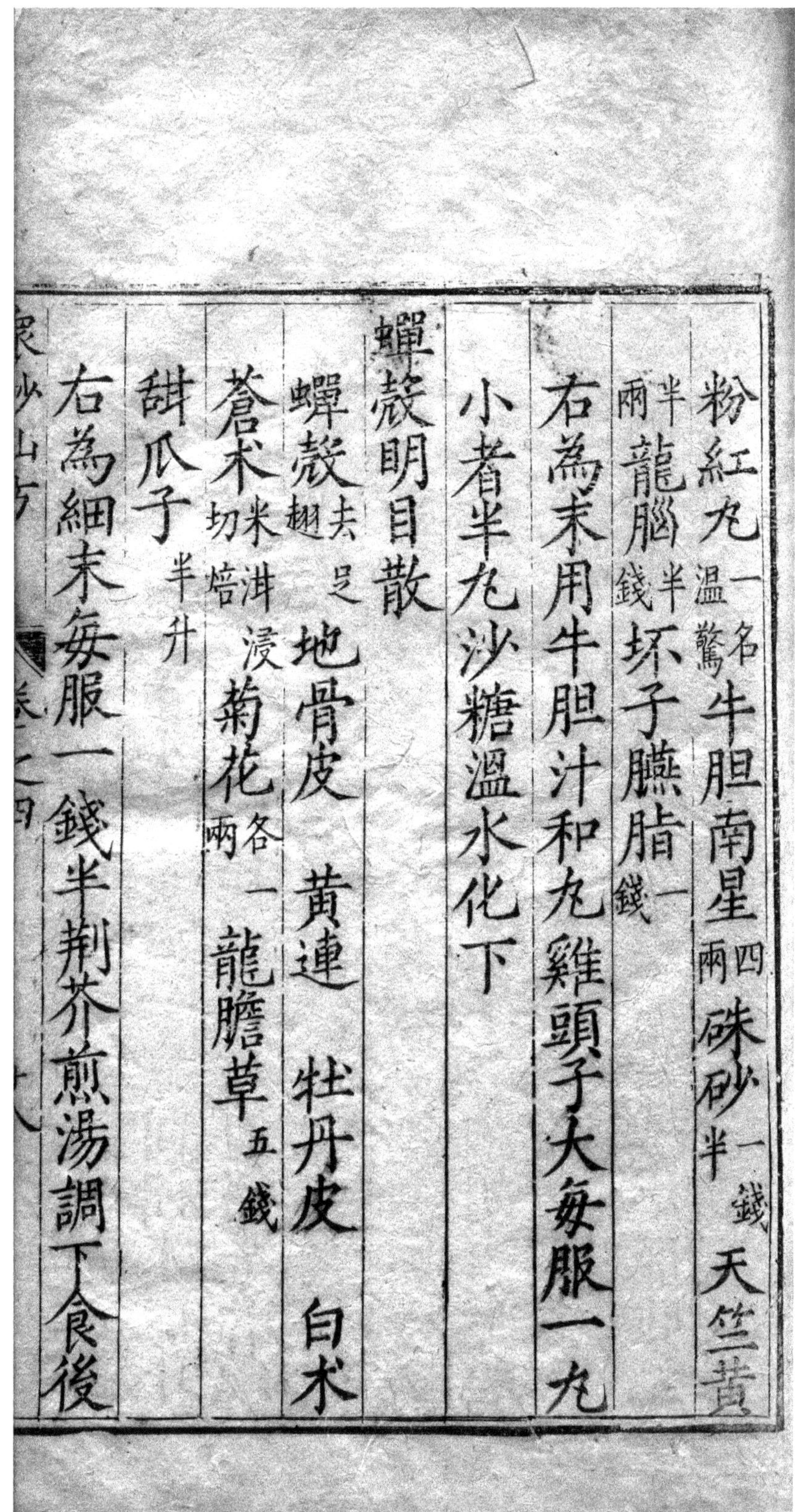

粉紅丸一名溫驚 牛胆南星四兩 硃砂一錢半 天竺黄半兩 龍腦半錢 坏子臙脂一錢

右為末用牛胆汁和丸雞頭子大每服一丸小者半丸沙糖溫水化下

蟬殼明目散

蟬殼去足翅 地骨皮 黄連 牡丹皮 白术 蒼术米泔浸切焙 菊花各一兩 龍膽草五錢 甜瓜子半升

右為細末每服一錢半荆芥煎湯調下食後

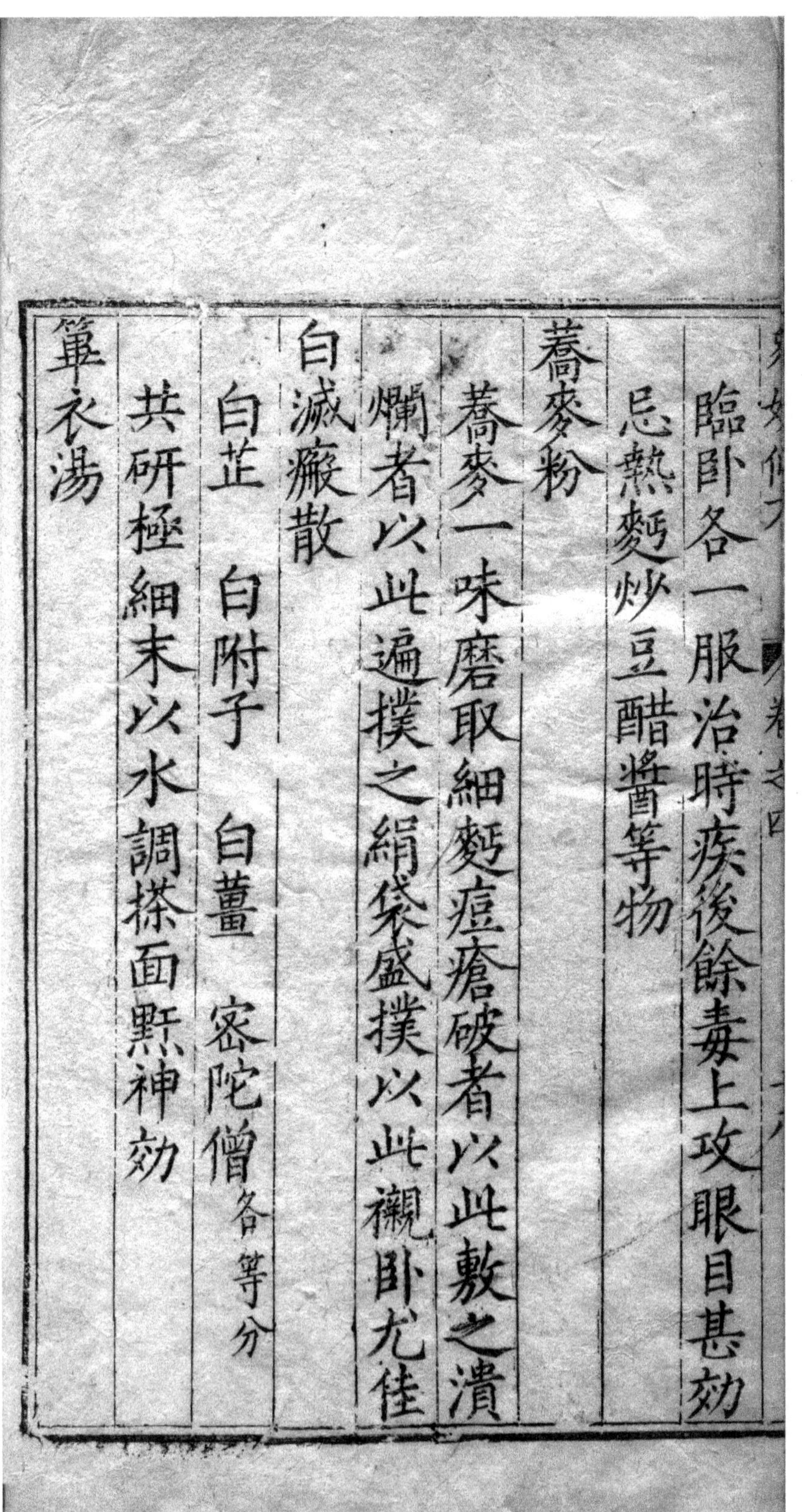

臨卧各一服治時疾後餘毒上攻眼目甚効

忌熱麪炒豆醋醬等物

蕎麥粉

蕎麥一味磨取細麪痘瘡破者以此敷之潰爛者以此遍撲之絹袋盛撲以此襯卧尤佳

白滅瘢散

白芷　白附子　白薑　密陀僧各等分

共研極細末以水調搽面默神効

簞衣湯

炊飯箄衣煮水洗癮起疙瘩者神効如無以炊箄煮湯亦好

蜞針法

取水蛭大者五六條放腫處吮去惡血可以消丹瘤決癰腫

馬鳴散

人中白即溺缸底白垽以物刮取用新瓦盛之火煆過如白塩乃佳半兩

馬鳴退即蚕退紙也火燒過二錢半　五棓子一生一錢另用一錢同礬枯

白礬一錢槌碎另取五棓子一錢入礬於內用火煆枯

共為極細末先以米泔濃汁浸洗以此傳之

治小兒痘瘡出不透腹痛甚或黑靨者用蟬殼二十五箇去翅足洗淨為末每服一錢熱水調下腹痛立止而瘡出透乳母亦可服一錢

又方用乾糖毬為細末湯點服立見出透紅活荔枝殼煎湯服亦可

治小兒痘瘡陷入不發黑色而氣欲絶服此漸蘇紅潤用穿山甲湯洗淨炒令焦黃為末每服半錢紫蘇煎湯入酒少許服之

又方用胡桃一箇燒存性以乾臙脂三錢爲末
　用胡荽煎酒調下一錢
治小兒瘡瘡入眼或病後生翳障用蟬殼洗淨
　去土白菊花各等分爲末每服二錢水一盞
　入蜜少許煎乳食後量兒大小與之屢驗
又方用兎子屎焙乾爲末茶清調下瘡疹安後
　方可多服仍治昏翳
又方治瘡瘡入眼痛楚恐傷眼睛用浮萍草陰
　乾爲末每服三錢隨兒大小以䍽羊肝半箇

入盞内以杖刺碎爛挼水半合攪取汁調下食後服輕者一服瘥已傷目者十服瘥

痘瘡初覺急取乾臙脂研細蜜水調兒兩眼角則痘瘡不生眼内試驗

又方治痘瘡入目成翳用活鱔魚以針刺其血磁器盛之頻點翳上自愈

治小兒痘瘡出後有餘瘡塞鼻中氣閉不能睡卧用木筆花研為末加麝香少許葱白蘸藥入鼻中數次通

治小兒痘瘡愈後瘡痂雖落其瘢猶黯或凸或
凹用白蜜不拘多少塗於瘡上其痂易落且
無疤痕亦不臭穢
新增用羊骨髓一兩入輕粉一錢研成膏子塗
瘢痕上妙
一小兒發熱七日痘出而倒靨色黑唇口氷冷
危症也有教以用狗蠅七枚擂細加醅酒少
許調服即紅潤如常此秘方也其蠅夏月滿
狗身易得冬月藏狗耳中不可不知

治痘瘡用乾絲瓜煎湯飲之入口便覺暎矣當日生發神効

治小兒痘眼上星用石燕磨水濃塗眼胞上下漸自消除矣

治小兒出痘結痂向愈忽然壞爛先將桑葉尾上焙乾研末此為諸藥之主要焙極多待用礬煅硼砂煅片腦煅此三者煅即成塊待用孩兒茶不必煅如用桑葉末有二酒鍾之多即用礬二錢硼砂一錢半片腦一錢孩兒茶

二錢總研極爛用菜子油調匀分作二器一以鵞毛搽塗口舌牙齒上下任其吞嚥一以鵞毛塗頭面手足鼻孔不分爛與否皆用之乾即調前藥再塗不旋踵而爛者收瘡立愈矣分二器者在口者吞餘諸處者不宜吞也此方自驗併傳以示人一月二孫立愈

四退散專治小兒痘疹經驗奇方

人退即人手足指甲并取下足皮用瓦盛注晒乾爲細末

龍退即長大蛇皮皮剪碎用瓦焙乾待涼方研爲細末

鳳凰退即抱子鷄蛋殼每箇去硬殼一半邊晒乾爲細末

蟬退去頭足灰沙用身潔淨者

各四味多寡各等分研爲細末匀和一處不分男女每一歲服一錢以沙糖調成膏用好酒化下每日服一服連服三服如年小不能服者酒少許塗在乳頭上引下仍量小兒年之大小加減依前調化與乳母服之令其度乳亦止三服未發之先若能預服三五年永不發疹發不凶亦不多此乃經驗過極効之

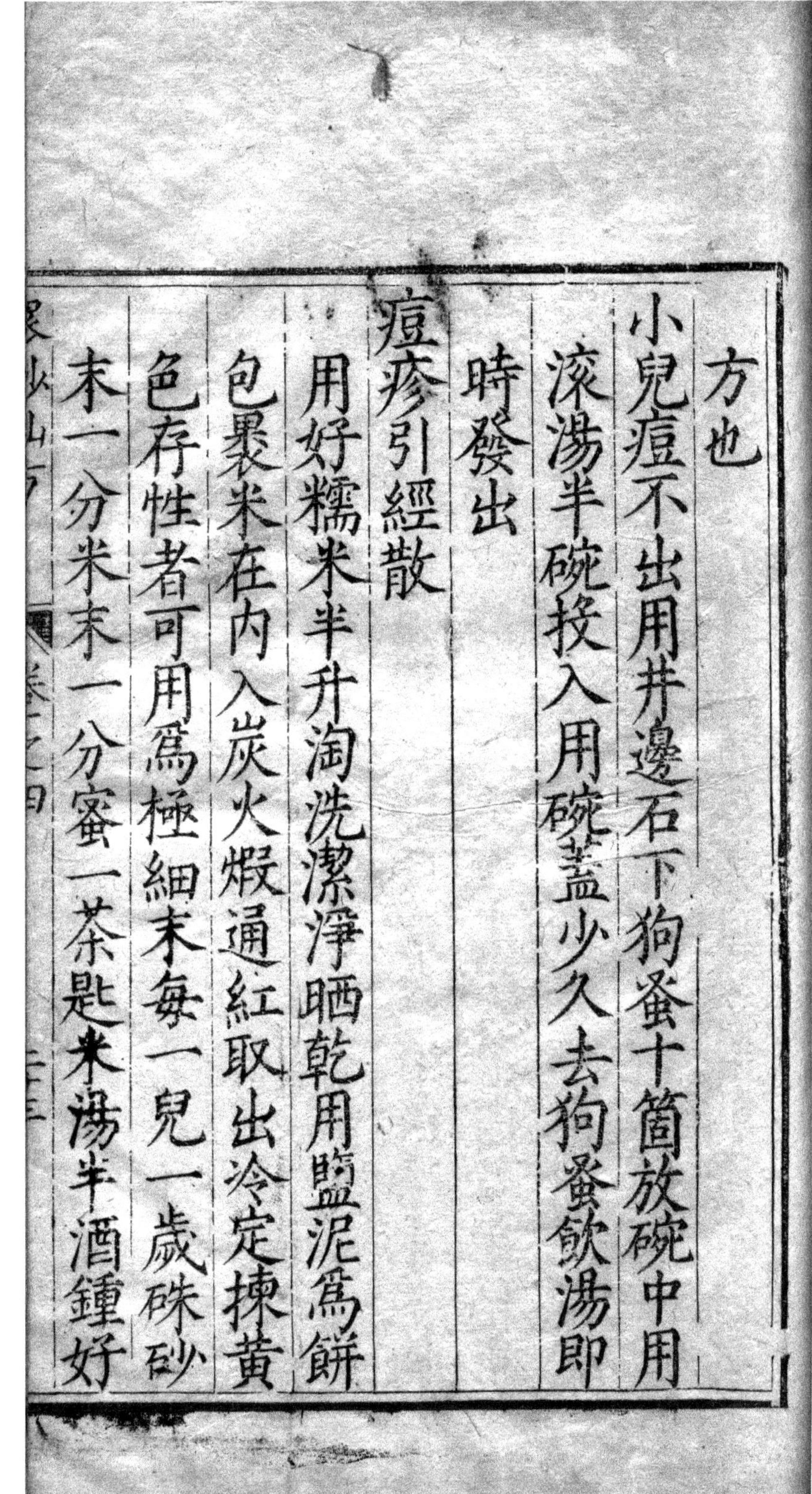

方也

小兒痘不出用井邊石下狗蚤十箇放碗中用滚湯半碗投入用碗蓋少久去狗蚤飲湯即時發出

痘疹引經散

用好糯米半升淘洗潔淨晒乾用鹽泥爲餅包裹米在內入炭火煅通紅取出冷定揀黄色存性者可用爲極細末每一兒一歲硃砂末一分米末一分蜜一茶匙米湯半酒鍾好

酒三匙同一處調勻用茶匙徐徐喂服片時見効如脩合此藥用靜室焚香齋沐勿令鷄犬婦人聞見慎之

治痘瘡秘法

凡小兒痘瘡天行時氣名為百歲瘡毒臟腑之毒發與皮肉為水疱皮膜筋肉之毒發為血疱氣血骨髓穢液之毒發爲膿疱三毒旣出為瘡初發之時自然增寒壯熱頭疼嘔吐涎沫驚搐等病不同若痘不熱則瘡不發要

識虛實實則損之虛則益之寒則溫之熱則平之是爲治痘疹之權度苟妄汗則榮衛轉開瘡爛增寒妄下則正氣內脫變黑歸腎不收不靨十死無生眼合腹脹其毒不出肝爲水疱色青而小肺爲膿疱色白而大心爲血疱色赤脾爲黄疱色黄而小斑初發熱者四味升麻葛根赤芍甘草各一錢煎服四肢冷者不可服只可服兎血丸或天婁蒂根燒灰三分飛過硃砂末三分蜜調服四肢再寒者

木香散木香人參大腹皮茯苓半夏桂心各等分煎服其氣血旺者易脹水易靨易落易收氣血虛者不起水不靨不收必要服十一味木香湯即發脹水或再不出者牛旁子不拘多少入荊芥二錢煎服即出恐瘡稠密心脹即用紫草三錢蟬退五七箇同煎服即鮮去毒再又不出者口渴心燥咬牙用異功散能除風寒調和陰陽溫養血氣扶其脾胃人參白术白茯苓甘草陳皮當歸各等分煎服

易靨易收或瀉白色者宜服木香散加肉豆蔻即止或五七八九日不大便者用猪脊髓一條煮熟與兒吃一二塊即解其毒其痘瘡至十三日要禁外人恐粘風寒内人恐經水穢惡壞其痘瘡不靨素問曰飲氷雪不知寒者飲沸湯不知熱者何也岐伯曰不知寒者陰盛陽虛不知熱者陽盛陰虛補陰木香散加丁香桂心補陽異功散加木香當歸六七八九日看瘡紅滿光澤者不可服藥凡痘瘡

切戒食五辛煎炒鷄鵞鴨蛋等項勿食每日只燒蒼朮荔枝殼茵陳好香為妙每日要醋鐔三次以淨穢惡凡小兒出痘瘄稠密亦無麻點者何也不食醎味要禁阻生人不許進房其瘄痊之日靜養一月其兒面如前再無痕點如此調理萬保無虞

但小兒初發熱勿問是出痘不是出痘即依後方發表若是傷風發表亦可若是出痘發表得汗太出更好若痘已略見面則決不可表

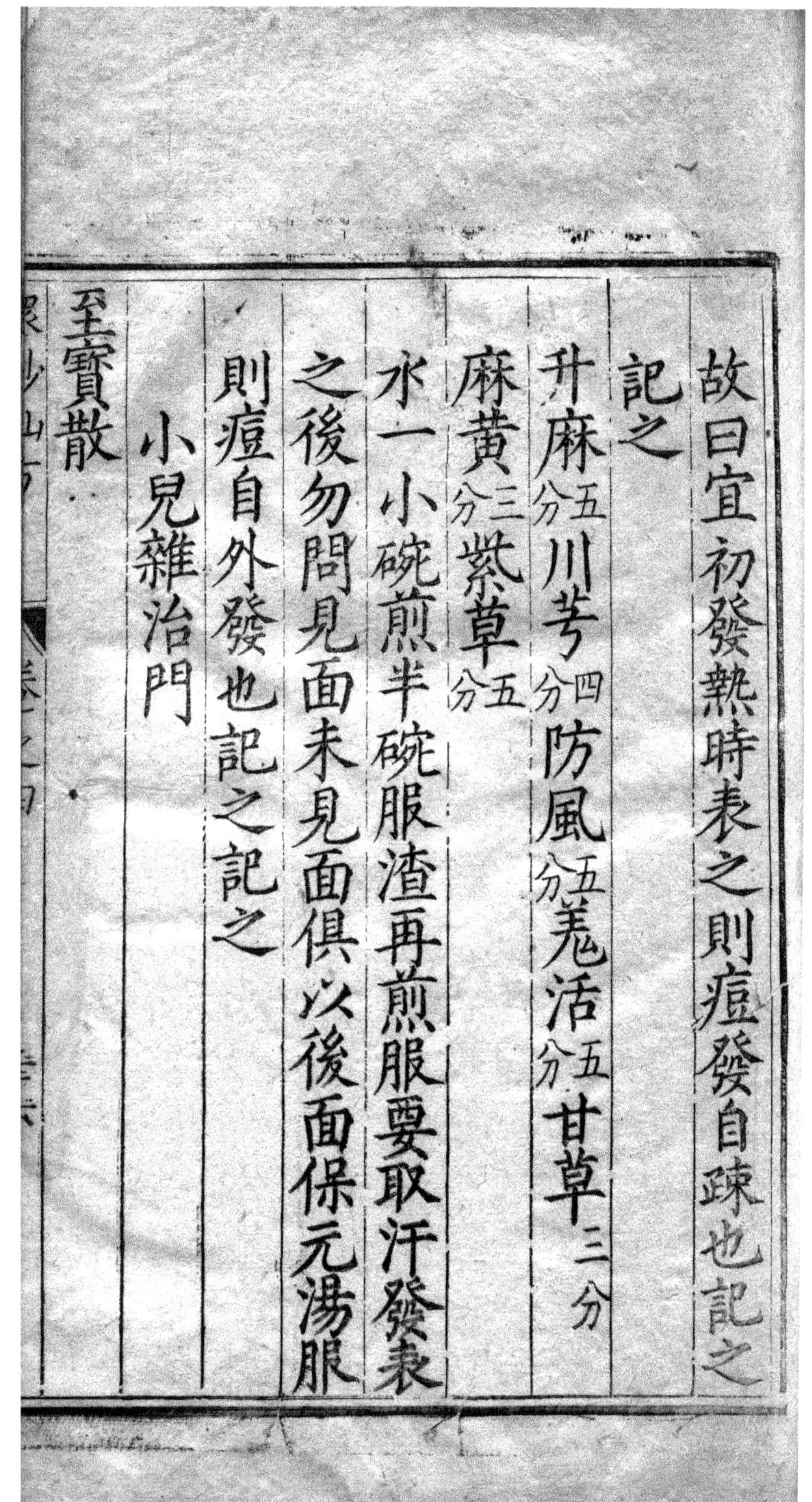

故曰宜初發熱時表之則痘發自疎也記之

記之

升麻五分 川芎四分 防風五分 羌活五分 甘草三分

麻黄三分 紫草五分

水一小碗煎半碗服渣再煎服要取汗發表之後勿問見面未見面俱以後面保元湯服則痘自外發也記之記之

小兒雜治門

至寶散

南星一兩羌活六錢湯煮一日去羌活不用晒乾為末生姜汁拌又晒
半夏一兩獨活六錢湯煮一日去獨活不用晒乾為末生姜汁拌又晒黃
芩要條芩如蠟黃者佳胡黃連二錢五分同上晒為末冰片一分五厘
硃砂一錢水飛青礞石火硝一兩同以紫粉封口銀鍋內煅金色為度水飛
過為末只用三錢淨末射香三分用不散者為當門子金箔十片
欝金一兩炒末用八錢淨痘疹不用欝金磁器收之每服三厘加牛黃一錢五分
急驚竹青一錢薄荷三枝湯下慢驚東瓜子仁研風煎湯調下腫毒黑豆
十粒大黃五分湯下傷寒荊芥湯下泄瀉米湯下白痢甘草湯下赤
痢甘草湯下痰多生姜湯下痘丁香木香甘草官桂湯下

抱龍丸

人參三錢　白朮三錢　白茯神五錢　滑石五錢　寒水石五錢
青黛八錢　山查肉七錢　白附子五錢　射香一錢　赤芍藥四錢　膽南星五錢　天麻五錢

右爲細末甘草汁煮糯米糊爲丸

治小兒急慢驚風

五月五日取白頸蚯蚓不拘多少去泥焙乾爲末加硃砂等分糊爲丸金箔爲衣如菉豆大每服一丸白湯下　取蚯蚓法先以刀斷

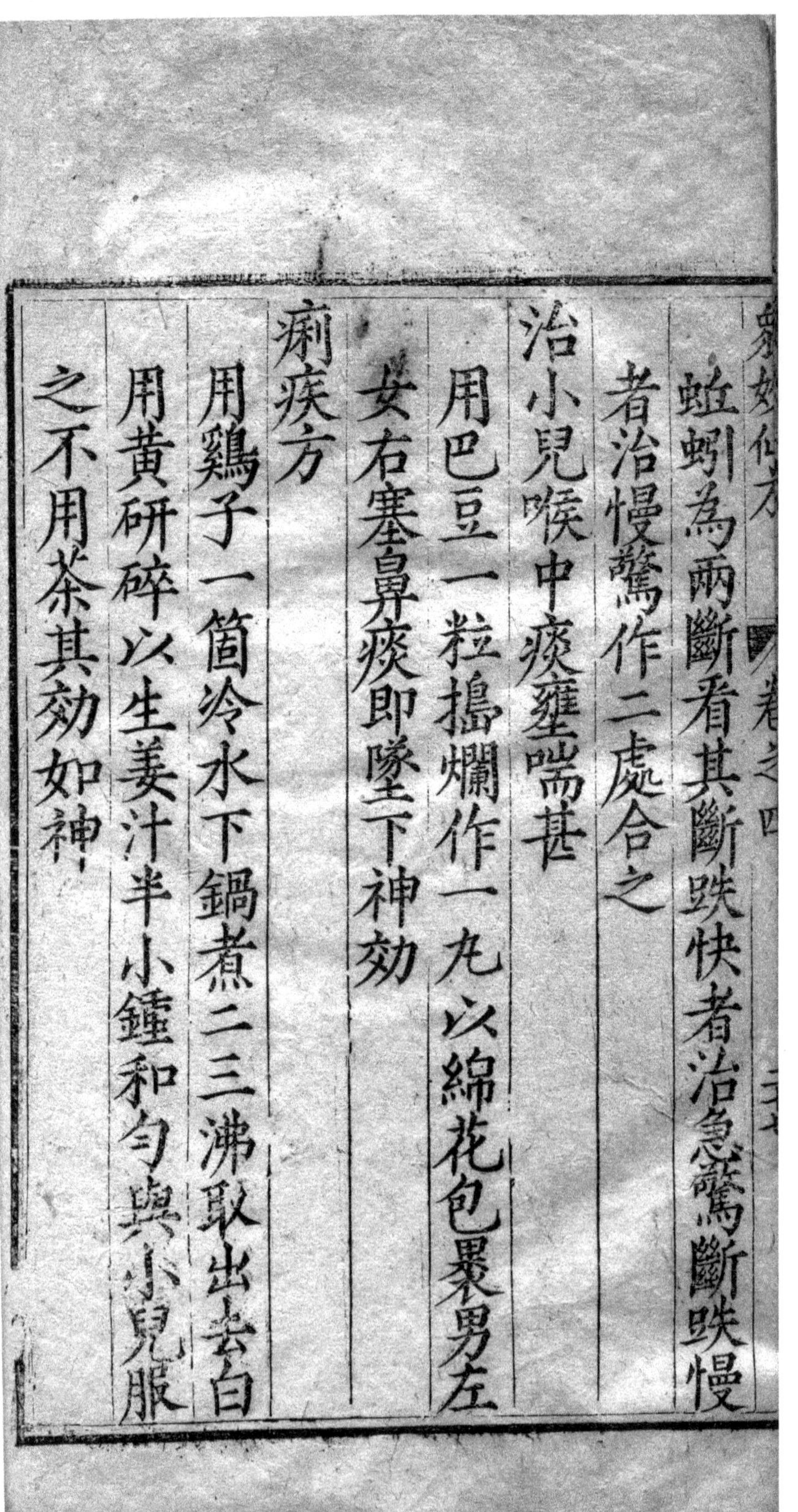

蚯蚓爲兩斷看其斷跌快者治急驚斷跌慢者治慢驚作二處合之

治小兒喉中痰壅喘甚

用巴豆一粒搗爛作一丸以綿花包裹男左女右塞鼻痰即墜下神効

瘌疾方

用鷄子一箇冷水下鍋煮二三沸取出去白用黄研碎以生姜汁半小鍾和勻與小兒服之不用茶其効如神

秘傳五疳散　專治小兒五疳潮熱面黄肌瘦煩渴吐瀉肚大青筋手足如柴精神悸倦歷試有効無疾預服此藥則諸疾不生元氣虚弱者服半月自然肥滿身體輕健

白朮蜜水炒一兩五錢　白茯苓去皮七錢五分　甘草一錢五分　麥門冬去心一兩　史君子肉切碎略炒七錢五分　山查肉五錢　麥芽炒五錢　金櫻子肉略炒五錢　芡實二錢五分　蓮肉心隔紙炒五錢　青皮去穰麵炒二錢　橘紅五錢　加缸龍五錢

右為極細末和匀重七兩每次用藥末一兩

用煉蜜半斤或四兩調成膏每日中晌晚間各服一二茶匙溫水嗽口　身熱咳嗽加地骨百部各五分　肚腹飽脹大便稀水腸鳴作糖或再出不和加檳榔二錢五分木香一錢　禀受氣弱加人參二錢五分　煉蜜法用極大青竹筒一節削去外面青皮兩頭留節將一頭錐一孔灌蜜令滿仍用竹釘閉孔以水煮蜜熟為度或加茅根一把在水中煮蜜更佳如將蜜通煉臨時調藥旋服亦好〇

中無蜜滚白水調服亦可

治走馬牙疳方

槐皮燒灰存性二錢 泥鹽炒五分

右為極細末若鼻與喉嚨内有氣息加片腦一分珍珠一分用鵞毛筒吹入

治小兒重舌

用竹瀝或黄蘗無時點舌上或眞蒲黄塗亦可

治小兒舌腫塞口欲滿者

用紫雪一分竹瀝半合細研和勻頻置口中以盡為度

治小兒火丹方

用寒水石與白墡粉等分以水調塗紅腫之處甚効

琥珀保命丸　治小兒胎驚恐怖夜啼或生痰涎咳嗽發熱晛乳並宜服之

琥珀八錢　茯神去木一兩五錢　天麻一兩二錢　胆星牛胆汁製二兩

龍骨火煆醋淬三次七錢　白附子去尖皮一兩四錢　珍珠淨末五錢

益智一兩 鈎藤取勾淨末一兩 牛黃二兩

右爲極細末加入硼砂三錢硃砂二錢五分真麝香三分再研和蜜爲丸如圓眼核大用蠟封每服一丸薄荷姜湯研化下

琥珀抱龍丸

甘草三錢 茯苓 山藥 蓮肉以上各一兩 琥珀五錢

辰砂一錢 赤石脂一兩

治童子被跌破面不出血 名爲破驚風稍緩不治宜急以班鳩血充白滚湯或酒飲立愈

一小兒脾胃嬌嫩積氣難消飲食少進面色痿黃肚大筋露手足乾瘦胷腹痞悶積滯泄瀉口水食不化時作疼痛用

人參一錢伍分　釭龍即糞蛆三錢　山藥炒一兩　麥芽炒一兩　白术米泔浸一日五錢　山查肉炒二兩　神麯炒一兩二錢　蓮肉去皮心五錢

爲細末煉蜜丸如銅錢大餅每次嚼下三枚淡淡姜湯過口不拘時服如不肯嚼姜湯調服名泰和餅

治小兒泄瀉不肯服藥用梧桐葉鮮者煎湯頻
頻洗足瀉自止
治小兒赤眼用黄連爲末水調敷脚心自愈
治小兒三五歲六七歲時頭生白癬如風雪相
似或以錢大四圍有高弦着名曰風癬用榖
樹汁每日清晨點搽患上其風雪自退此患
自出黄水結盖次日去盖再搽如此不過五
七次自愈　榖樹即楮梔是也
一名香橘餅治小兒疳積膨脹筋露積滯腹疼

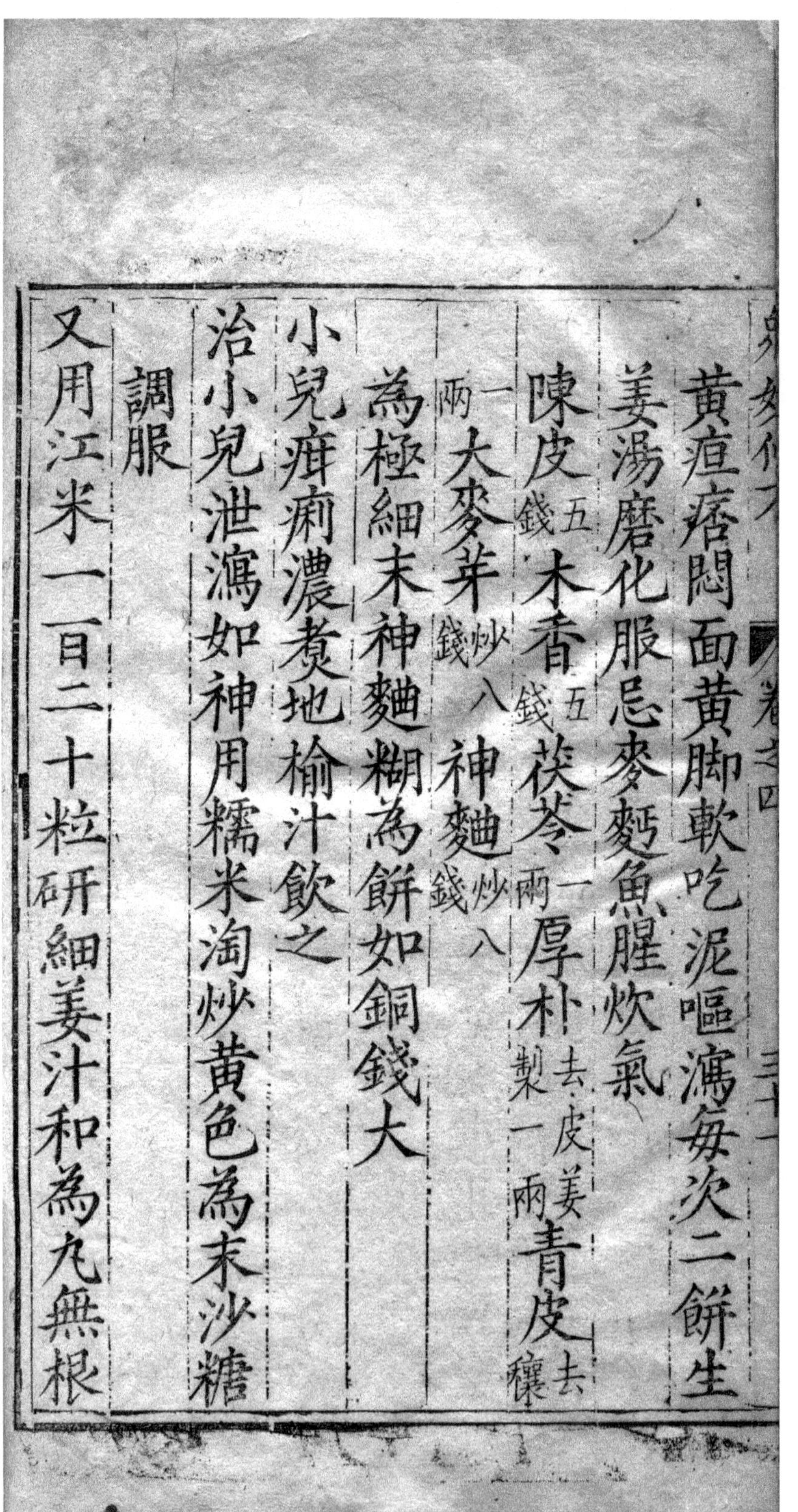

黄疸痞悶面黄脚軟吃泥嘔瀉每次二餅生姜湯磨化服忌麥麪魚腥炊氣

陳皮五錢 木香五錢 茯苓一兩 厚朴去皮姜製一兩 青皮去穰一兩 大麥芽炒八錢 神麯炒八錢

為極細末神麯糊為餅如銅錢大

小兒疳痢濃煑地榆汁飲之

治小兒泄瀉如神用糯米淘炒黄色為末沙糖調服

又用江米一百二十粒研細姜汁和為丸無根

水送下

兒生下便死緣內風與外風相擊未產時指甲青產門如孩摘痛是也速治免喪生命專意取八月荷蒂將白蜜調和煎取母髮三七燒灰喫去殘疴　八月池中蓮子枝燒灰入盞乳調稀入口似神枯却痛免生虛死女兼兒

治小兒生下即死用法可救活急看兒口中懸癰前腭上有泡以手指摘破用帛摫拭血令淨若血入喉中即不可治也

治小兒初生氣欲絶不能啼者，必是難產或冒寒所致，急以綿絮包裹抱懷中，未可斷臍帶，且將胞衣置炭火爐中燒之，仍作大紙撚蘸油點火，著於臍帶上往來燎之，更以熱醋湯盪洗臍帶，須臾氣回啼哭如常，方可洗浴了，却斷臍帶。

五根湯　洗初生兒免生瘡疥

桃根　柳根　梅根　桑根　槐根

右每味一兩，洗淨切碎，用水煮去滓，加猪膽

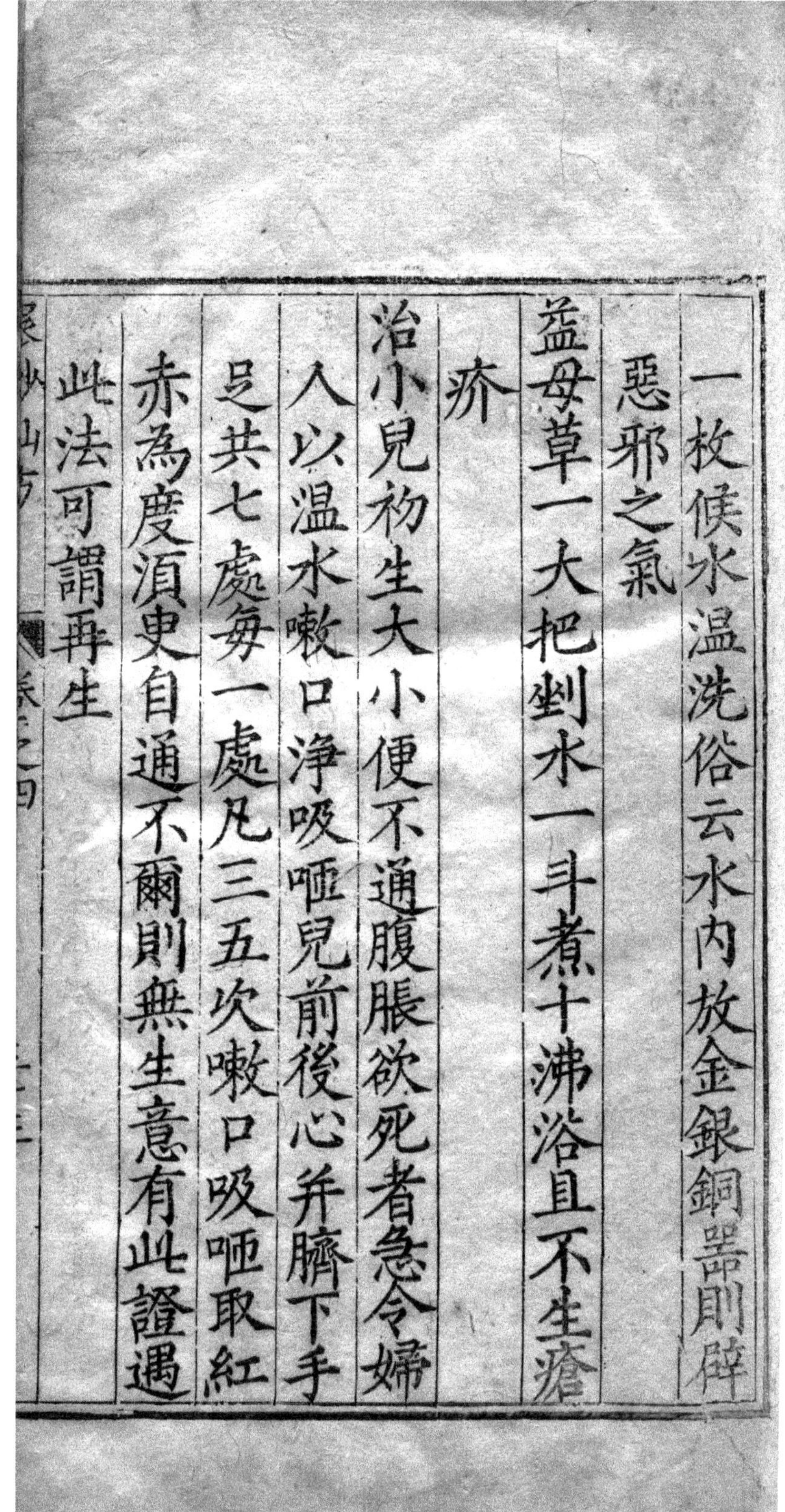

一枚候水温洗俗云水内放金銀銅器則辟惡邪之氣

益母草一大把剉水一斗煮十沸浴且不生瘡疥

治小兒初生大小便不通腹脹欲死者急令婦人以温水嗽口淨吸咂兒前後心并臍下手足共七處每一處凡三五次嗽口吸咂取紅赤為度須臾自通不爾則無生意有此證遇此法可謂再生

衆妙仙方　卷之四

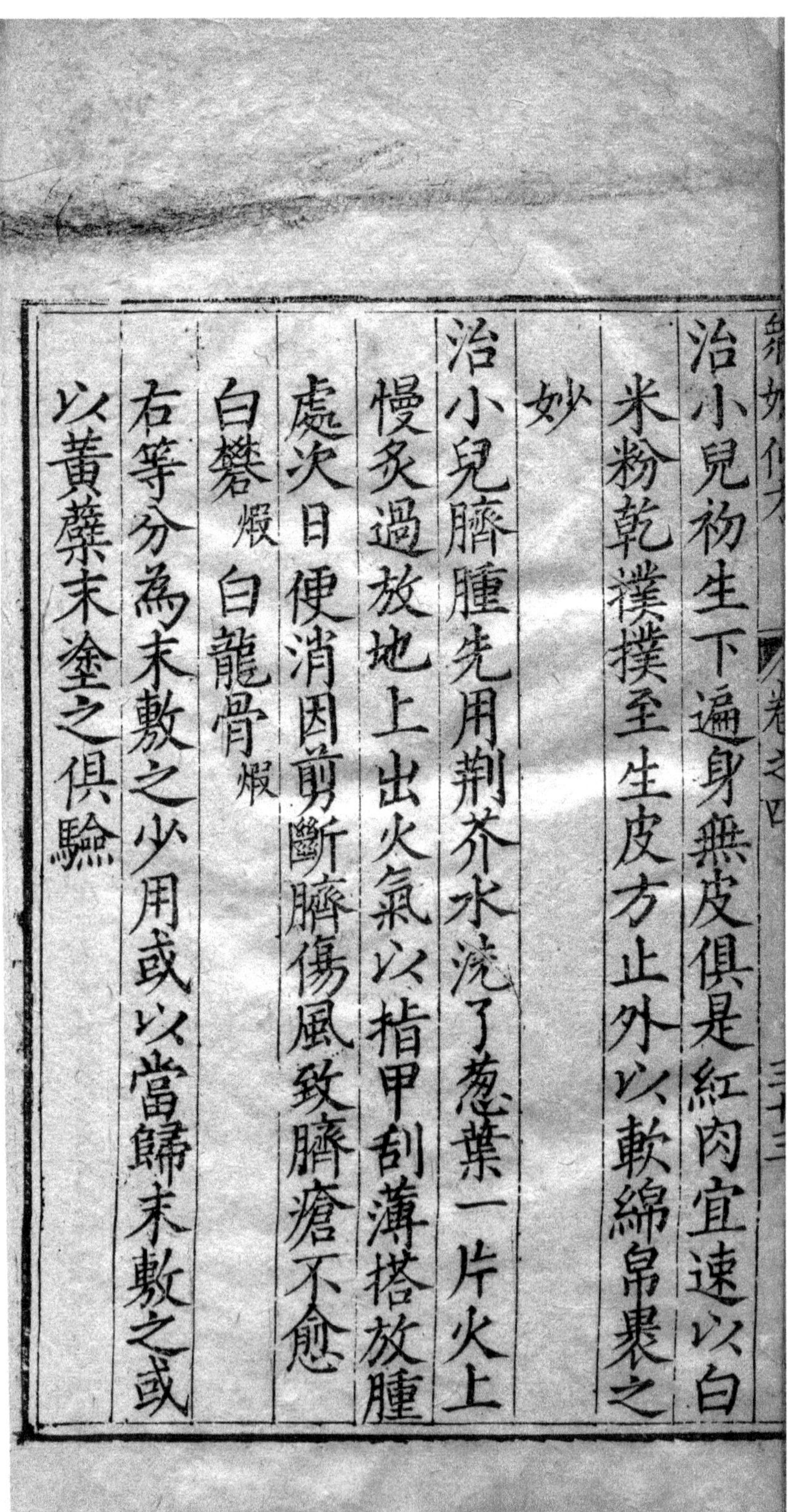

治小兒初生下遍身無皮俱是紅肉宜速以白米粉乾撲撲至生皮方止外以軟綿帛裹之妙

治小兒臍腫先用荊芥水洗了葱葉一片火上慢炙過放地上出火氣以指甲刮薄搭放腫處次日便消因剪斷臍傷風致臍瘡不愈

白礬煅　白龍骨煅

右等分為末敷之少用或以當歸末敷之或以黃蘗末塗之俱驗

治小兒面目黄赤氣息喘急啼聲不出舌强唇青聚口撮面飲乳有妨用直僵蚕二枚去絲嘴略炒為末蜜調付唇口中妙

用晚蚕蛾二枚炙黄為末蜜和抹口內効

治小兒口內出白沫四肢冰冷最為惡候一法治之極効其兒齒齶上有小泡子如粟米狀以温湯蘸熱絹裹手指輕輕擦破即開口便安

治小兒臍風撮口用白僵蚕末蜜調入口唇內

即瘥

又用茄子花燒灰爲細末香油調擦口内効

治小兒初生不飲乳及不大小便用葱白一寸破作四界以乳汁於砂銚内煎葱熟頻頻灌之立効

治小兒吐乳田中蚯蚓泥爲末米飲調下

初生兒口噤不開者諸藥不効用天南星去皮臍研爲細末龍腦少許和匀揩蘸生薑汁將藥於大牙根上擦即開

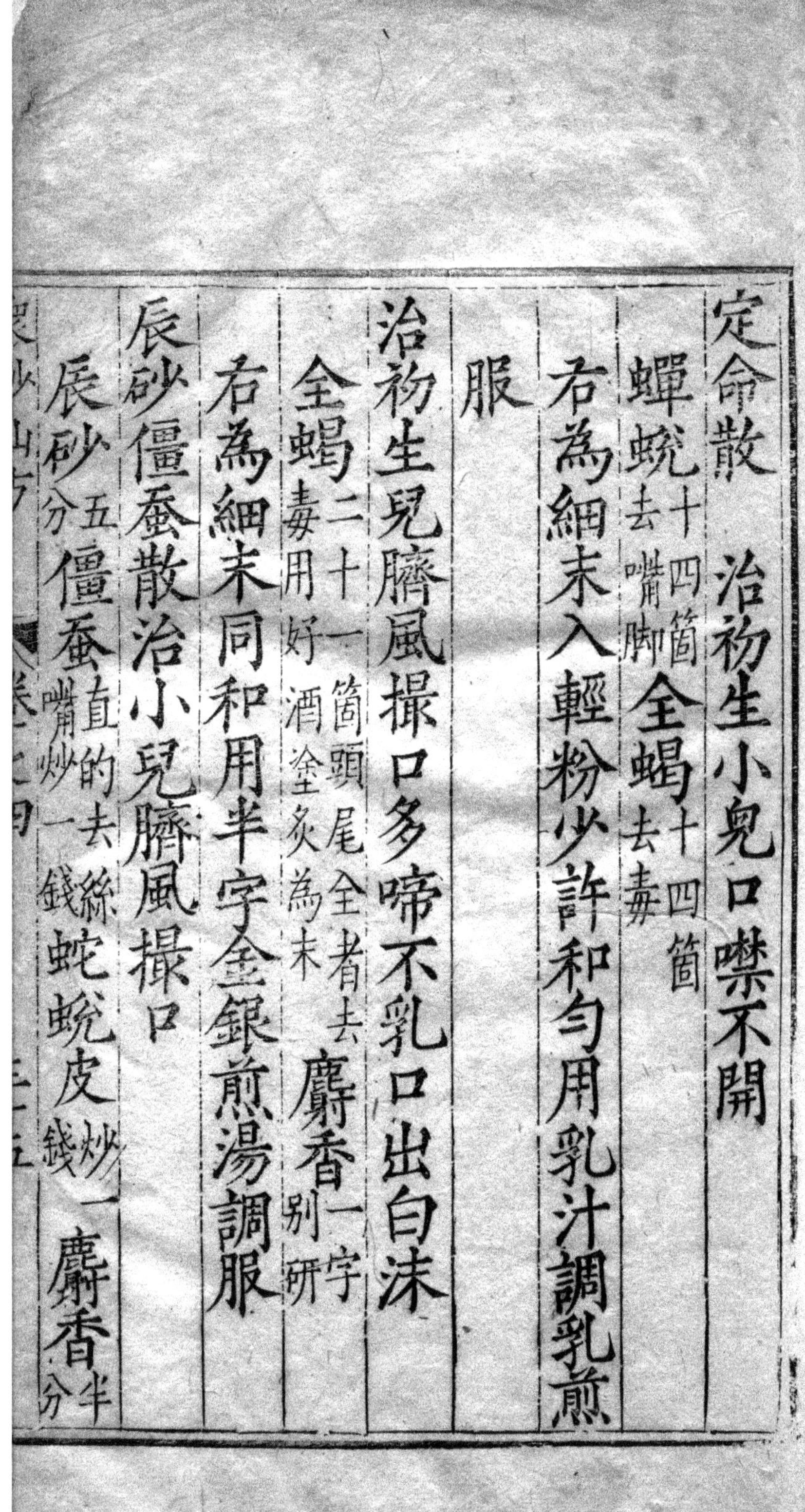

定命散　治礽生小兒口噤不開

蟬蛻十四箇去嘴脚　全蝎十四箇去毒

右為細末入輕粉少許和勻用乳汁調乳煎服

治礽生兒臍風撮口多啼不乳口出白沫

全蝎二十一箇頭尾全者去毒用好酒塗炙為末　麝香一字別研

右為細末同和用半字金銀煎湯調服

辰砂僵蚕散治小兒臍風撮口

辰砂五分　僵蚕直的去絲嘴炒一錢　蛇蛻皮炒一錢　麝香半分

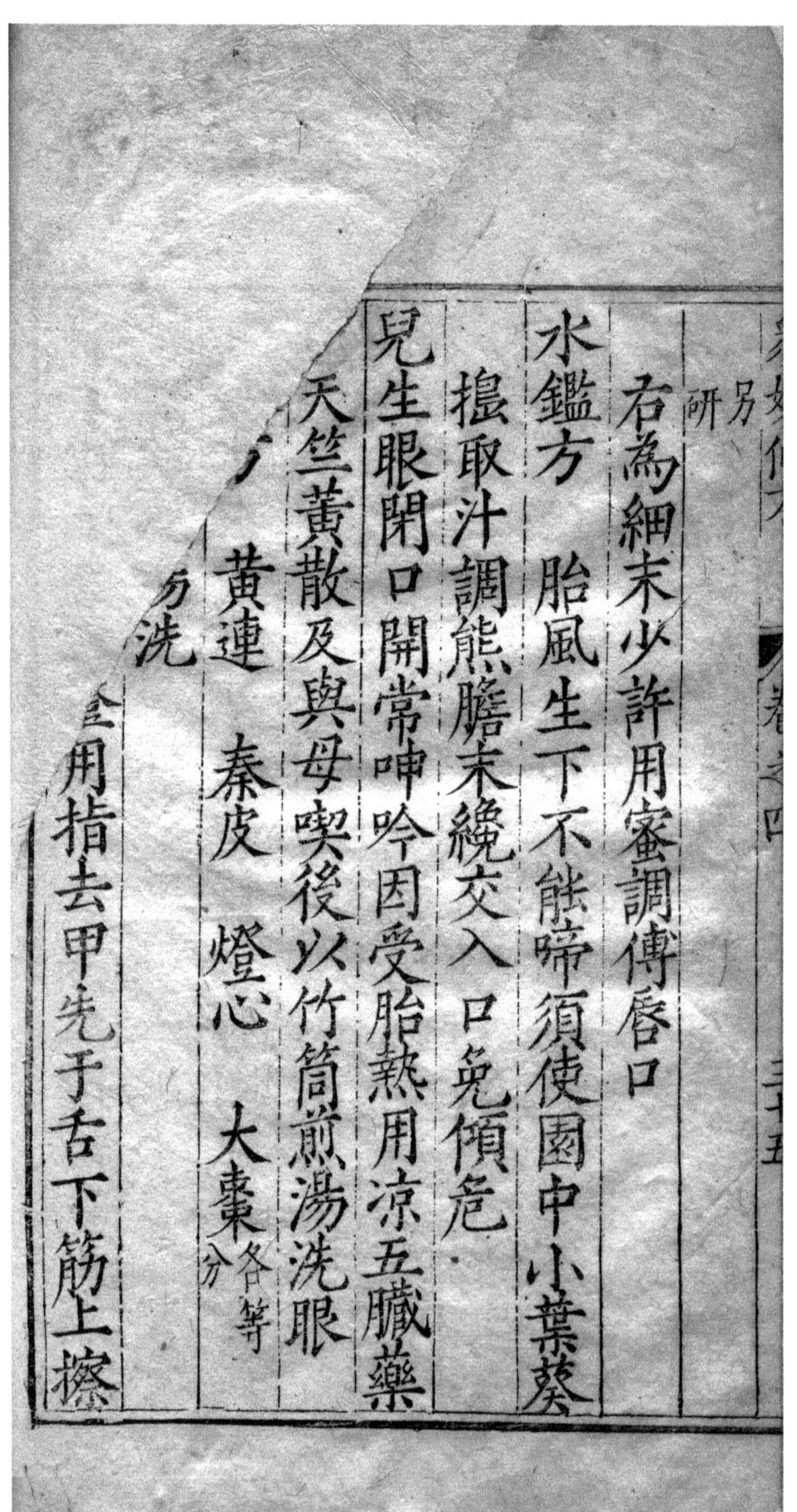

另研

右為細末少許用蜜調傅唇口

水鑑方　胎風生下不能啼須使園中小葉葵擣取汁調熊膽末纔交入口免傾危

兒生眼閉口開常呻吟因受胎熱用凉五臟藥天竺黃散及與母喫後以竹筒煎湯洗眼

方　黃連　秦皮　燈心　大棗各等分

方洗

塗用指去甲先于舌下筋上擦

去根漸深擦入如此三次又用指蘸水取項後燕窠小窟中筋自上赶下至小窟深深擦入亦三次小兒若飲乳勝前則病去矣

治小兒重舌用針刺出血下兩傍惡血即愈

治小兒重舌用舊簸箕燒灰敷之舌下或以鼠婦五七枚研爛塗之或以桑葉白汁塗乳令兒吮之效鼠婦即人家濕地磚石下小灰虫也

治小兒鵞口不能乳用地雞研水塗地雞即扁

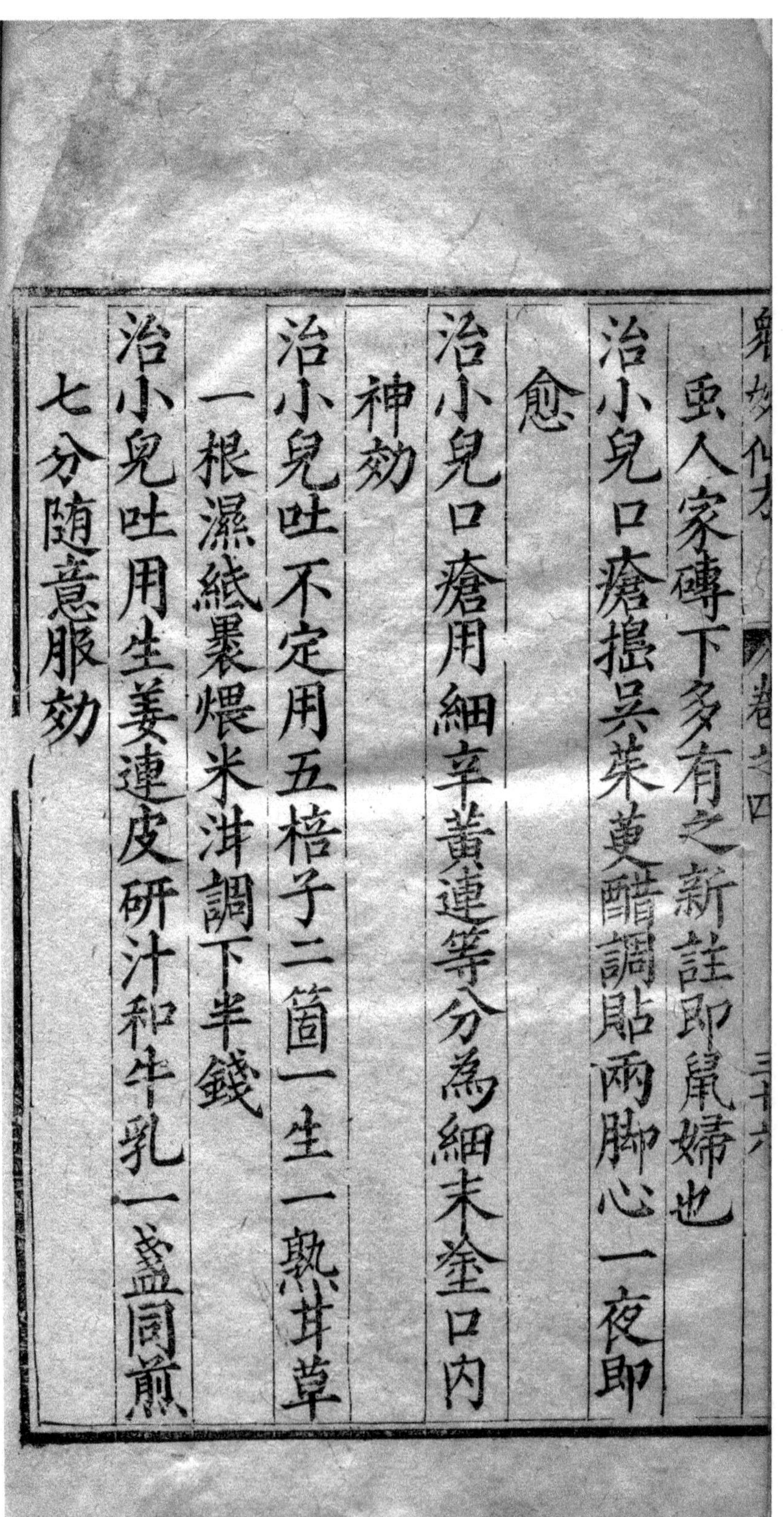

虫入家磚下多有之新註即鼠婦也

治小兒口瘡搗吳茱萸醋調貼兩脚心一夜即愈

治小兒口瘡用細辛黄連等分為細末塗口内神効

治小兒吐不定用五棓子二箇一生一熟甘草一根濕紙褁煨米泔調下半錢

治小兒吐用生姜連皮研汁和牛乳一盞同煎七分隨意服効

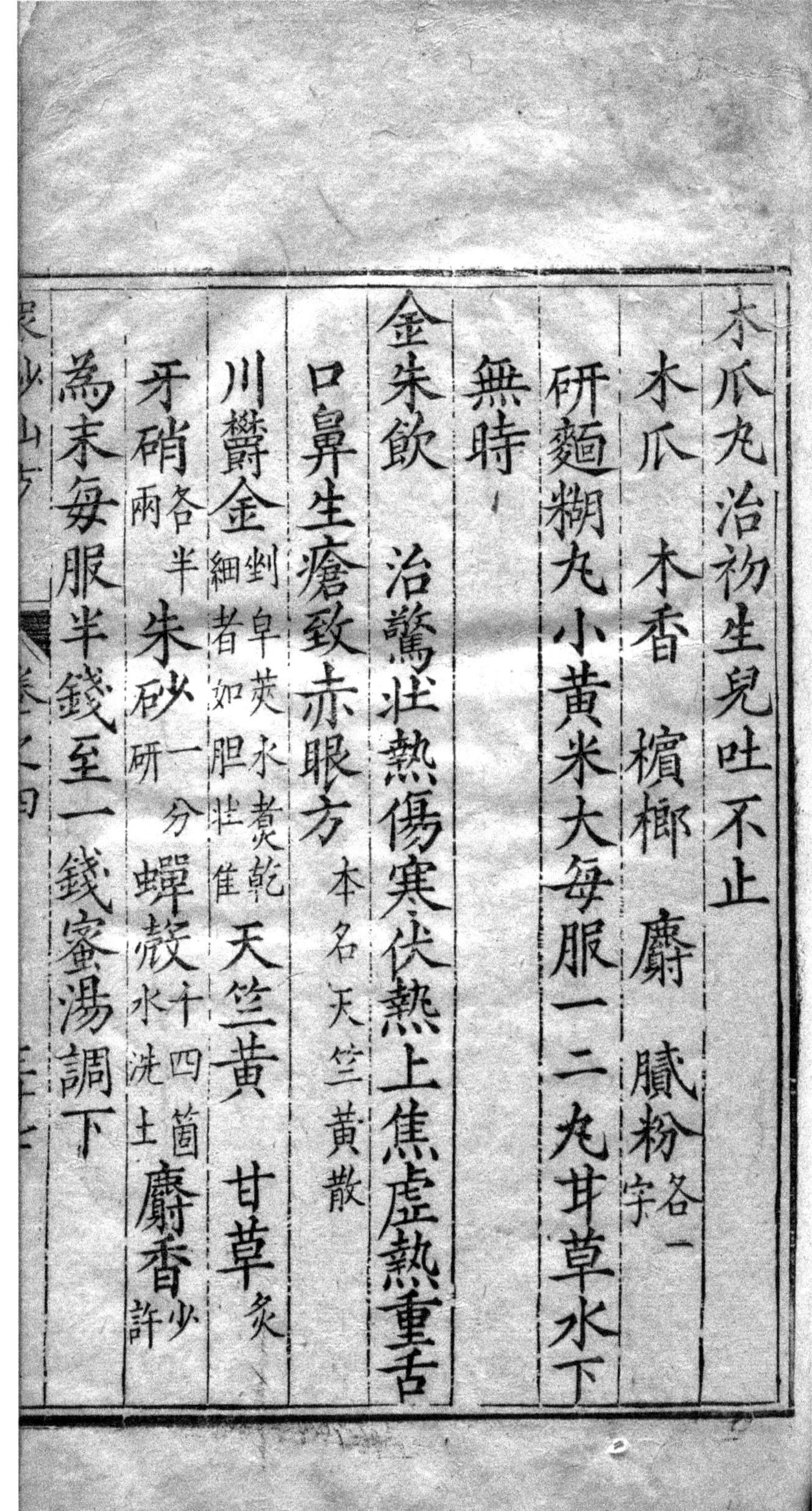

木瓜丸 治初生兒吐不止

木瓜 木香 檳榔 麝 膩粉各一字

研麵糊丸小黃米大每服一二丸甘草水下

無時

金朱飲 治驚壯熱傷寒伏熱上焦虛熱重舌

口鼻生瘡致赤眼方 本名天竺黃散

川鬱金剉皁莢水煮乾細者如胆壯佳 天竺黃 甘草炙

牙硝各半兩 朱砂一分研 蟬殼十四箇水洗土 麝香少許

爲末每服半錢至一錢蜜湯調下

治卒重舌燒蛇蜕爲末唾和塗舌上瘥嬰兒醋調

治重舌口中生瘡涎出 白羊屎塗少許

初生兒須防三病一撮口二著噤三臍風皆急病著噤尤甚過一臘方免牙關緊急喫乳不穩啼聲漸小口吐涎沫眼閉入見大小便通以爲冷熱所得不知病在喉舌狀亦極重善救療者十不得三四依將護法防于事先必無此患

千金 治口噤赤者心噤白者肺噤用鷄糞白

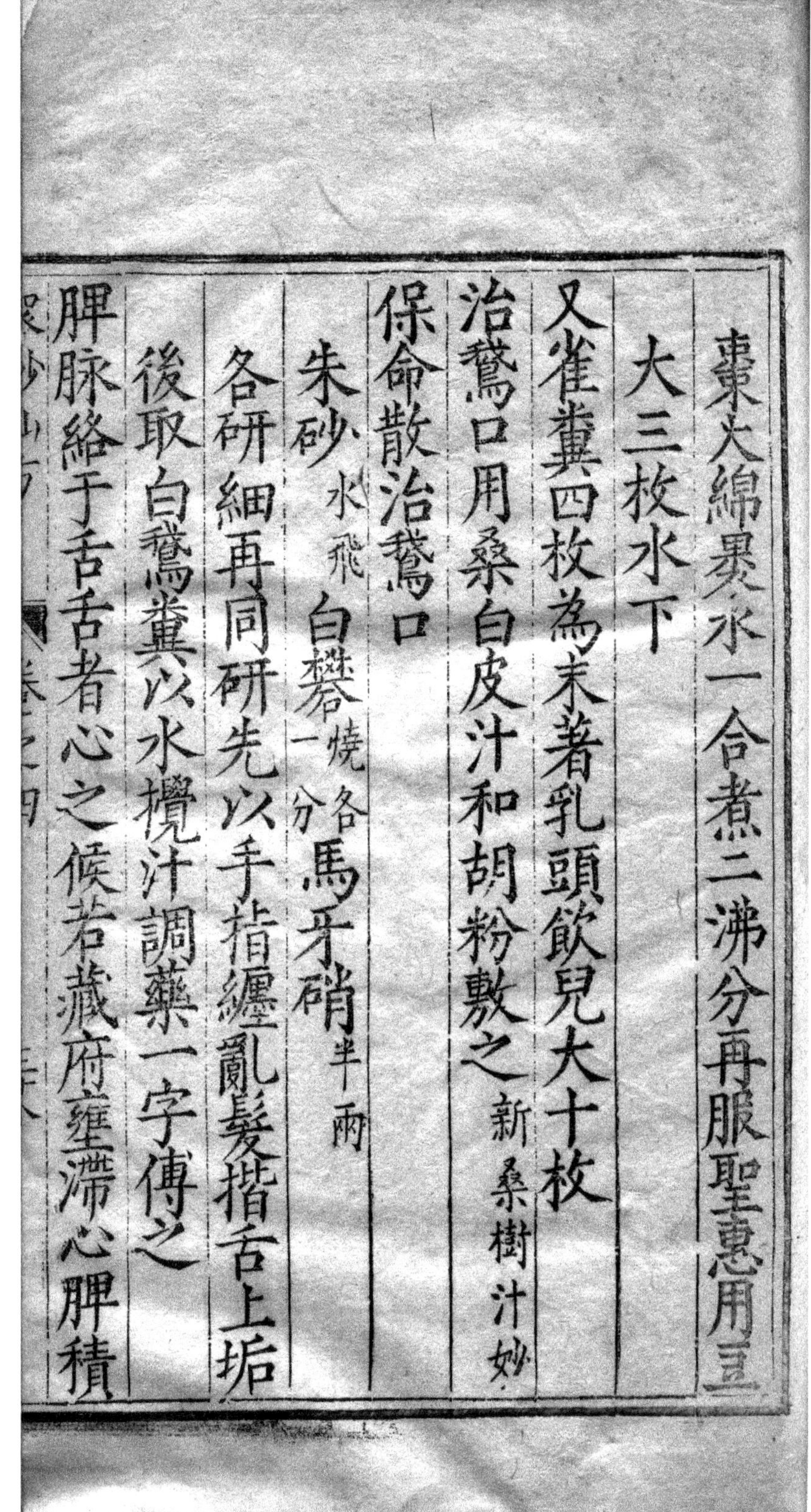

棗大綿裹水一合煮二沸分再服聖惠用豆

大三枚水下

又雀糞四枚為末著乳頭飲兒大十枚

治鵞口用桑白皮汁和胡粉敷之新桑樹汁妙

保命散治鵞口

朱砂水飛 白礬燒各一分 馬牙硝半兩

各研細再同研先以手指纏亂髮揩舌上垢

後取白鵞糞以水攪汁調藥一字傅之

脾脉絡于舌舌者心之候若藏府壅滯心脾積

熱邪熱之氣隨脉上衝舌本則腫漸漸粗大不早療滿塞口中當塞殺兒為木舌兒尤多此疾　水鑑木舌要可待黃葵更入黃鉛兩相知黃丹點之七遍立便可神方不假藥多期

陳藏器方先務見口傍令見血碎雀甕取汁塗之產時若開諸物口不令閉多使兒患撮口

鈎藤散　鈎藤鈎　川升麻　黃芩各半兩

蟯螂二枚去翅足微炒　為散每服一錢水一小盞入蘆根一分煎至四分去滓徐徐温餵

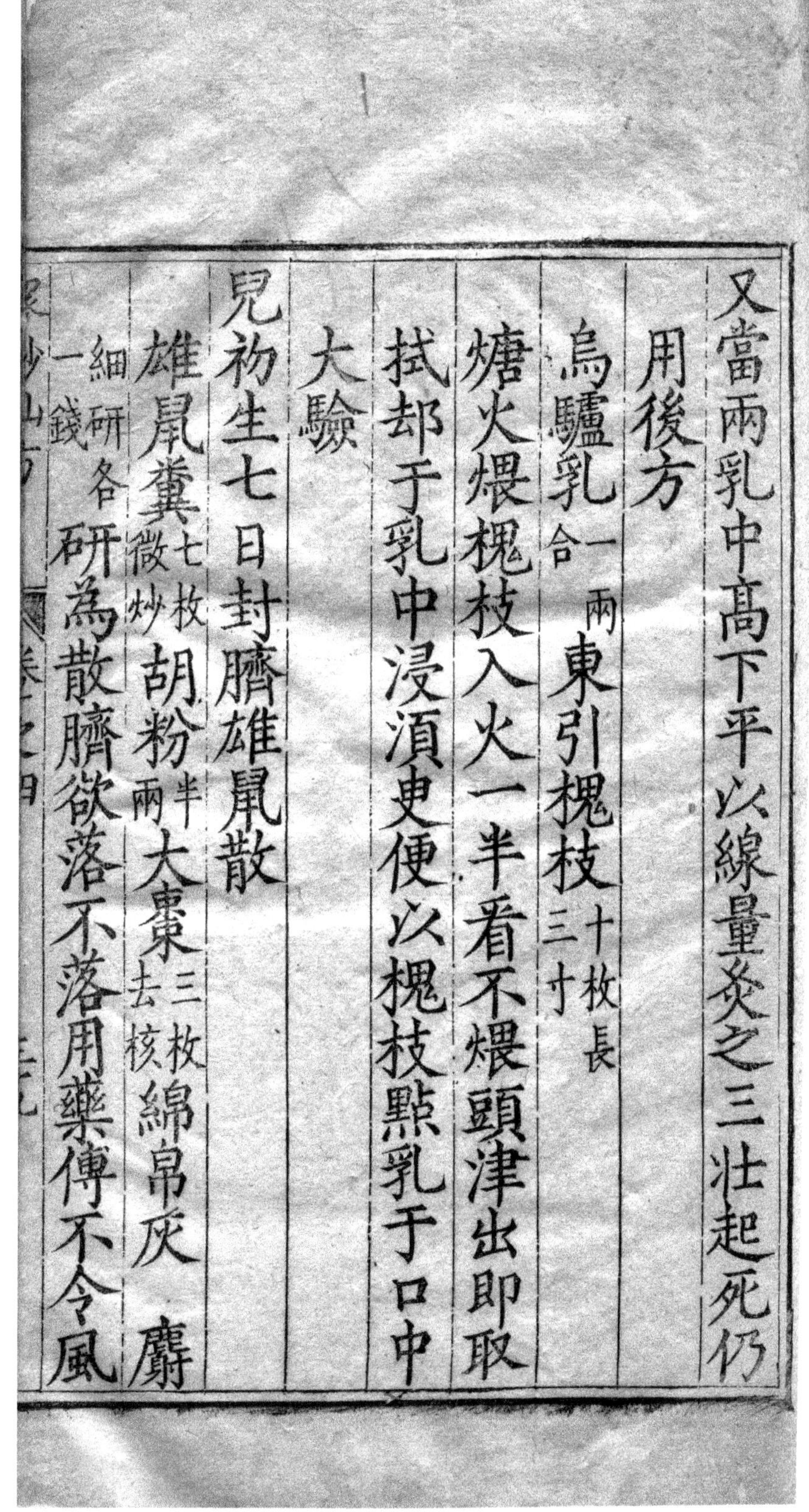

又當兩乳中高下平以線量灸之三壯起死仍

用後方

烏驢乳一兩合東引槐枝十枚長三寸

煻火煨槐枝入火一半看不煨頭津出即取

拭却于乳中浸須臾便以槐枝點乳于口中

大驗

兒初生七日封臍雄鼠散

雄鼠糞七枚微炒胡粉半兩大棗三枚去核綿帛灰麝

細研各一錢研為散臍欲落不落用藥傅不令風

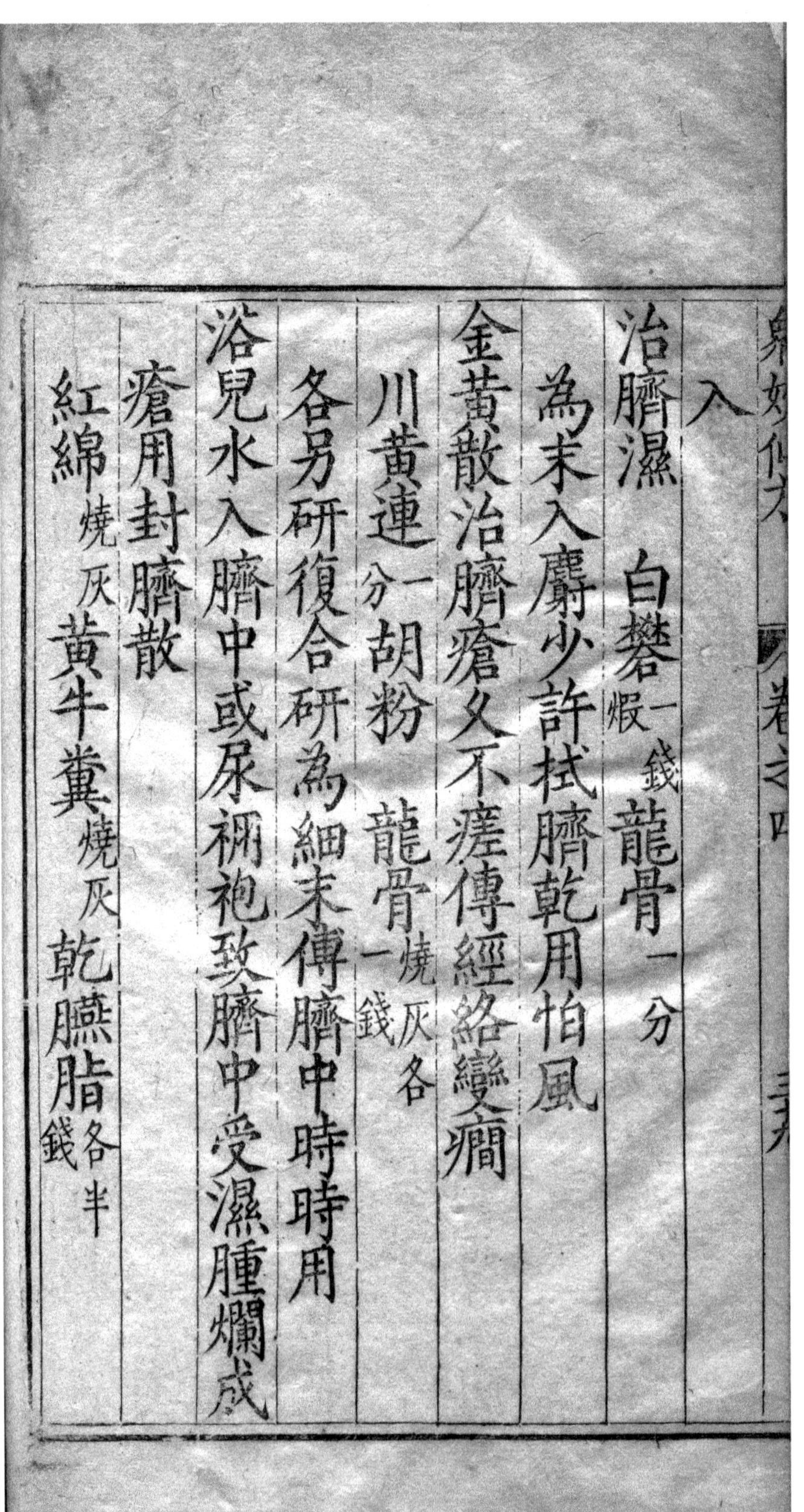

入

治臍濕　白礬煆一錢　龍骨一分

為末入麝少許拭臍乾用怕風

金黃散治臍瘡久不瘥傳經絡變癇

川黃連一分　胡粉　龍骨燒灰各一錢

各另研復合研為細末傳臍中時時用

浴兒水入臍中或尿裲袍致臍中受濕腫爛成

瘡用封臍散

紅綿燒灰　黃牛糞燒灰　乾臙脂各半錢

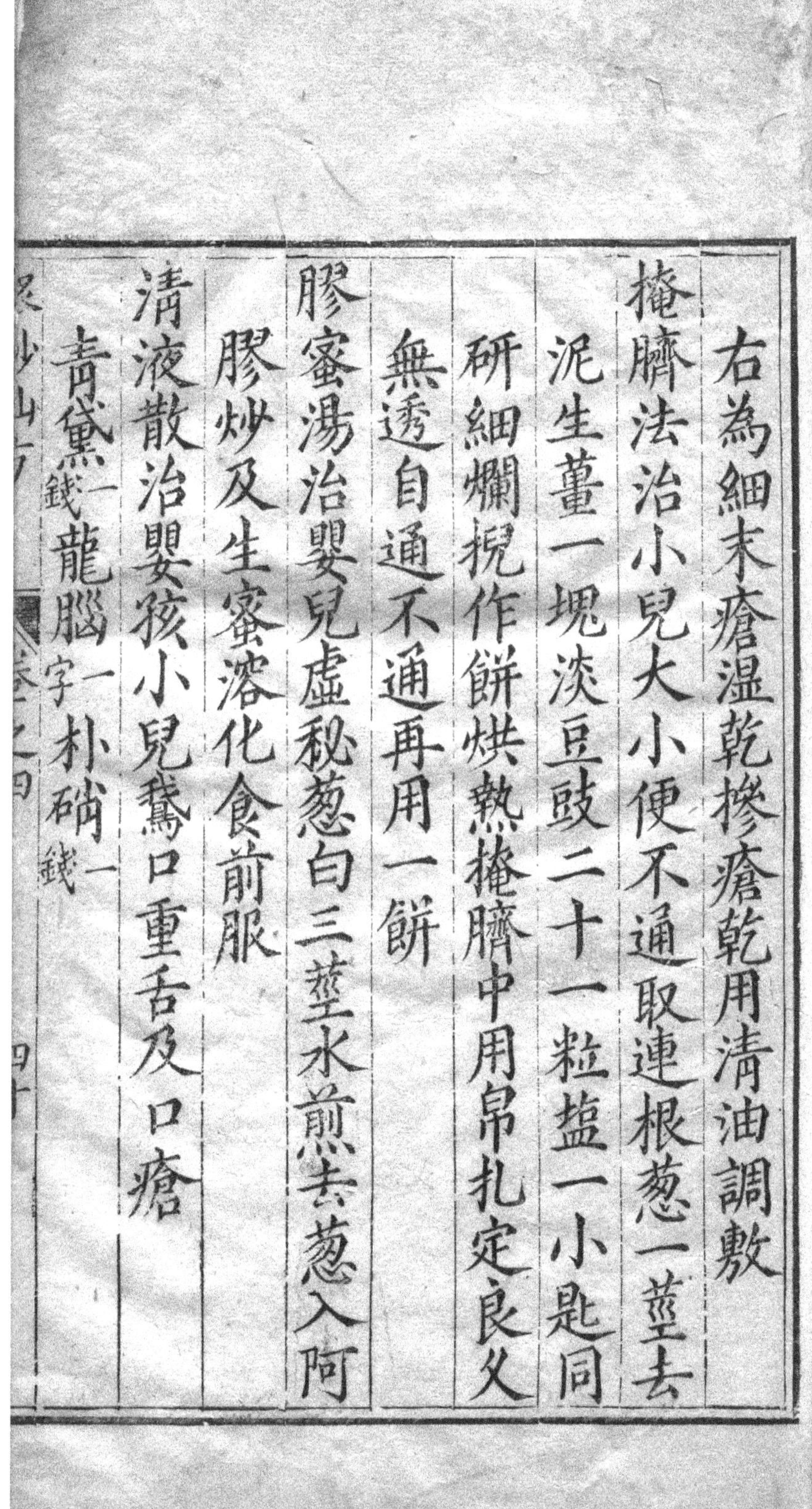

右為細末瘡濕乾摻瘡乾用清油調敷

掩臍法治小兒大小便不通取連根葱一莖去泥生薑一塊淡豆豉二十一粒塩一小匙同研細爛捏作餅烘熱掩臍中用帛扎定良久無透自通不通再用一餅

膠蜜湯治嬰兒虛秘葱白三莖水煎去葱入阿膠炒及生蜜溶化食前服

清液散治嬰孩小兒鵞口重舌及口瘡

青黛一錢　龍腦一字　朴硝一錢

右爲細末用蜜少許鵞翎敷上

千金論曰小兒出腹之後其血氣收歛成血口

内舌上喉頰裹皆清淨也若頰裹舌上有物

如蘆籜盛水者名懸癰以綿纏長針留鋒處

如粟米許大以刺之令泄去青黄赤血汁先

用塩湯洗拭次用蜜調一字散少許鵞翎蘸

刷之一刺即止如未消次日再刺之三次自

消

一字散 硃砂 硼砂各半錢 龍腦一字 朴硝

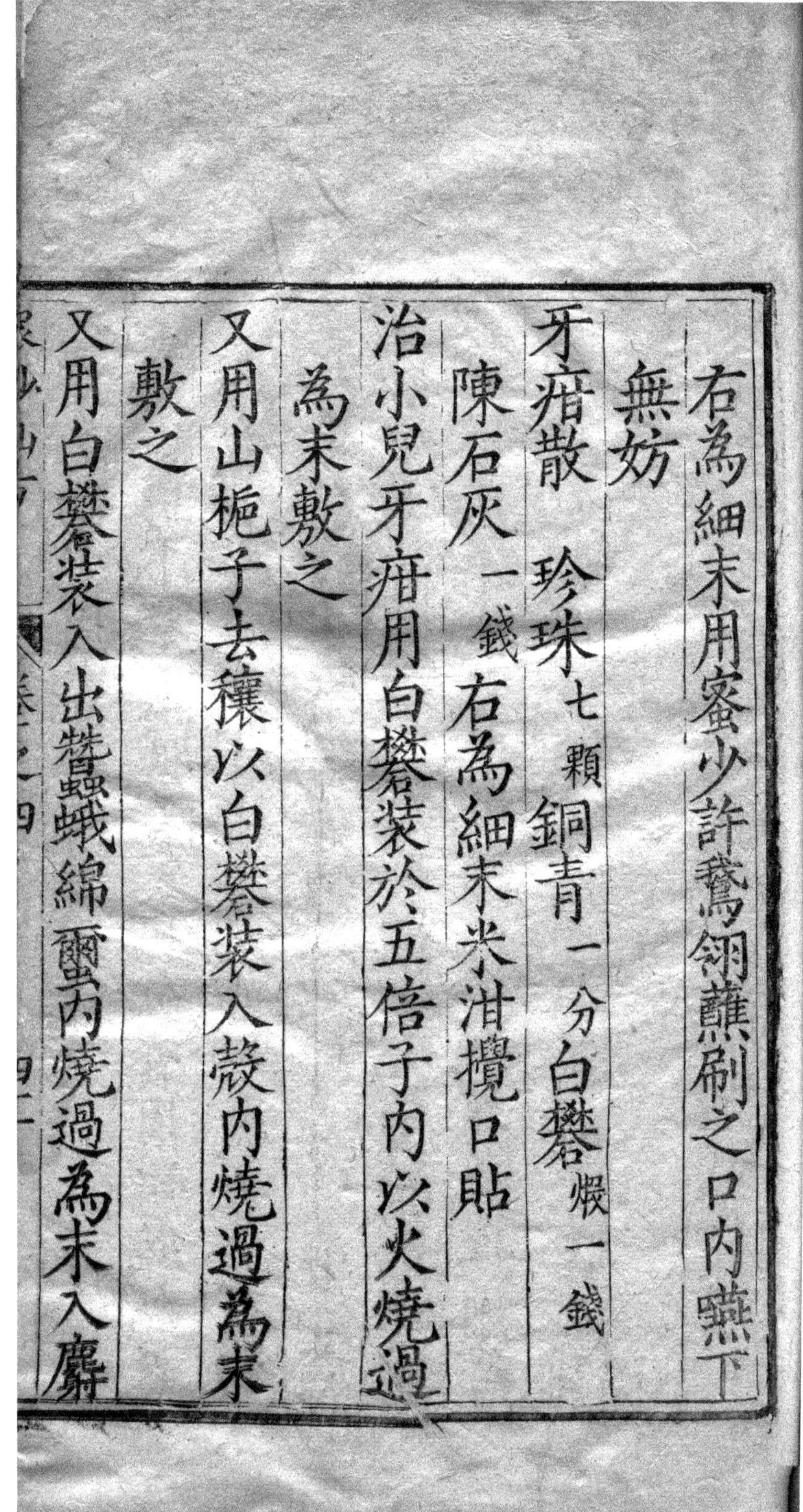
右爲細末用蜜少許鵞翎蘸刷之口内嚥下無妨

牙疳散　珍珠七顆　銅青一分　白礬煆一錢　陳石灰一錢　右爲細末米泔攪口貼

治小兒牙疳用白礬裝於五倍子内以火燒過爲末敷之

又用山梔子去穰以白礬裝入殻内燒過爲末敷之

又用白礬裝入出蠶蛾綿繭内燒過爲末入麝

少許摻之効

治小兒卒驚但有痛處而不知覺用雄雞冠血滴兒口中

又用燕窠中糞煎湯洗浴

治小兒夜啼用燈草灰敷乳上與喫燈花猶妙

又用當道中土竈中心土為末新汲水調少許飲之効

安神散治嬰兒一百二十日夜啼

蟬蛻四十九箇只用後一截去嘴脚

右爲細末作四服用鈎藤煎湯化不拘時服

治小兒抝哭不止以綿絹帶縛手足訖用三姓婦人淨掃驢槽卧小兒於其中不令傍人知而看之俟一時則抝哭自止也

治小兒寸白虫用酸石榴東引根二兩糯米三十粒水一碗煎空心服須臾瀉下虫神効

治小兒頭上瘡及浸淫瘡并急疳瘡用芝麻生嚼塗

治小兒甜瘡多生面部兩耳前有一法令母口

中嚼白米成膏臨臥塗之不過三五上則愈

治小兒眉爛頭瘡用小麥不拘多少燒令黑色存性為末以小油調敷之

又用胡桃數十箇和皮燈上燒過存性用碗蓋出火毒研末入膩粉五錢令均以生油調塗仍先剃去瘡上髮塗之只一二次瘥

金銀散治嬰孩小兒眉間生瘡名煉銀瘡

煆金銀罐子一箇 輕粉半錢 研末用麻油調敷

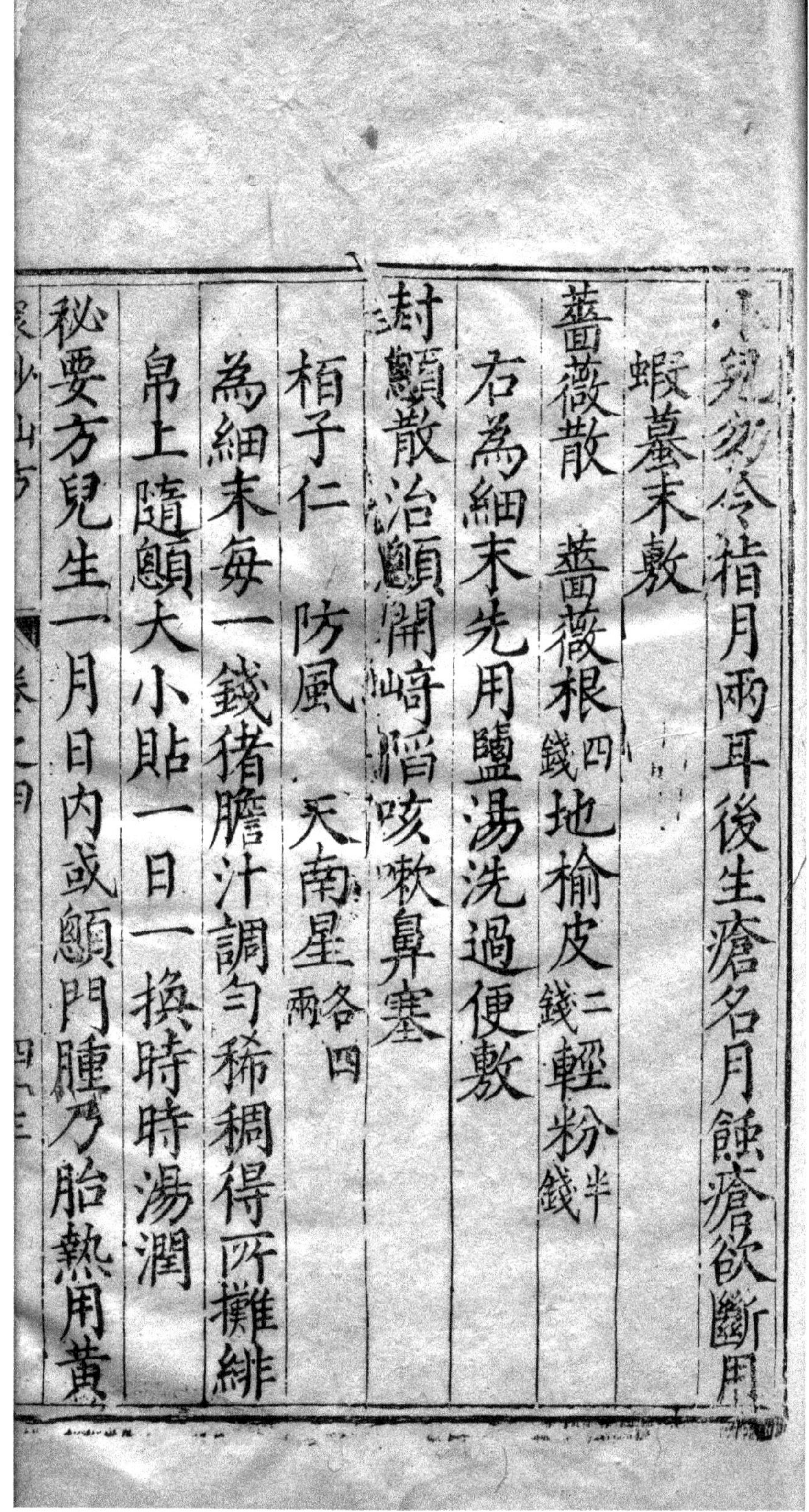

小兒孩令褙月兩耳後生瘡名月蝕瘡欲斷用
蝦蟇末敷
薔薇散　薔薇根四錢　地榆皮二錢　輕粉半錢
右為細末先用鹽湯洗過便敷
封顖散治顖開崎嶠咳嗽鼻塞
栢子仁　防風　天南星各四兩
為細末每一錢猪膽汁調勻稀稠得所攤緋
帛上隨顖大小貼一日一換時時湯潤
秘要方兒生一月日内或顖門腫乃胎熱用黃

蘗膏塗湧泉穴如陷半夏膏塗手心此乃嬰兒腎受冷氣邪干于心致令生病

黄栢　半夏　皆為末冷水調貼

治兒藏府壅熱氣血不榮致顖陷生地黄散

生地黄二兩　烏鷄骨一兩酥炙黄

搗羅為末不計時粥飲調下半錢

治顖門腫輭研青黛末冷水調敷

治顖門開不合鼻塞不通用天南星為末醋調塗顖門時以火炙手熨之

治小兒頭骨縫開名曰解顱用蛇殼炒焦為末
用猪頰頤骨中髓調敷頂上日三四度有人
作頭巾裹遮護之久而自合亦良法也
又用驢蹄不拘多少燒灰研細以清油調敷頭
縫中
治小兒疳病骨瘦如柴肚大面黄以糞坑内蛆
蟲用麻布袋撈起放長流水中浸半餉新瓦
上煆過存性砂糖調服愈
初生小兒大小便有血着由胎氣熱甚以生地

黄取自然汁酒三匙熟蜜半匙和匀温服又

用蒲黄散主之

生蒲黄　油頭髮燒灰各一錢

右爲末用生地黄汁或米飲調乳前服

治小兒有白虎病不可不察據統天曆遊年圖

云白虎在太歲後一神也假如太歲在巳則

白虎在辰太歲在申則白虎在未餘倣此推

其神所值之方小兒不知禁忌出入居處稍

有觸冒便能爲病其狀身微熱有時作冷有

時啼叫屈指如數物手足不瘈瘲是也集香散主之

降香　沉香　乳香　檀香　安息香

人參去蘆　茯神去皮木　甘草炙　酸棗仁去殼

右㕮咀水煎麝香一字調不拘時服存柤房

內燒

治赤竈丹從頭頂腫起搗生葱汁塗

治古竈丹從頭上紅腫起赤小豆鷄子清塗

鬼火丹從面胞腫起竈心土鷄子清塗

天火丹赤點從背起桑根白皮末羊膏塗

天竈丹從[illegible][illegible][illegible]腫黃色柳木灰水塗

水丹從兩脅虛腫生[illegible][illegible]水猪糞塗

胡火丹從臍下起黃腫檳榔末米醋塗

野火丹從兩足赤腫乳香末羊脂塗

烟火丹自兩足起有赤白點猪槽上土塗

明漏丹自腎上起黃腫屋漏處土羊脂塗

犀角消毒飲治小兒嬰孩風毒赤紫丹瘤壯熱

狂躁睡卧不寧胸膈滿悶咽喉腫痛九道有

血安行遍身丹毒

甘草二錢半 牛蒡子炒一兩五錢 荆芥穗五錢 防風去蘆二錢半 犀角一錢五分

右剉散用水煎不拘時服

截風散治嬰孩小兒遊赤丹毒

寒水石 白芷

右為細末用醋或生葱汁塗

治小兒火丹從背上起者用慎火草和苦酒擣塗之赤腫遊行於體五色無常至心即死用

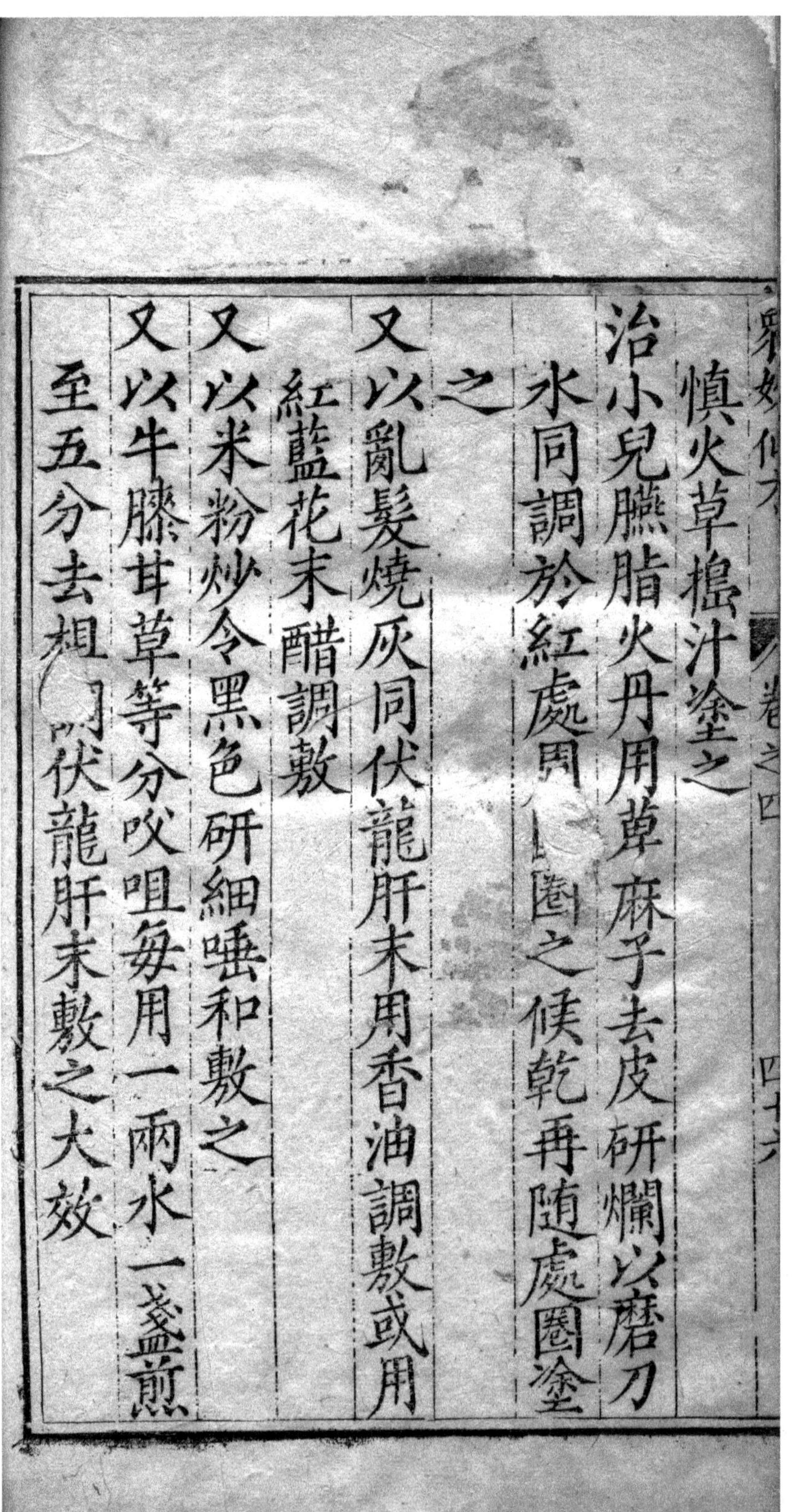

慎火草擣汁塗之

治小兒臙脂火丹用萆麻子去皮研爛以磨刀水同調於紅處用[illegible]圈之候乾再隨處圈塗之

又以亂髮燒灰同伏龍肝末用香油調敷或用紅藍花末醋調敷

又以米粉炒令黑色研細唾和敷之

又以牛膝甘草等分㕮咀每用一兩水一盞煎至五分去柤同伏龍肝末敷之大效

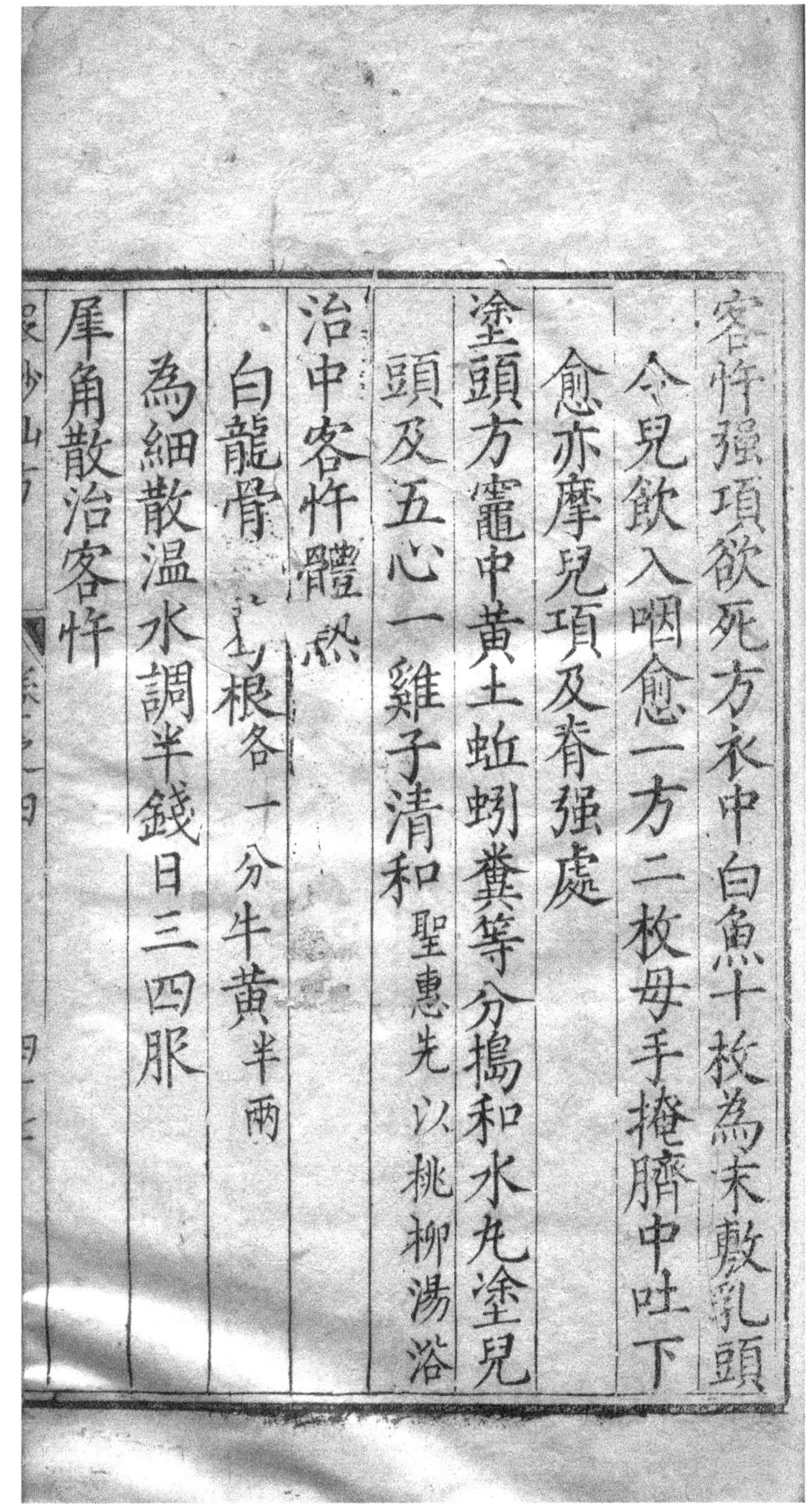

客忤强項欲死方衣中白魚十枚爲末敷乳頭令兒飲入咽愈一方二枚母手掩臍中吐下愈亦摩兒項及脊强處

塗頭方竈中黄土蚯蚓糞等分搗和水丸塗兒頭及五心一雞子清和 聖惠先以桃柳湯浴

治中客忤體熱

白龍骨 土瓜根各一分 牛黄半兩

爲細散溫水調半錢日三四服

犀角散治客忤

犀角　麥門冬焙　鈎藤　硃砂各一分

牛黄半分　麝三大粒

細末不時金銀温湯調半錢服

雄黄散治客忤

雄黄　麝無牛黄代等分研周晬兒服一字刺鷄冠血調灌早午各一服量兒

治小兒客忤口吐青黄白沫水穀鮮離面色變異喘急腹痛狀似驚癇旦夕不止視其口中懸癰左右若有小腫核即以竹針刺破之或

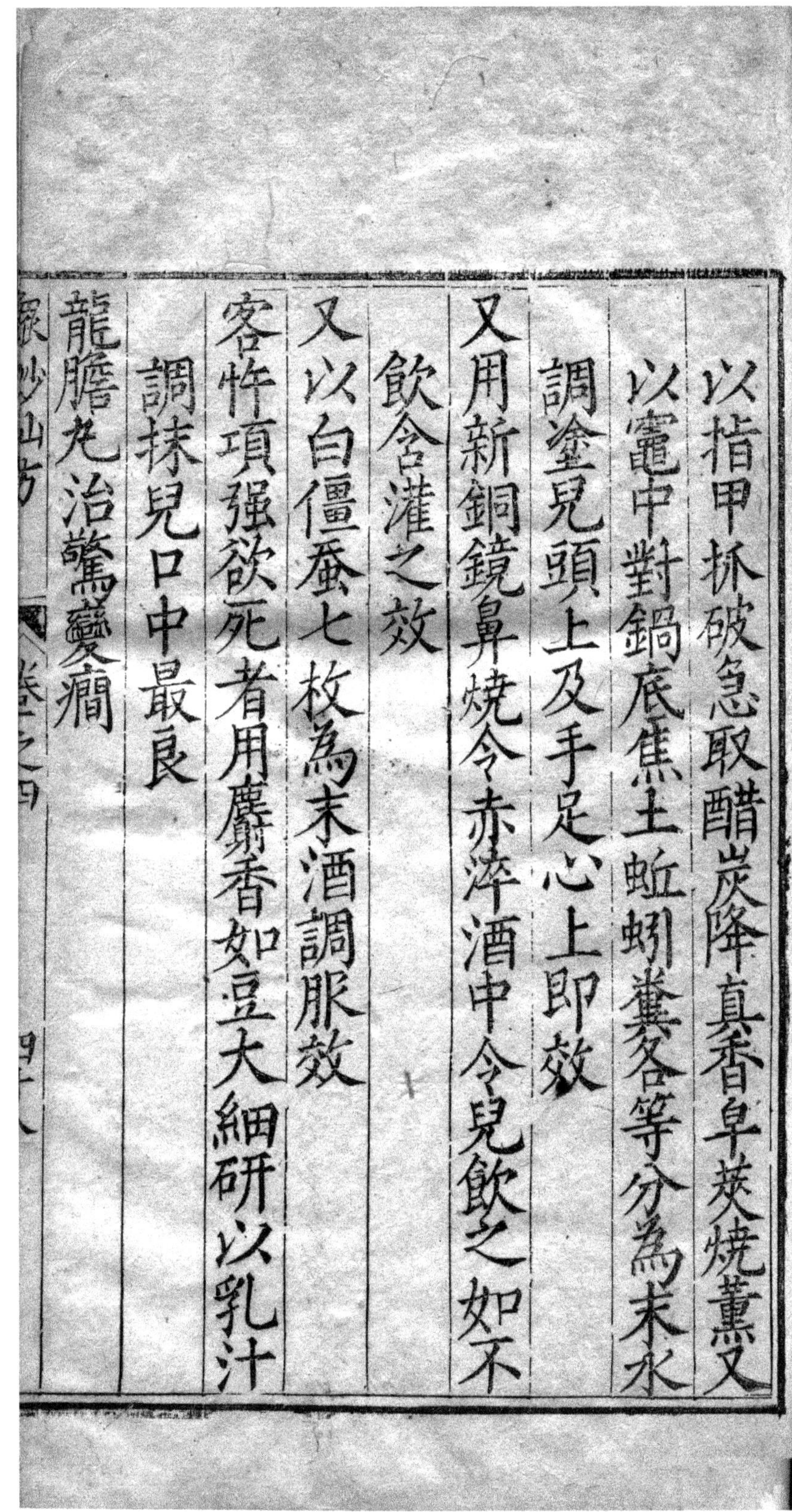

以指甲抓破急取醋炭降真香皁莢燒薫又以竈中對鍋底焦土蚯蚓糞各等分爲末水調塗兒頭上及手足心上即效

又用新銅鏡鼻燒令赤淬酒中令兒飲之如不飲含灌之效

又以白僵蚕七枚爲末酒調服效

客忤項强欲死者用麝香如豆大細研以乳汁調抹兒口中最良

龍膽丸治驚變癇

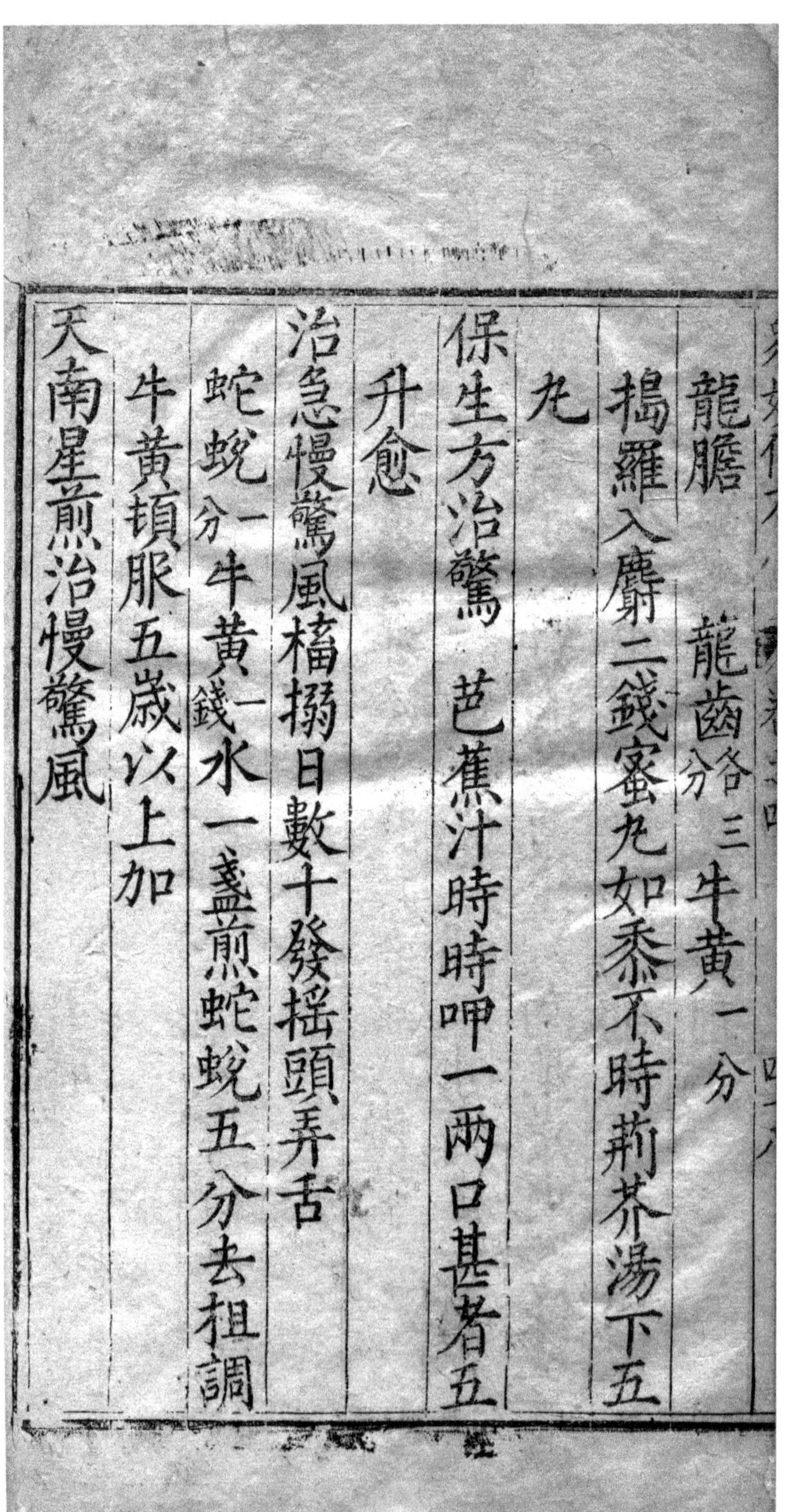

龍膽　龍齒各三分　牛黃一分
搗羅入麝二錢蜜丸如黍不時荊芥湯下五
丸
保生方治驚　芭蕉汁時時呷一兩口甚者五
升愈
治急慢驚風搐搦日數十發搖頭弄舌
蛇蜕一分　牛黃一錢　水一盞煎蛇蜕五分去柤調
牛黃頓服五歲以上加
天南星煎治慢驚風

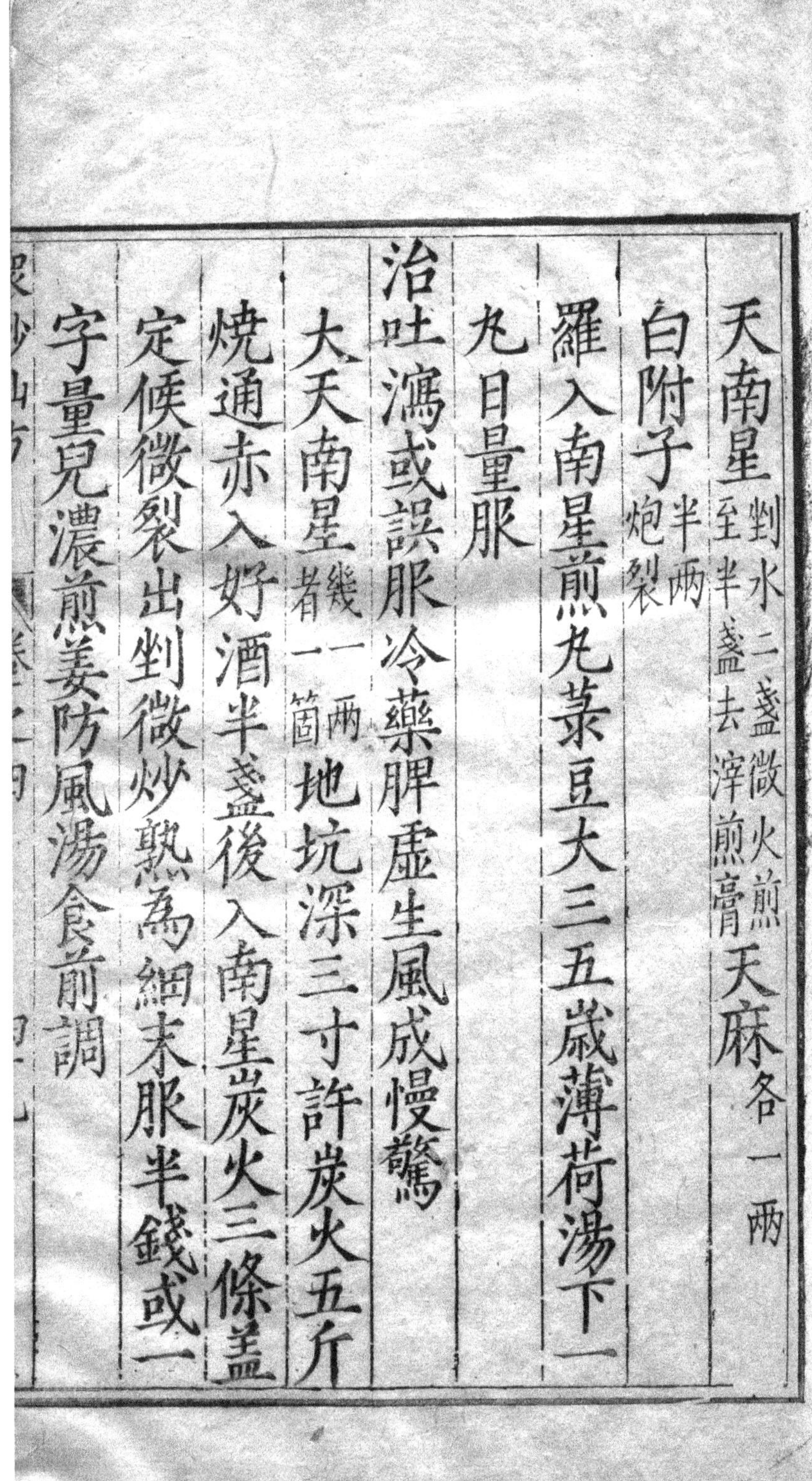
天南星剉水二盞微火煎至半盞去滓煎膏天麻各一兩

白附子半兩炮裂

羅入南星煎熬丸菉豆大三五歲薄荷湯下一丸日量服

治吐瀉或誤服冷藥脾虛生風成慢驚

大天南星幾一兩者一箇地坑深三寸許炭火五斤燒通赤入好酒半盞後入南星炭火三條蓋定候微裂出剉微炒熟爲細末服半錢或一字量兒濃煎薑防風湯食前調

白术麻黄散治慢驚將發

白术炮　乾葛各一分　麻黄去節半兩

為末荊芥湯下半錢後忌衝風須汗如水

斗門方治未滿月兒驚似中風欲死

新汲水濃調硃砂塗五心神效

治生下便喜驚亦治客忤　剪父母指甲燒灰

井花水調一麻子大日三夜一

慢脾侵肺歌　慢脾多睡重重取吐瀉傳脾胃

轉虛逆冷四肢多重困虛涎脾伏盛難除生

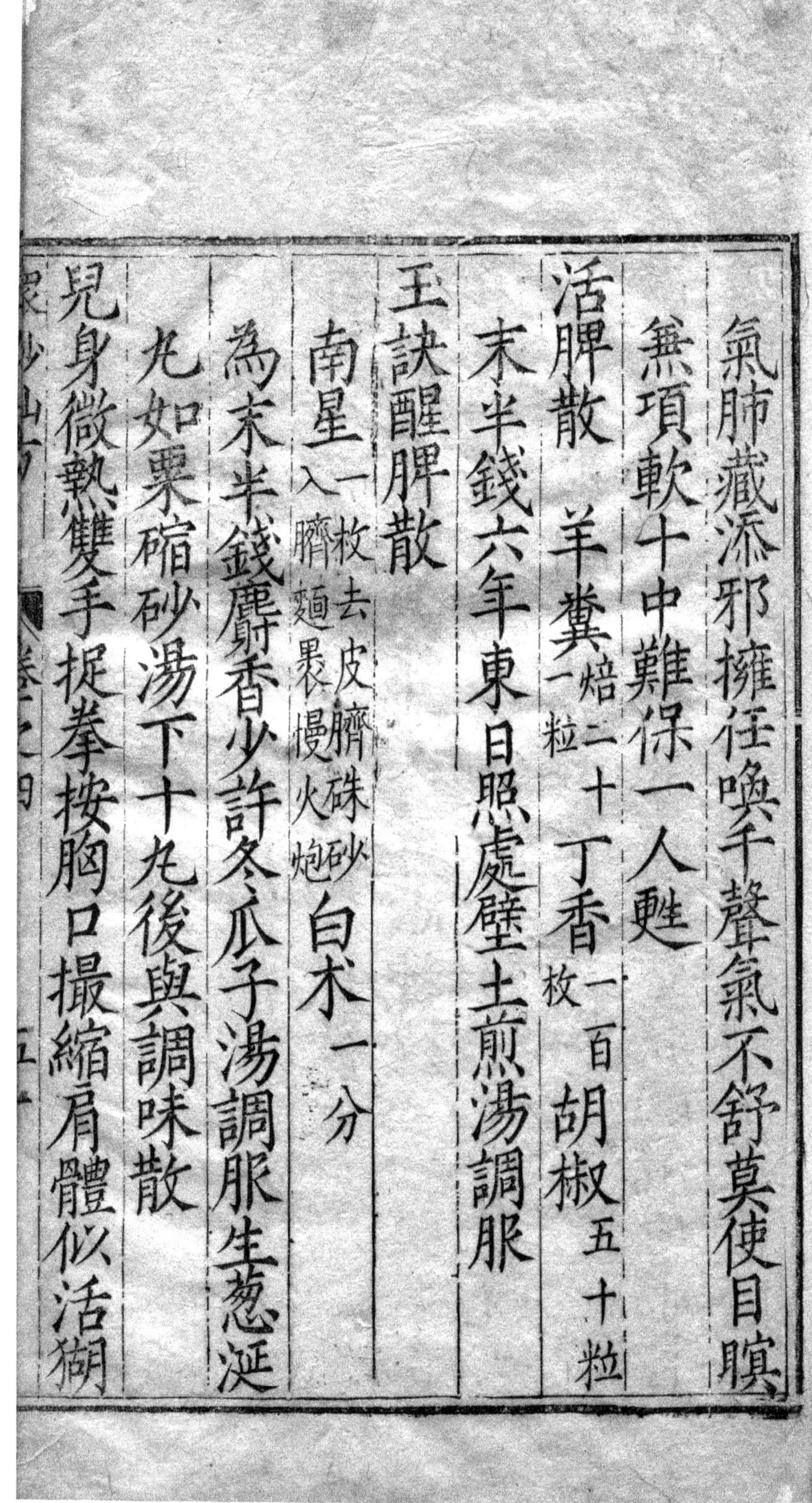

氣肺藏添邪擁往喚千聲氣不舒莫使目瞋

無項軟十中難保一人甦

活脾散　羊糞焙二十一粒　丁香一百枚　胡椒五十粒

末半錢六年東日照處壁土煎湯調服

玉訣醒脾散

南星一枚去皮臍硃砂少入臍麵裹慢火炮　白朮一分

為末半錢麝香少許冬瓜子湯調服生葱涎

丸如粟硝砂湯下十丸後與調味散

晛身微熱雙手捉拳按胸口撮縮肩體似活猢

衆妙仙方　卷之四　五十

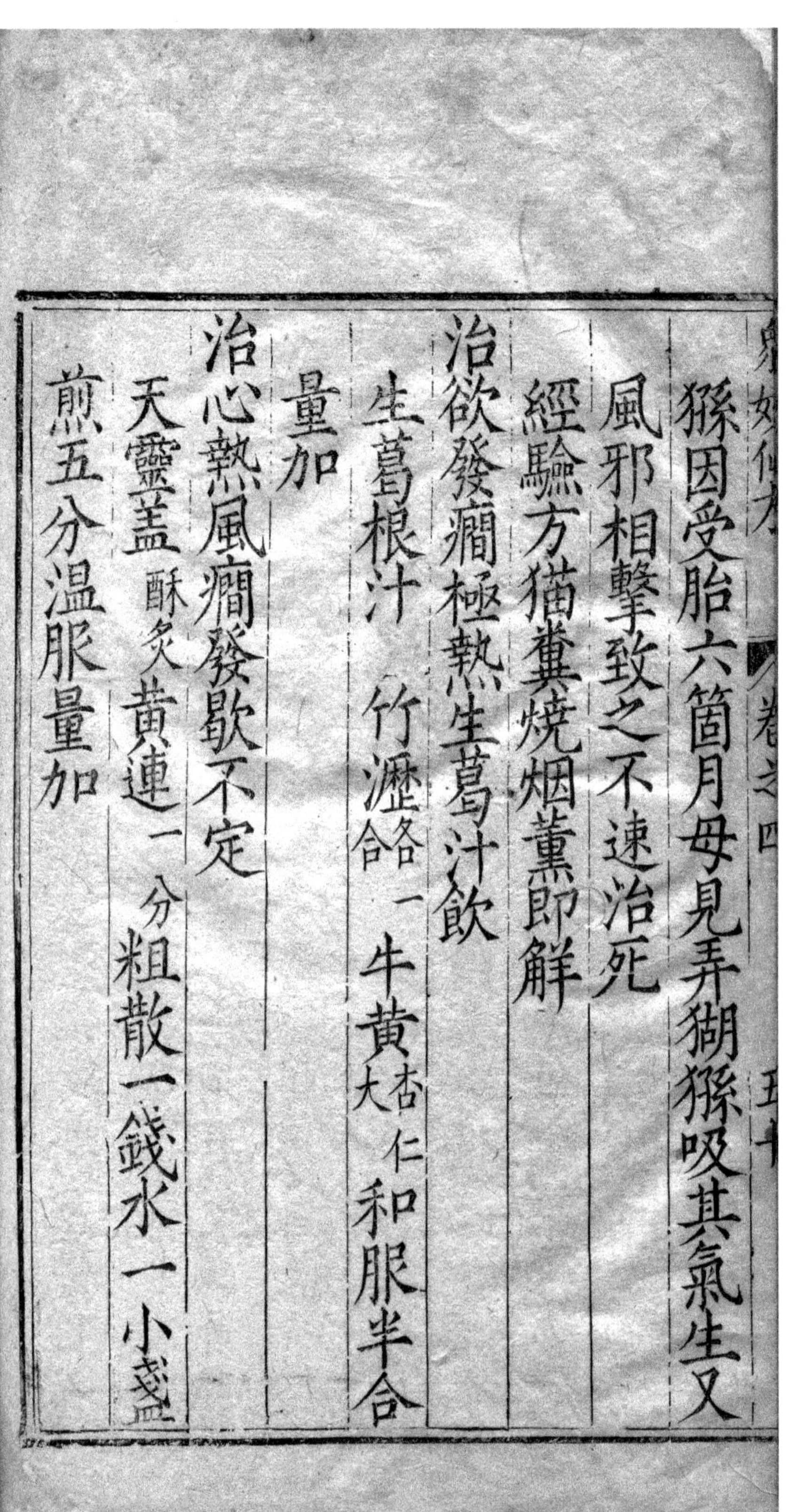

猻因受胎六箇月母見弄猢猻吸其氣生又風邪相擊致之不速治死

經驗方猫糞燒烟薰即解

治欲發癎極熱生葛汁飲

生葛根汁　竹瀝各一合　牛黃杏仁大　和服半合量加

治心熱風癎發歇不定

天靈盖酥炙　黃連一分　粗散一錢水一小盞煎五分温服量加

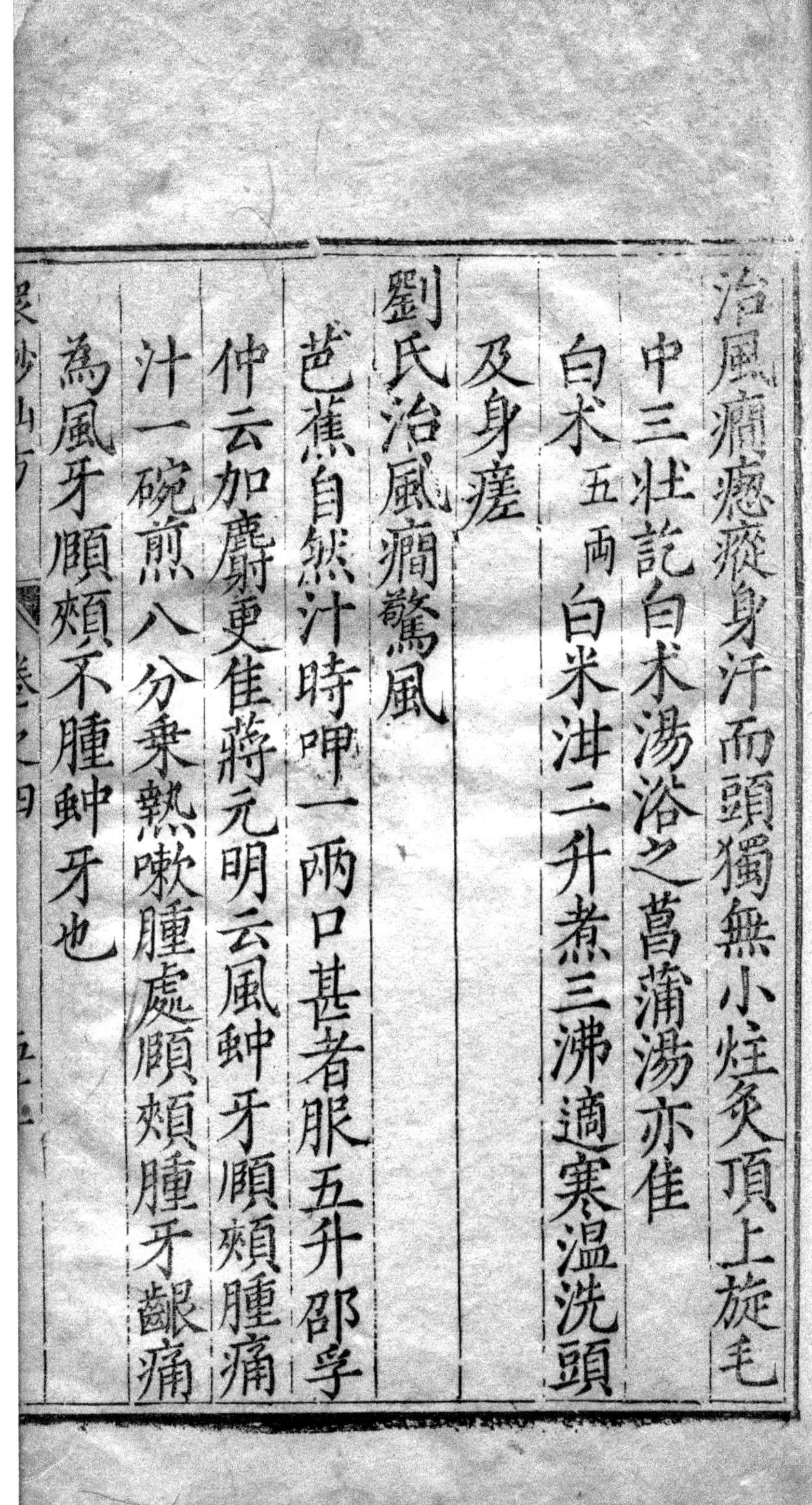

治風癇瘛瘲身汗而頭獨無小炷灸頂上旋毛
中三壯訖白朮湯浴之菖蒲湯亦佳
白朮五兩 白米泔二升煮三沸適寒溫洗頭
及身瘥

劉氏治風癇驚風
芭蕉自然汁時呷一兩口甚者服五升邵孚
仲云加麝更佳蔣元明云風蚛牙頤頰腫痛
汁一碗煎八分乘熱嗽腫處頤頰腫牙齦痛
為風牙頤頰不腫蚛牙也

兒驚怖大啼精神傷動氣脉不定因驚成癎
猪齒燒灰服半錢幷治蛇咬蛇黄水煮服汁
治中風目眩羸瘦驚癎五勞手足無力白羊頭
一枚蒸極熟細切五味汁食或作鱠入五辛
醬醋
治中風癱緩一日内　牗礬研如麵服一字温
醋湯下吐涎漸輕
治兒中風牙關不開
天南星一箇煨熟紙裹角剪雞豆大一竅透

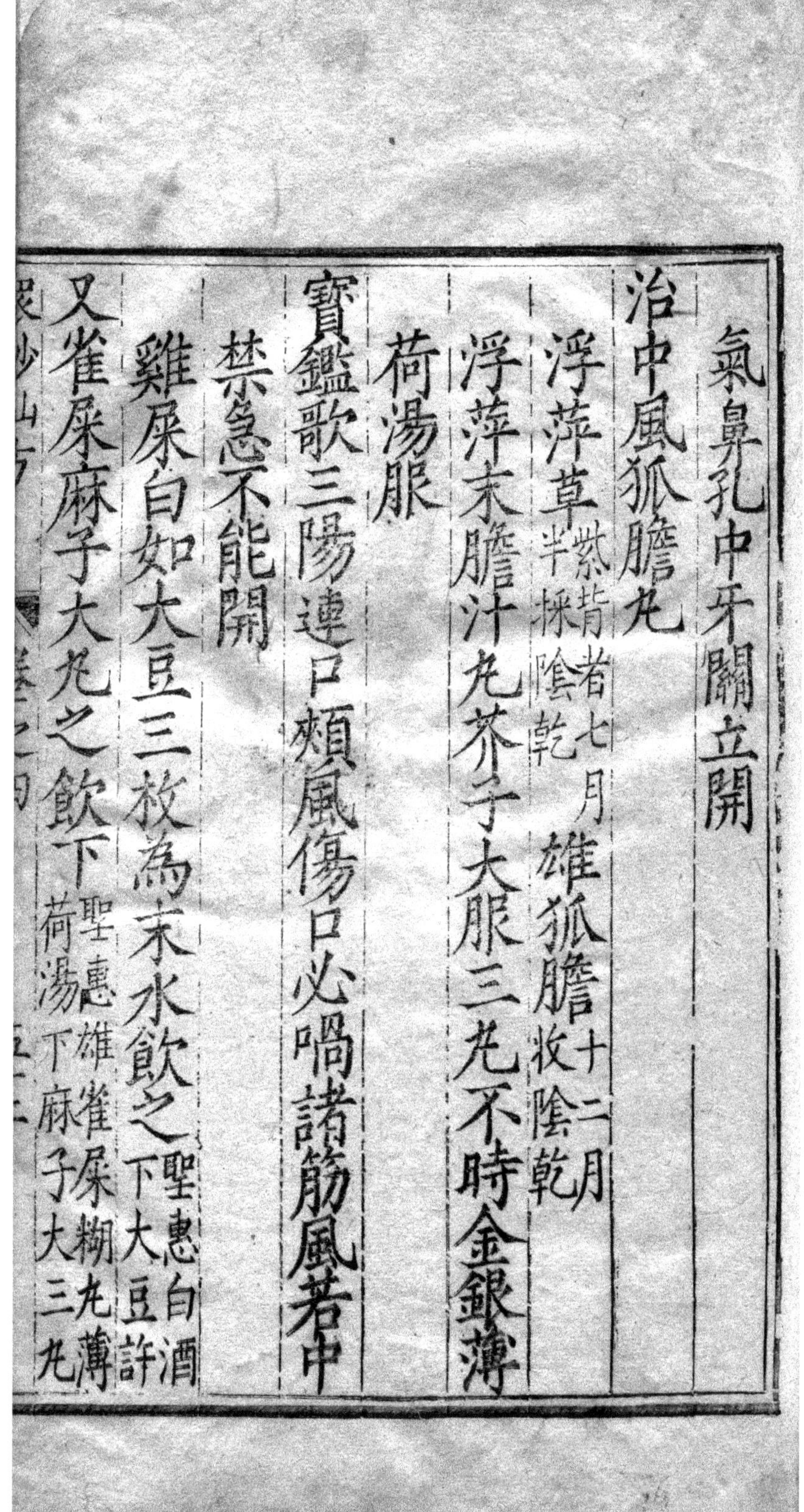

氣鼻孔中牙關立開

治中風狐膽丸

浮萍草紫背者七月半採陰乾　雄狐膽十二月收陰乾

浮萍末膽汁丸芥子大服三丸不時金銀薄

荷湯服

寶鑑歌三陽連口頰風傷口必喎諸筋風若中

禁急不能開

雞屎白如大豆三枚為末水飲之聖惠白酒下大豆許

又雀屎麻子大丸之飲下聖惠雄雀屎糊丸薄荷湯下麻子大三丸

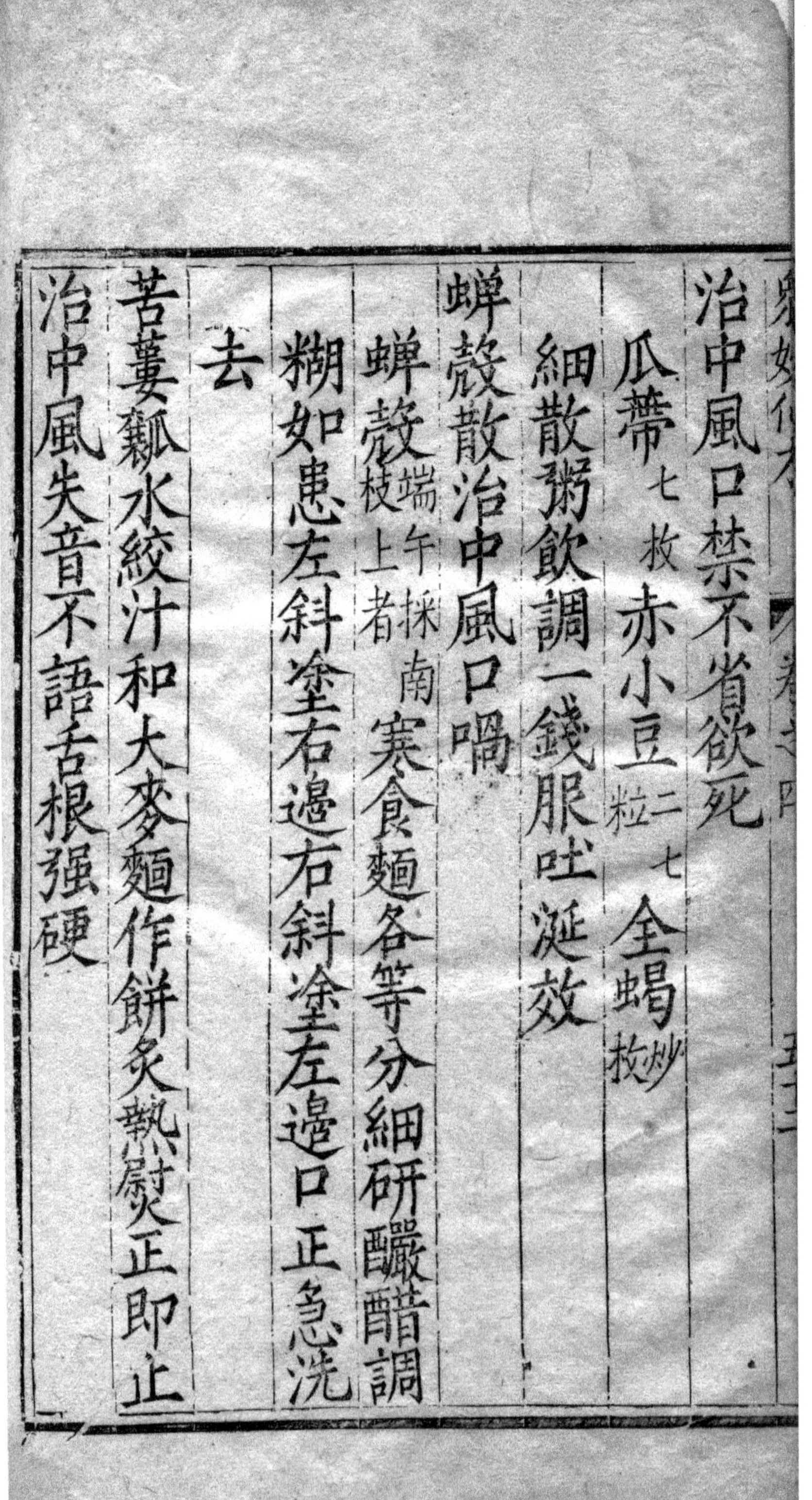

治中風口禁不省欲死

瓜蔕七枚　赤小豆二七粒　全蝎炒枚

細散粥飲調一錢服吐涎效

蟬殼散治中風口喎

蟬殼端午採南枝上者　寒食麵各等分細研釅醋調

糊如患左斜塗右邊右斜塗左邊口正急洗

去

苦蔞瓤水絞汁和大麥麵作餅炙熱熨正即止

治中風失音不語舌根強硬

陳醬汁半合人乳二合和少與服

又秦白皮一升煎湯澄清浴瘥冷洗赤眼亦効

竹瀝葛根湯治壯熱發疹

竹瀝升二合 生葛汁五合 牛黃三黑豆許入汁内

月内兒服半合四五歲作四服

兒氣急喫乳不得身溫熱鼻塞此因顖未合母抱睡鼻氣衝著顖故鼻塞葱涎膏塗顖後磨鎮心丸氣通愈

貼顖葱涎膏 猪牙皂莢 天南星 赤小荳

等分為末葱汁塗顖次塗鼻孔

無惜散治夾驚傷寒

紫背浮萍一錢　犀角五分　鈎藤鈎三七箇

為末五分蜜水調服連進三服汗為度常服

佳

治嗽　紫菀六分　貝母二分　款冬花一分

擣散服如豆大著乳頭䴴之日三四勿食大

鹹醋聖惠清粥飲調一字

貝母散　貝母半兩每箇麩炒爆

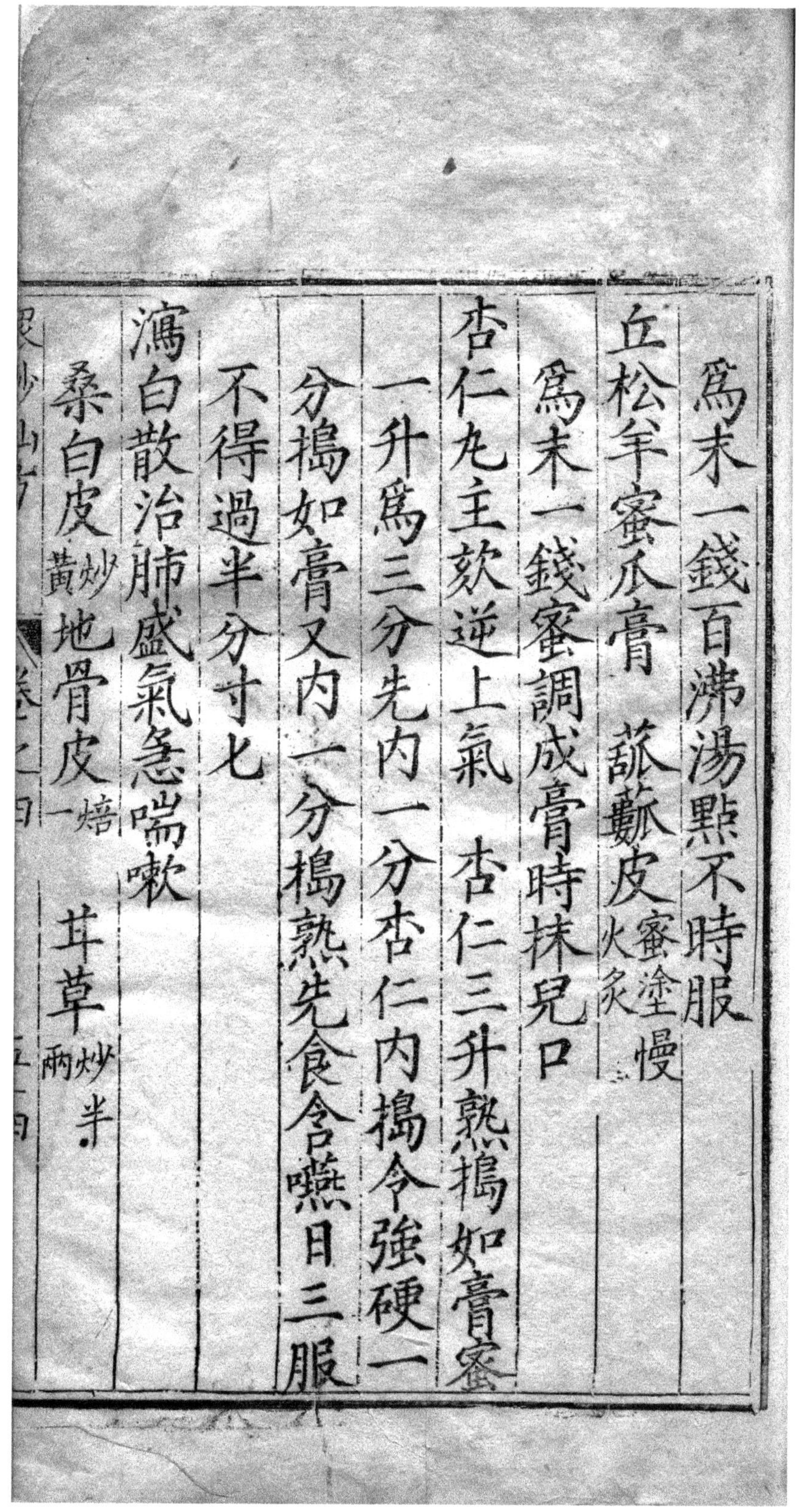

爲末一錢百沸湯點不時服

丘松年蜜瓜膏　菰𧄍皮蜜塗慢火炙

爲末一錢蜜調成膏時抹兒口

杏仁丸主欬逆上氣　杏仁三升熟搗如膏蜜一升爲三分先內一分杏仁內搗令強硬一分搗如膏又內一分搗熟先食含嚥日三服不得過半分寸匕

瀉白散治肺盛氣急喘嗽

桑白皮炒黃　地骨皮焙一　甘草炒半兩

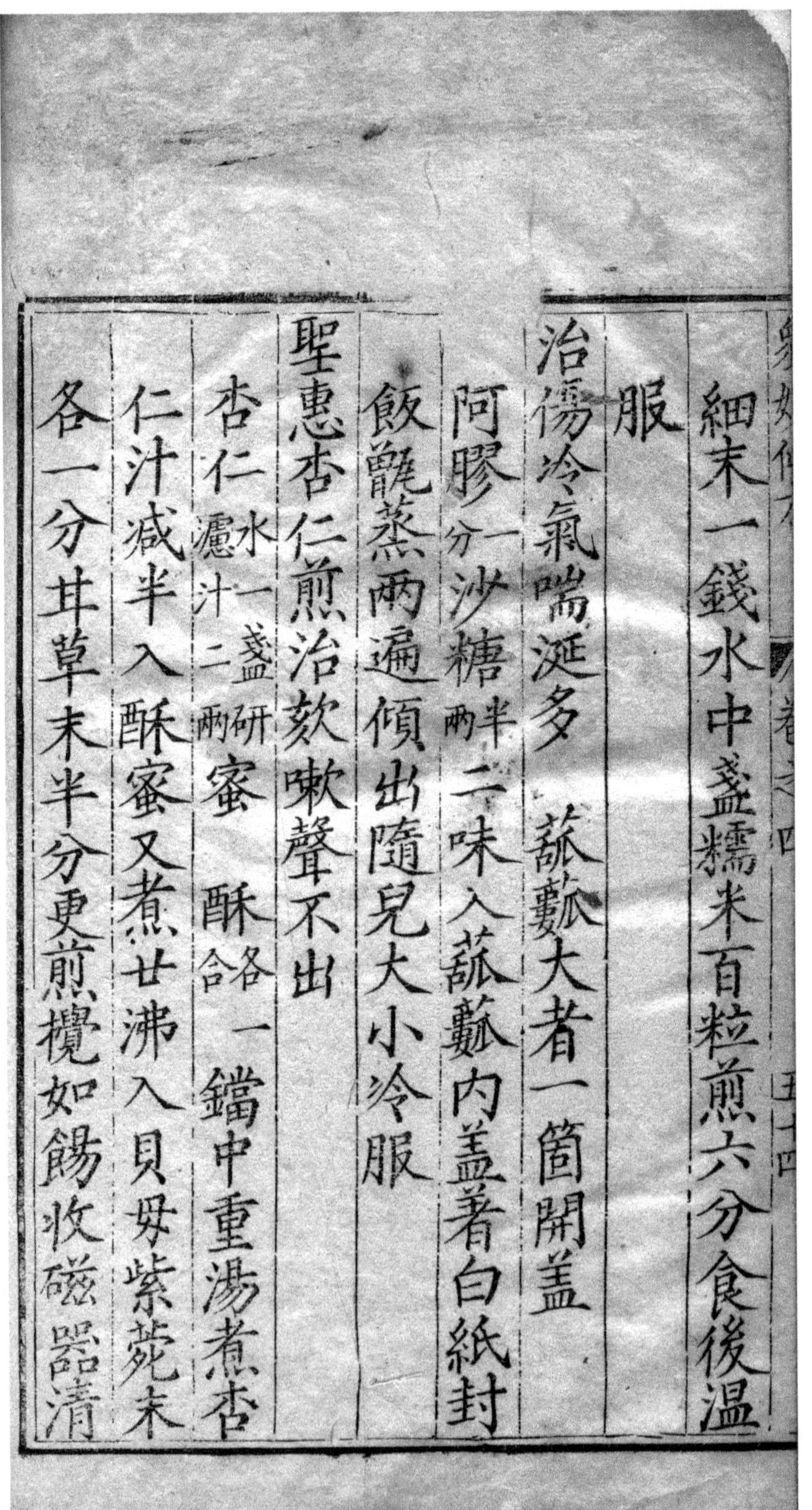

細末一錢水中盞糯米百粒煎六分食後温服

治傷冷氣喘涎多　葫蘆大者一箇開盖阿膠一分沙糖半兩二味入葫蘆内盖着白紙封飯甑蒸兩遍傾出隨兒大小冷服

聖惠杏仁煎治欬嗽聲不出

杏仁水一盞研濾汁二兩蜜　酥各一合　一鐺中重湯煮杏仁汁减半入酥蜜又煮廿沸入貝母紫菀末各一分甘草末半分更煎攪如餳收磁器清

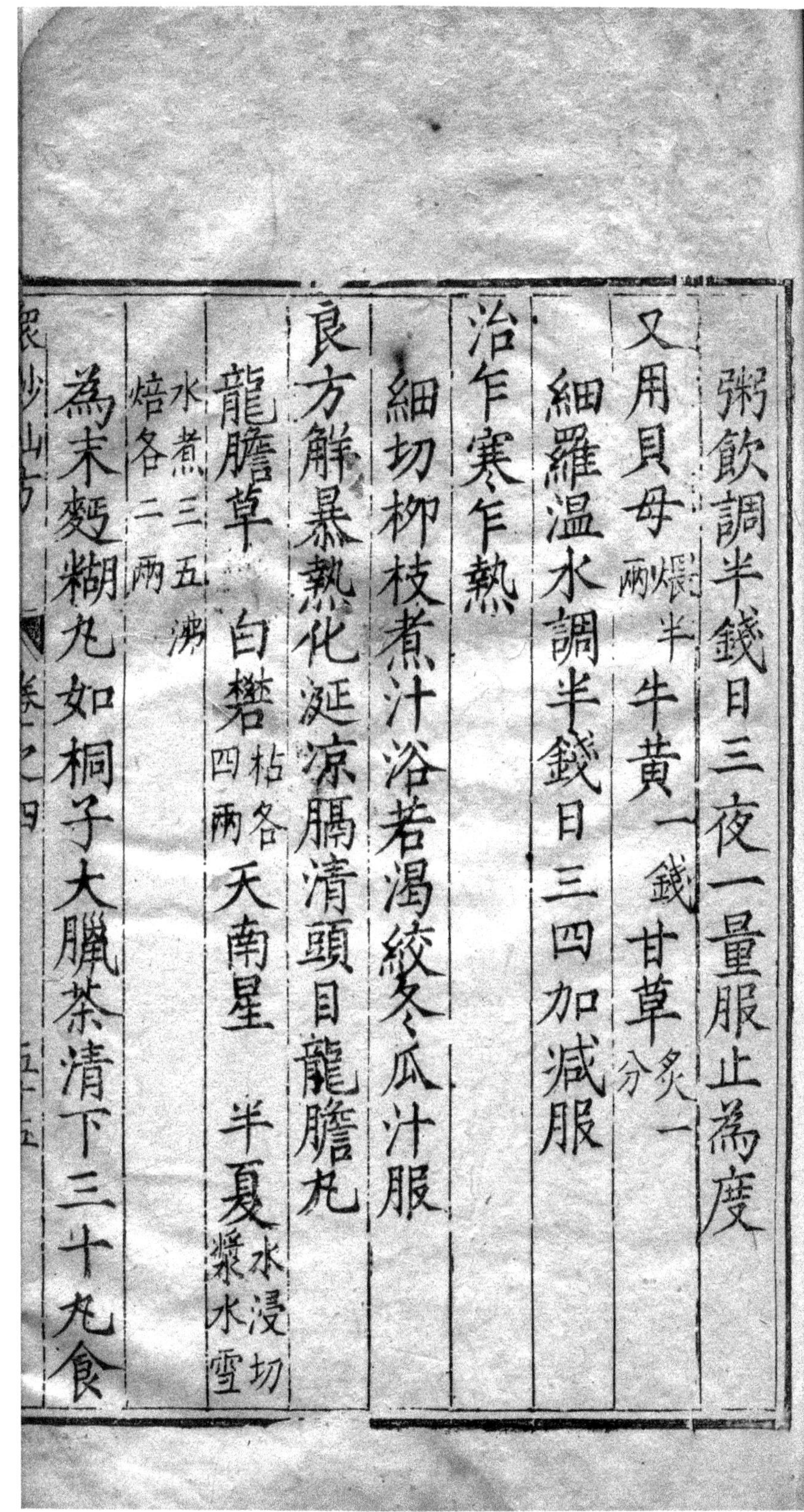

粥飲調半錢日三夜一量服止爲度

又用貝母煨半兩 牛黄一錢 甘草炙一分

細羅温水調半錢日三四加減服

治乍寒乍熱

細切柳枝煮汁浴若渴絞冬瓜汁服

良方解暴熱化涎凉膈清頭目龍膽丸

龍膽草水煮三五沸焙各二兩 白礬枯各四兩 天南星 半夏水浸切漿水雪

爲末麪糊丸如桐子大臘茶清下三十丸食

衆妙仙方　卷之四　五十五

後臨臥糊稀如濃漿如痰壅膈熱頭目昏重服之頓清嶺南瘴毒纔覺意思昏悶速服便解咽喉腫痛口舌生瘡凡上壅熱涎諸證悉宜兒尤良

紀用經主兒百病消風涼肌解熱止煩不生瘡癤除寒熱痰嗽赤目咽痛血痢渴躁長肌肉利心肺涼而有補身體有疥膿潰赤腫悉療

蜀脂飲

蜀脂黄蓍也炙生隴西即陽者大焦色黄白甘美生白水者冷補惟隴西者最佳皮

赤主消磨腫出原寧宜州者甘草四分
亦佳折之不斷者綿爲上 之上

末方寸匕水一升煎三分三服温凉適性以

歲加减保孚七聖至寶之一

治心藏風熱昏憒躁悶不下食梨湯粥

梨三枚粳米一合水二升煮梨汁一盞去滓

投米煮粥淡竹葉菌陳亦可煮粥

兒風熱肌瘦五心煩熱不長肌肉面黄瘻瘦夜

卧不安時發虚汗或藏府泄瀉變痢四順散

銀州柴胡　地骨皮　白桔梗各三錢　甘草炙半錢

焙末一錢加減水三分煎分半溫服

陶隱居去煩熱驚風　景天葉煎湯浴

治心藏積熱煩躁恍惚牛旁粥

粳米一合水一大盞煮粥臨熟投牛旁根汁

一合攪勻空腹溫食

治心熱口氣溫或合面睡及上竄咬牙皆心熱

導赤散　生地　木通　甘草炙

等分為末三錢水一盞竹葉煎五分食後溫

服一無甘草用黃芩

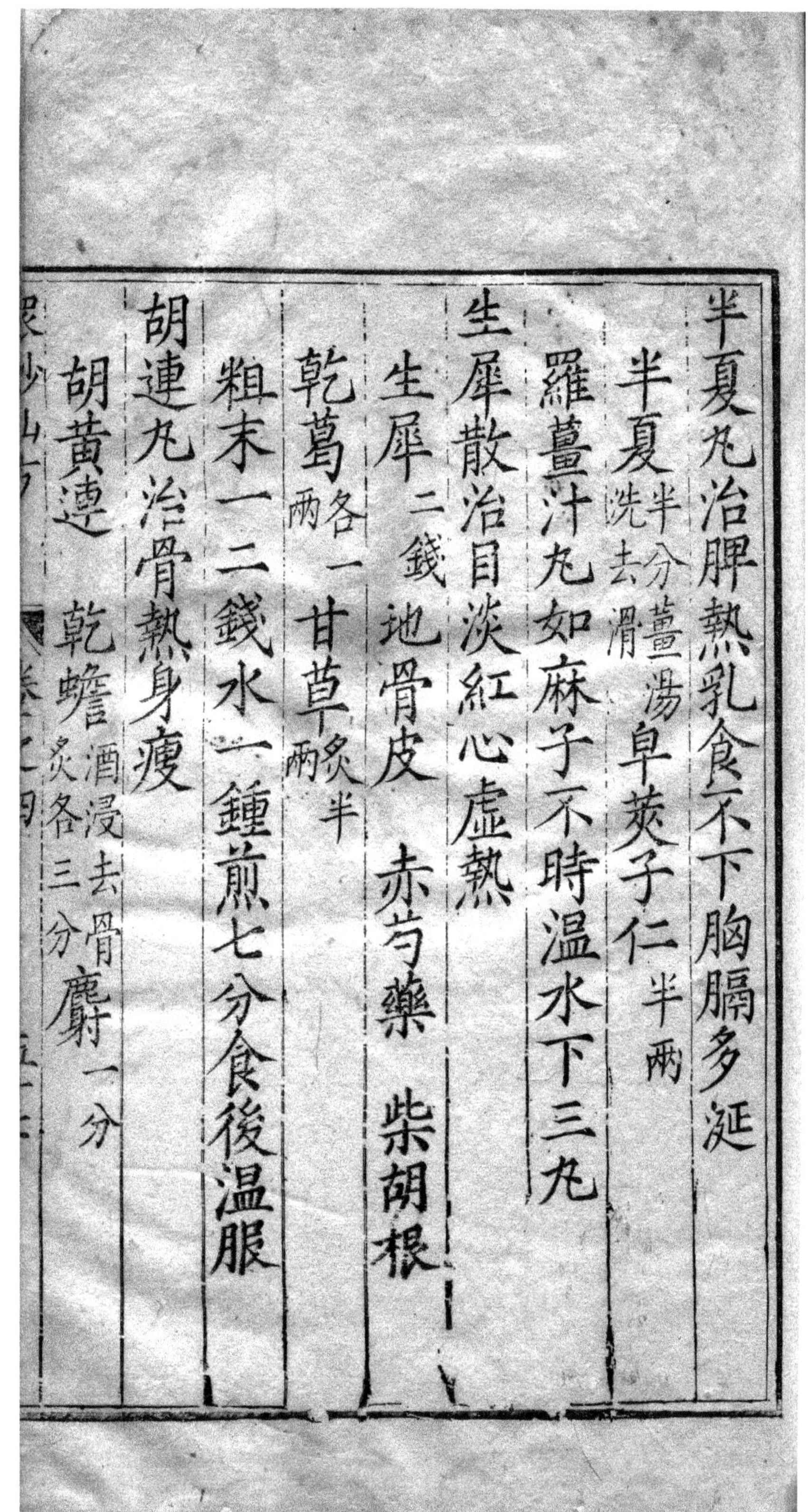

半夏丸治脾熱乳食不下胸膈多涎

半夏半分薑湯洗去滑　皁莢子仁半兩

羅薑汁丸如麻子不時温水下三丸

生犀散治目淡紅心虛熱

生犀二錢　地骨皮　赤芍藥　柴胡根

乾葛各一兩　甘草炙半兩

粗末一二錢水一鍾煎七分食後温服

胡連丸治骨熱身瘦

胡黃連　乾蟾酒浸去骨炙各三分　麝一分

羅末蜜丸如菉豆大粥飲下五丸日三四更

量兒

張氏治骨熱體瘦面痿黃臍腹時痛胸膈滿悶

不食常服退黃長肌進食解虛勞行滯氣利

關節猪肚丸 任氏多青蒿

南木香半兩 宣黃連 生地黃 青橘皮

銀柴胡 鼈甲童便炙各二兩

細末猪肚一箇盛藥緊繫慢火煮擣極爛丸

如麻子大服二三十丸温米飲下日二三食

前後皆可

治骨蒸熱黄瘦虗汗欬嗽心怯日久不已硃砂

茈胡丸

硃砂飛一兩　茈胡

細末猪膽汁和濕入磁器炊飯甑上蒸至

飯熟出急丸如小豆空心臨卧桃仁烏梅湯

冷下十丸

莊氏治肌熱盗汗不思飲食茈胡飲

茈胡　青蒿　嫩桃柳枝各陰乾　甘草炙

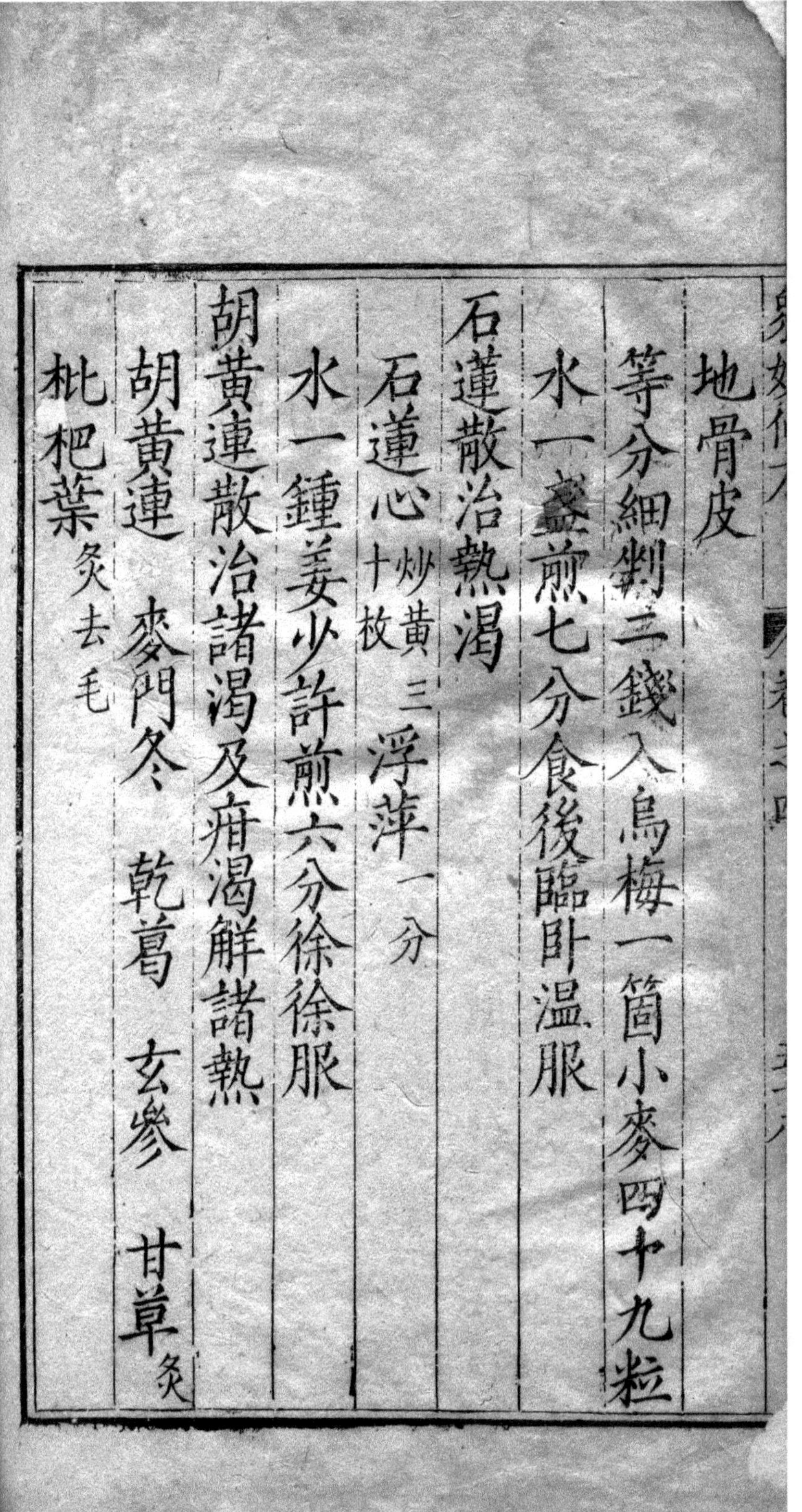

地骨皮

等分細剉三錢入烏梅一箇小麥四十九粒

水一盞煎七分食後臨卧温服

石蓮散治熱渴

石蓮心 炒黄 三十枚　浮萍 一分

水一鍾姜少許煎六分徐徐服

胡黄連散治諸渴及疳渴解諸熱

胡黄連　麥門冬　乾葛　玄參　甘草 炙

枇杷葉 炙去毛

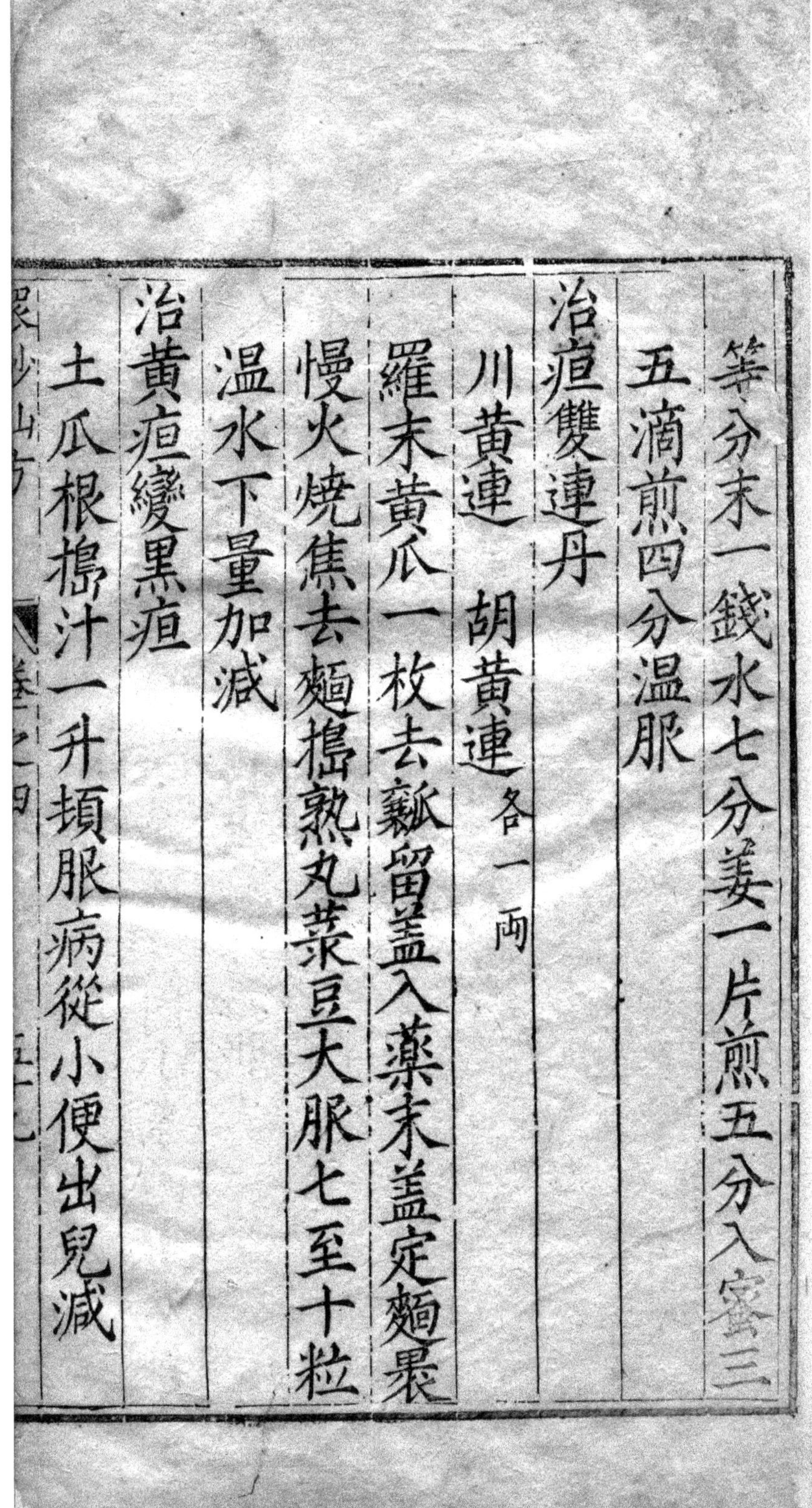

等分末一錢水七分姜一片煎五分入蜜三
五滴煎四分温服

治疸雙連丹

川黄連　胡黄連各一两

羅末黄瓜一枚去瓤留盖入藥末盖定麵裹
慢火燒焦去麵擣熟丸菉豆大服七至十粒
温水下量加減

治黄疸變黑疸

土瓜根擣汁一升頓服病從小便出見減

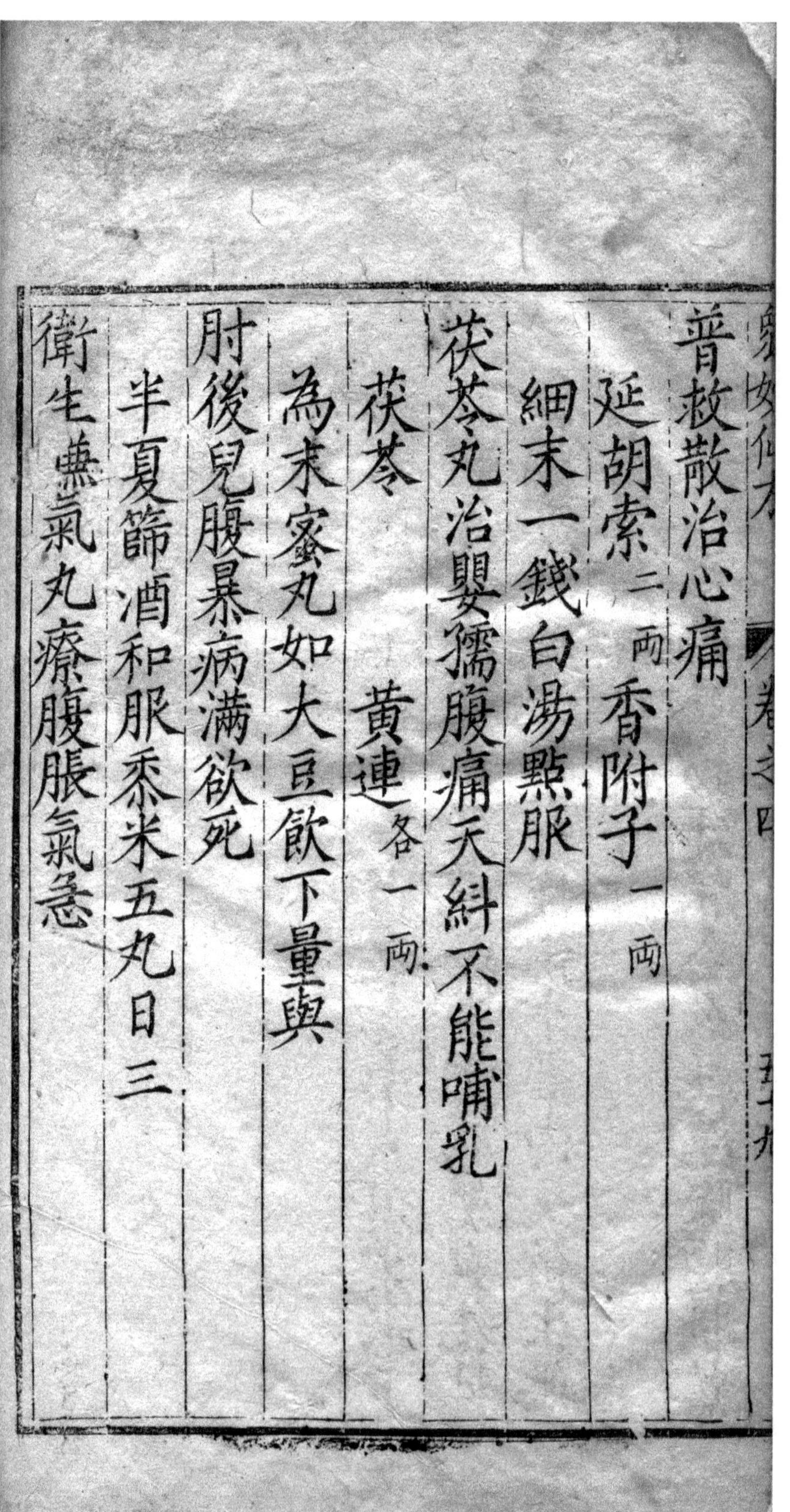

普救散治心痛

延胡索二兩　香附子一兩

細末一錢白湯點服

茯苓丸治嬰孺腹痛夭糾不能哺乳

茯苓　黃連各一兩

為末蜜丸如大豆飲下量與

肘後兒腹暴病滿欲死

半夏篩酒和服黍米五丸日三

衛生蠱氣丸療腹脹氣急

蘿蔔子半兩巴豆肉破同炒黑　木香一分

細末蒸餅心丸如菉豆橘湯下五丸

治胃虛去風醒脾

冬瓜子二十一粒　天南星一錢

為末蒸餅心丸菉豆大五七至十丸溫漿水下

治氣癖　三稜汁作羹粥以米麵為之與乳母食兒每日服一棗大作粥十歲內及新生無問癇熱無辜痃癖皆理

治痞滿　三白草絞汁服令人吐逆除胸膈熱

亦主瘧兒痞滿按此草初不白入夏葉端半
白如粉農人候之蒔田三葉草白便秀

安神導氣消酒食益脾胃老小皆宜

青皮一斤浸三日日三換味出去瓤切　上白鹽花再淋煎晒雪白五兩
甘草炙六兩　新舶上茴香四兩
甜水一斗鍋熬不住攪勿著底置瓷器水畫
慢火炒勿焦收青皮傷生冷果菜類嚼數片
常服一兩片尤宜老人

治風疳順肝氣進飲食蘆薈丸

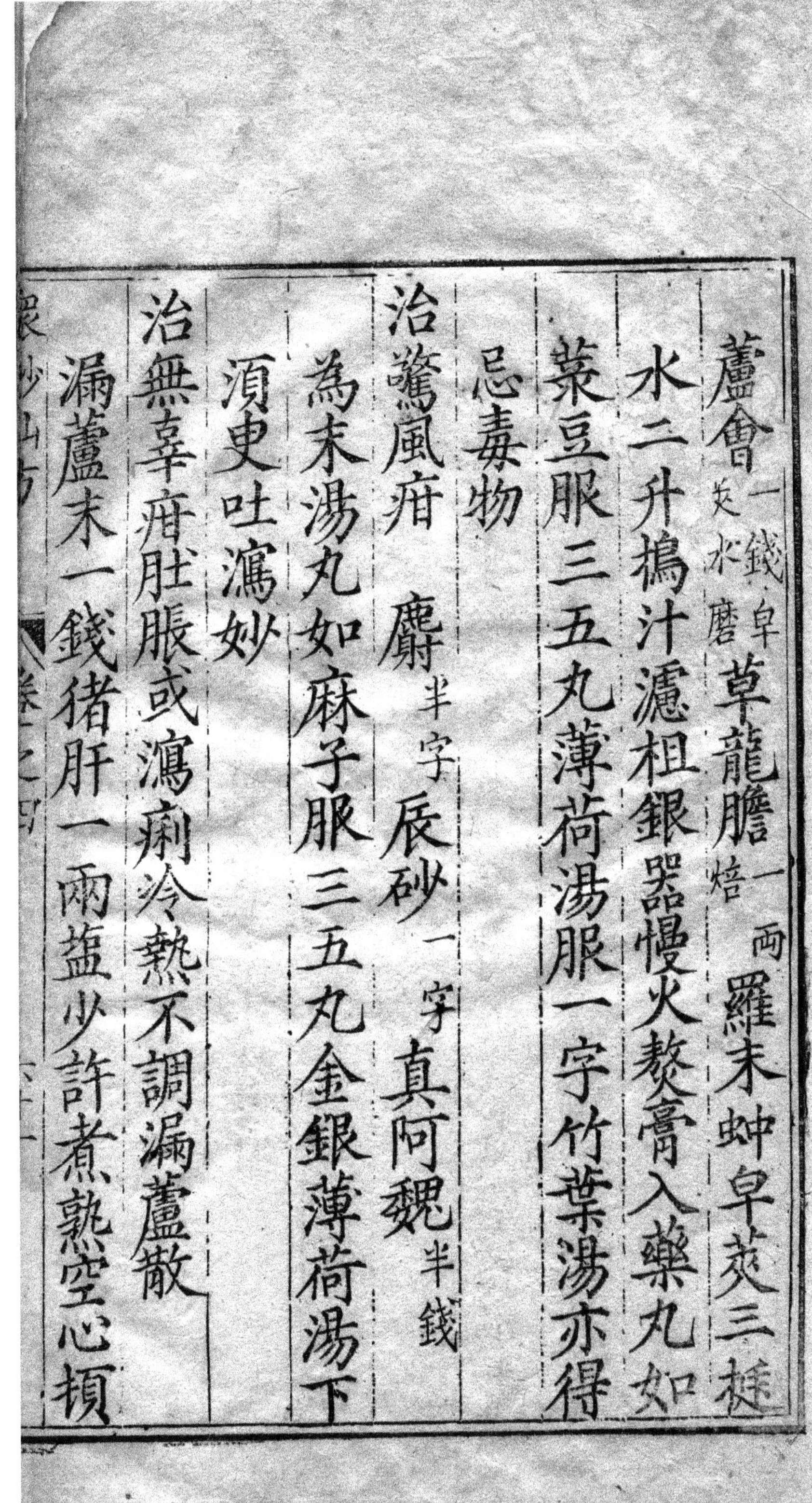

蘆會一錢皁莢水磨草龍膽一兩焙羅末蚛皁莢三梃

水二升搗汁濾粗銀器慢火熬膏入藥丸如

菉豆服三五丸薄荷湯服一字竹葉湯亦得

忌毒物

治驚風疳　麝半字　辰砂一字　真阿魏半錢

為末湯丸如麻子服三五丸金銀薄荷湯下

須臾吐瀉妙

治無辜疳肚脹或瀉痢冷熱不調漏蘆散

漏蘆末一錢猪肝一兩鹽少許煮熟空心頓

服粥飲下　一有楮根白皮丸服又雞肝末服

治一切疳久服令兒肥壯無疾千金丸

川楝子肉　川芎　等分豬膽汁和杵丸如麻子大量兒飲吞日日常服三五丸張氏用硃砂青黛白定粉光墨蜜陀僧名五色丸非時米飲下治疳熱下蟲用臘月乾豬膽膏丸如乾湯化肉湯下疳蟲如髮稍遲便化

殺疳令肥保真丸　大蝙蝠一箇鑵內煆存性入麝少許粳米飯丸如黍湯下三丸

毛世顯瘖藥　牛膽釀五靈脂研再用膽汁丸
米飲下五七丸
肺瘖兒喫熱食及病嫉傷心肺便喘嗽醫不辨
冷熱以藥攻之變成黄腫漸覺昏沉杏仁散
杏仁二七箇　甘草　款冬花各二錢　麝　胡黄連
各一錢　半夏湯洗七次半兩
為末一字棗湯調下日二
丁左藏治瘖定命散
白礬　緑礬　等分研一錢大麥麪五錢姜

葱一寸研爛麵和餅裹藥文武火燒存性地坑出火毒一宿研入鉛霜二錢一剜耳許揩牙一二遍

治鼻口疳蝕生瘡黃瘦不食

石膽 蘆會 等分撒糝蝕處肉化膿頻糝即生肉亦不別損

治眼疳 羯羊肝一具 决明子一兩 羅决明糝肝内米泔兩碗煮汁盡不時食前後任意食

水鑑三歲兒多睡卧合面地是腦疳

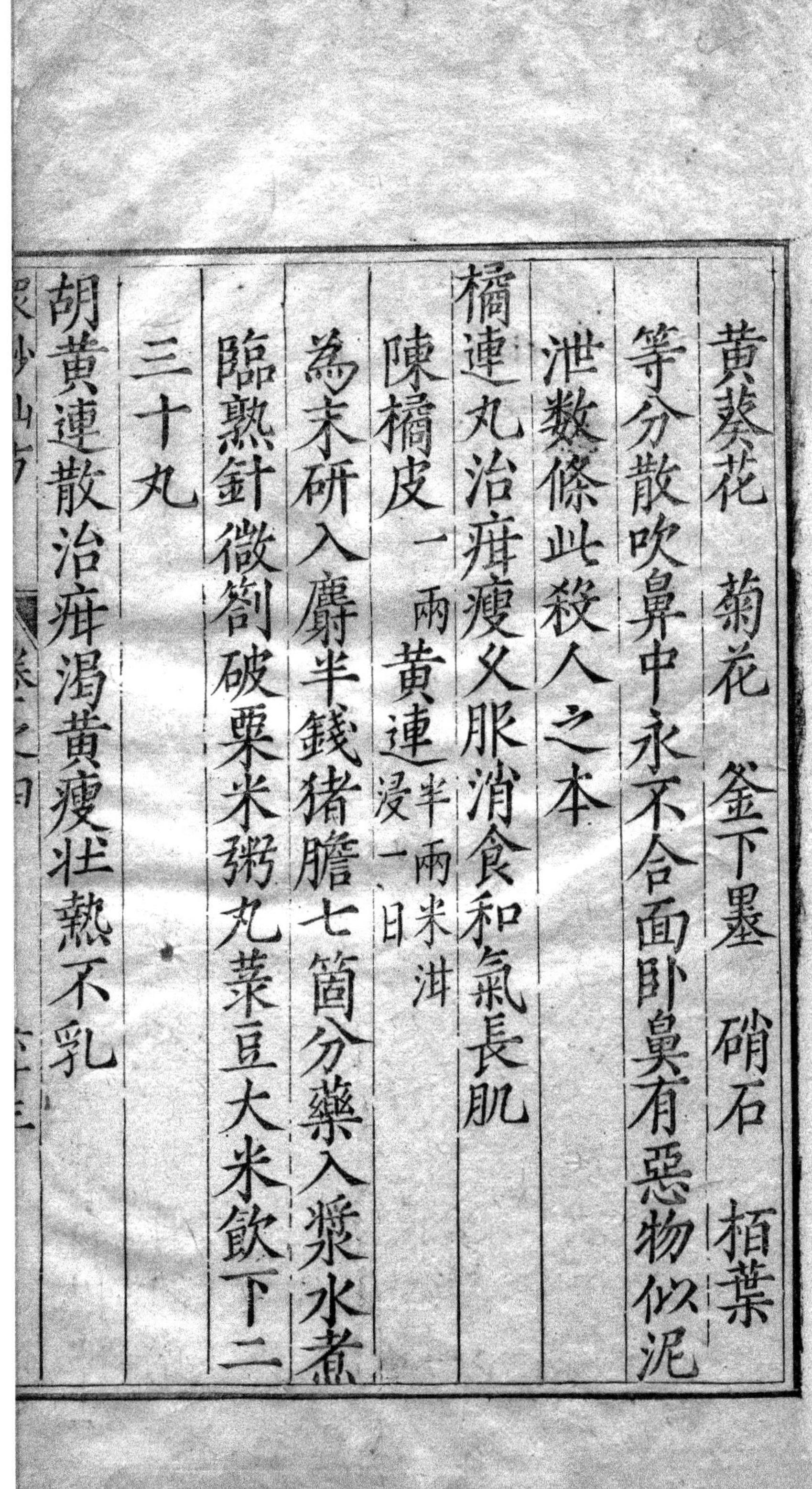

黄葵花　菊花　釜下墨　硝石　栢葉

等分散吹鼻中永不合面卧鼻有惡物似泥

泄數條此殺人之本

橘連丸治疳瘦久服消食和氣長肌

陳橘皮一兩　黄連半兩米泔浸一日

爲末研入麝半錢猪膽七箇分藥入漿水煮

臨熟針微劄破粟米粥丸菉豆大米飲下二

三十丸

胡黄連散治疳渴黄瘦壯熱不乳

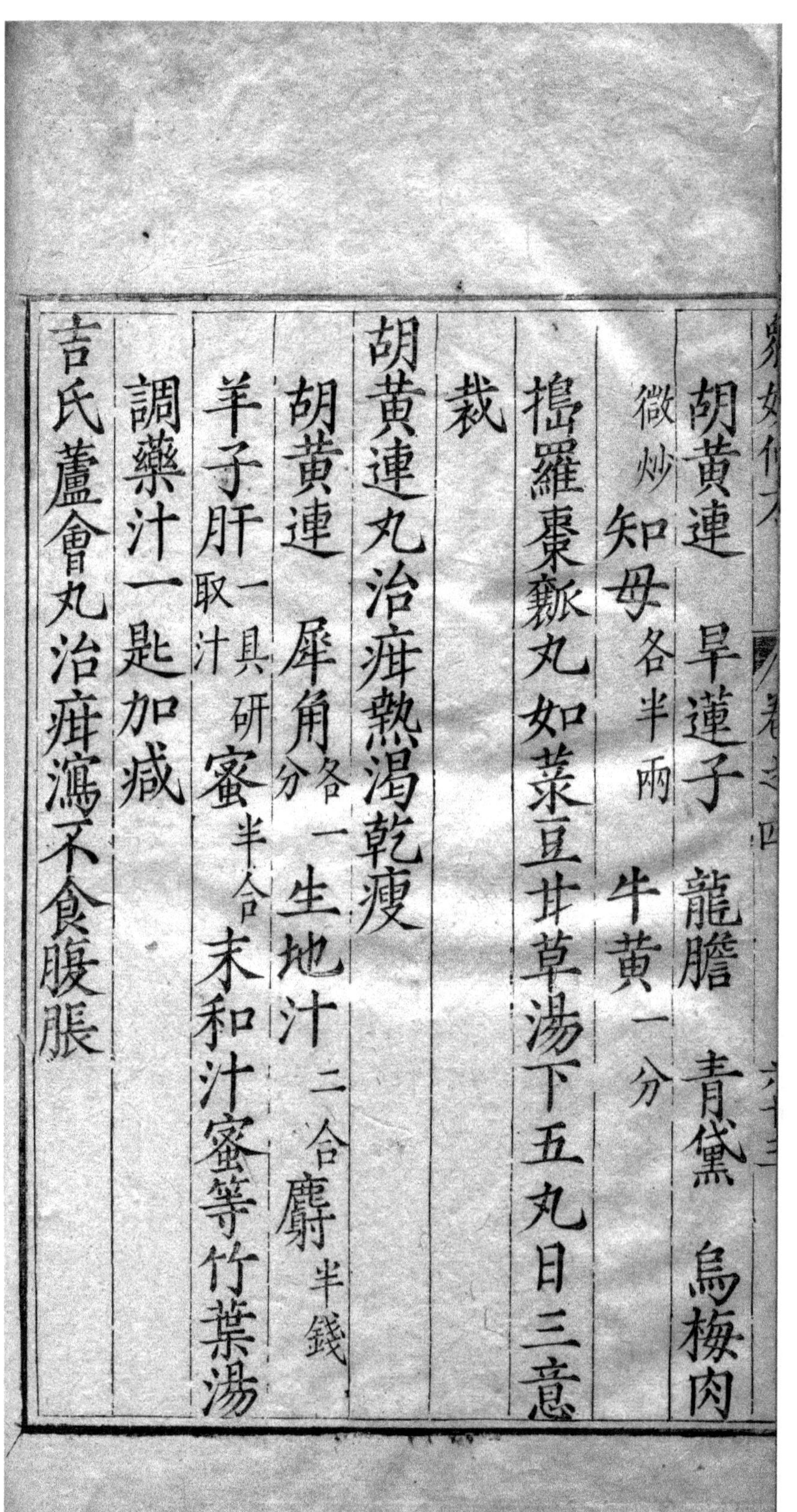

胡黄連　旱蓮子　龍膽　青黛　烏梅肉微炒　知母各半兩　牛黄一分

搗羅棗瓤丸如菉豆甘草湯下五丸日三意裁

胡黄連丸治疳熱渴乾瘦

胡黄連　犀角各一分　生地汁二合　麝半錢

羊子肝一具研取汁　蜜半合　末和汁蜜等竹葉湯調藥汁一匙加减

吉氏蘆會丸治疳瀉不食腹脹

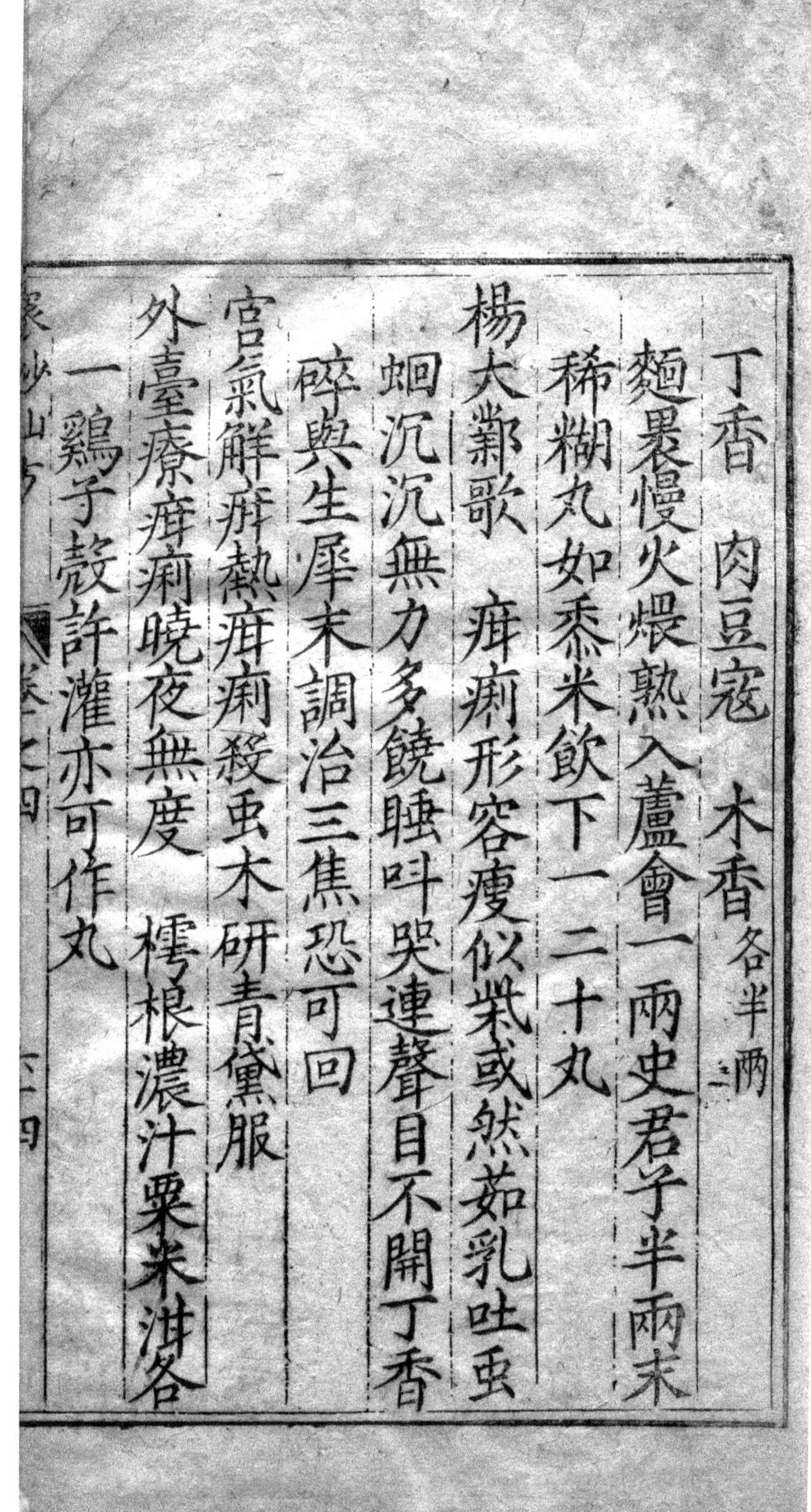

丁香　肉豆寇　木香各半兩

麵裹慢火煨熟入蘆薈一兩史君子半兩末

稀糊丸如黍米飲下一二十丸

楊大鄴歌　疳痢形容瘦似柴或然茹乳吐虫

蛔沉沉無力多饒睡呌哭連聲目不開丁香

碎與生犀末調治三焦恐可回

宫氣觧疳熱疳痢殺虫木研青黛服

外臺療疳痢曉夜無度　樗根濃汁粟米泔各

一鷄子殼許灌亦可作丸

衆妙仙方　卷之四　六十四

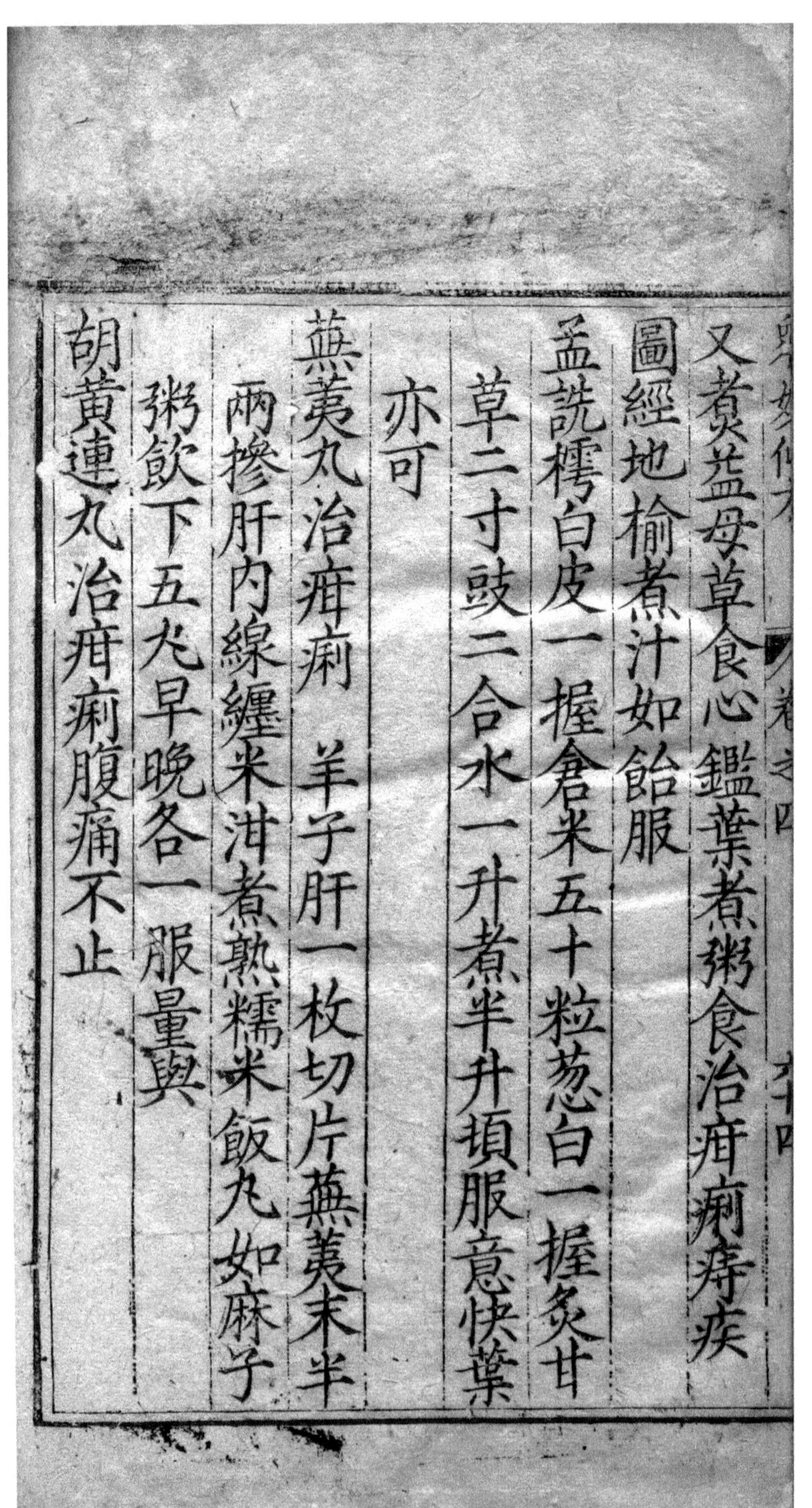

又煑益母草食心鑑葉煑粥食治痔痢痔疾

圖經地榆煑汁如飴服

孟詵穇白皮一握倉米五十粒葱白一握炙甘草二寸豉二合水一升煑半升頓服意快葉亦可

蕪荑丸治痔痢　羊子肝一枚切片蕪荑末半兩摻肝内線纏米泔煑熟糯米飯丸如麻子粥飲下五充早晚各一服量與

胡黄連丸治痔痢腹痛不止

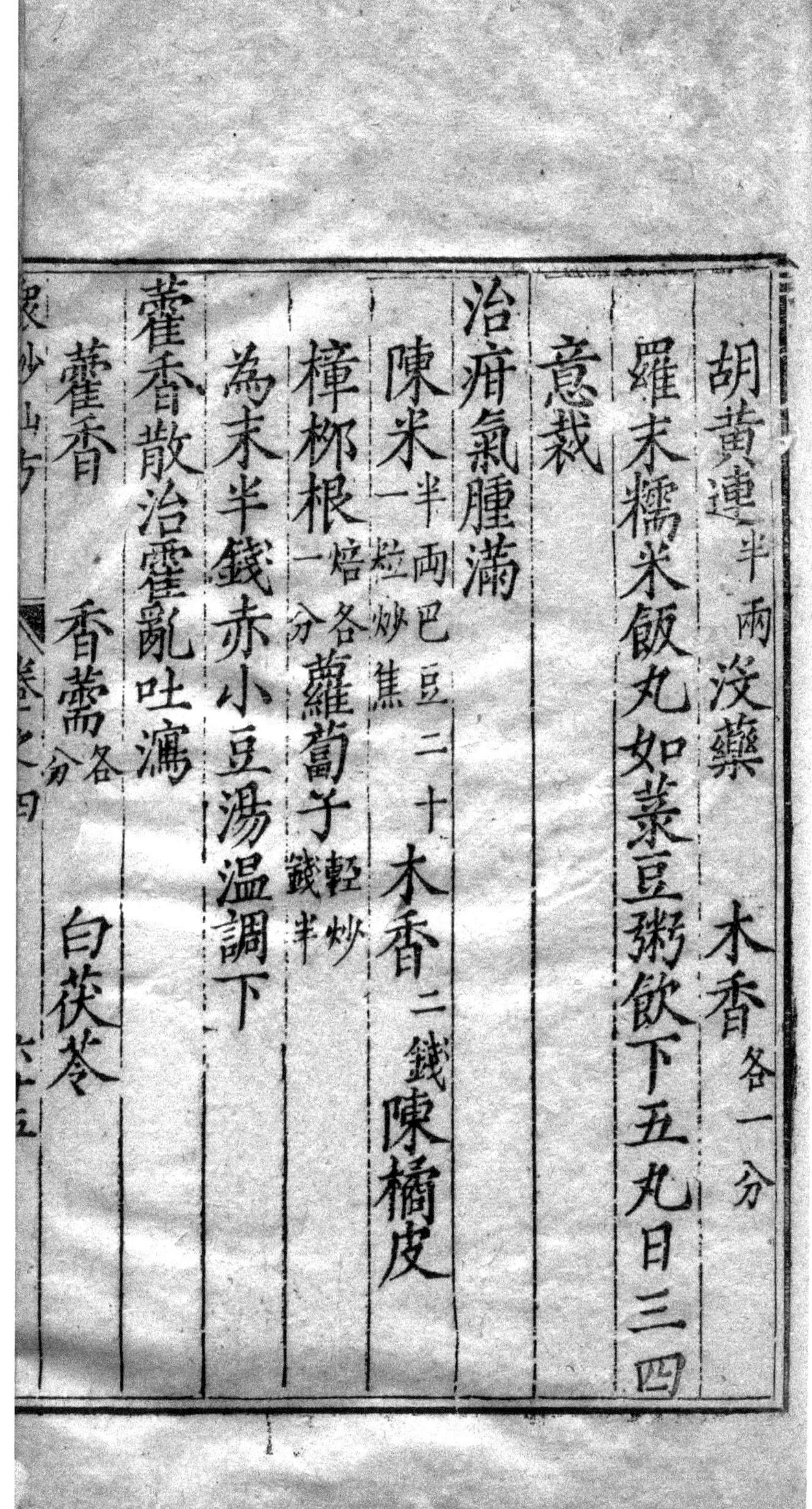

胡黃連半兩 沒藥 木香各一分

羅末糯米飯丸如菉豆粥飲下五丸日三四

意裁

治疳氣腫滿

陳米半兩 巴豆二十一粒炒焦 木香二錢 陳橘皮

樟栁根焙各一分 蘿蔔子輕炒半錢

爲末半錢赤小豆湯溫調下

藿香散治霍亂吐瀉

藿香 香薷各分 白茯苓

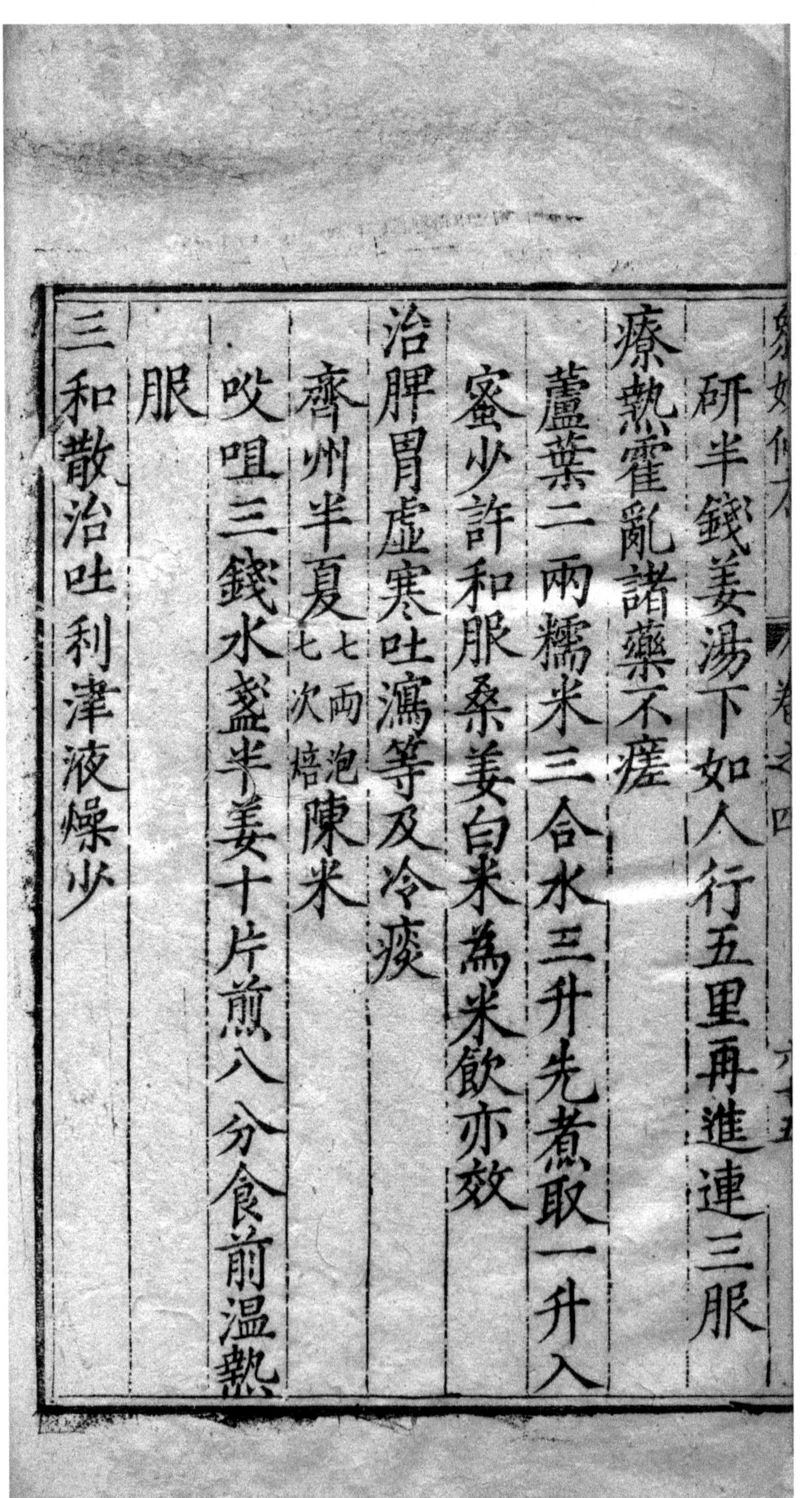

研半錢姜湯下如人行五里再進連三服

療熱霍亂諸藥不瘥

蘆葉二兩糯米三合水三升先煮取一升入蜜少許和服桑姜白米爲米飲亦效

治脾胃虛寒吐瀉等及冷痰

齊州半夏七兩泡七次焙陳米

㕮咀三錢水盞半姜十片煎八分食前温熱服

三和散治吐利津液燥少

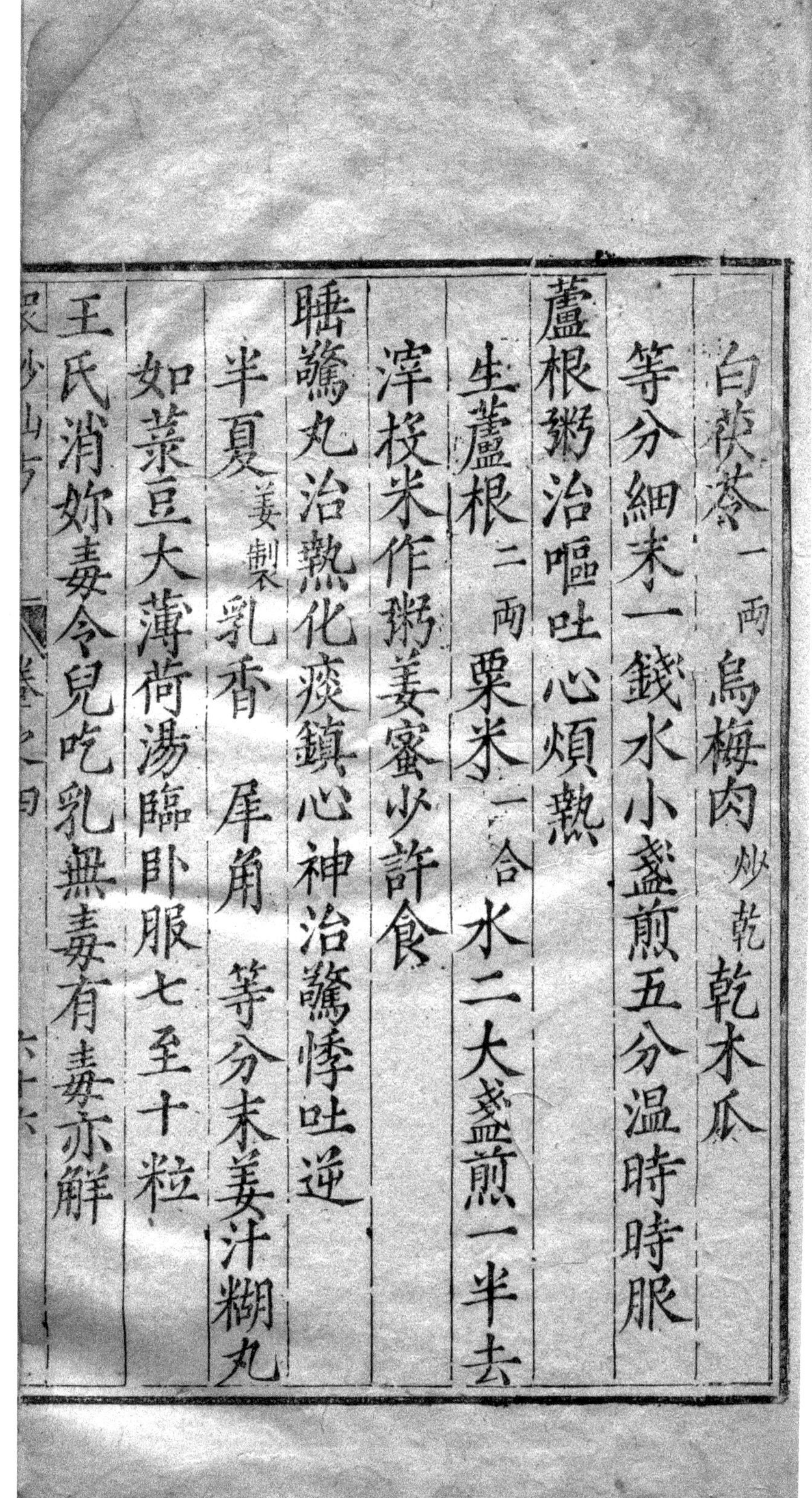

白茯苓一兩 烏梅肉炒乾 乾木瓜

等分細末一錢水小盞煎五分温時時服

蘆根粥治嘔吐心煩熱

生蘆根二兩 粟米一合 水二大盞煎一半去

滓投米作粥姜蜜少許食

睡驚丸治熱化痰鎮心神治驚悸吐逆

半夏姜製 乳香 犀角 等分末姜汁糊丸

如菉豆大薄荷湯臨卧服七至十粒

王氏消妳毒令兒吃乳無毒有毒亦解

升麻半兩 大麻子破一兩 酒浸辰與妳子喫一錢臨乳揑去些

劉氏兒水瀉下注 黃連 石蓮等分末半錢水瀉新汲水調白瀉粟米飲下

治赤白痢不止三骨散 狗骨羊骨麋骨等分燒末粥飲調半錢不時更量

治赤白痢骨立 地榆一斤水三升煮升半去滓煎如餳空腹服

療下鮮血梔子灰一錢水和服量加

治血痢腹癘痛　益母草半兩水一鍾煎五分

不時溫服

治三歲患痢初膿少血多四日膿多血少朱子

丸　生地黃汁五合羊腎脂一合煖三分服

治中結腸圖斷冷滯下赤白青色如魚腦脫肛

腹痛側栢麻子末各一升水五升煮三百沸

日服三合

圖經側栢葉焙川黃連等分煎汁服治男女小

兒大腹下黑血茶脚色或膿血如澱又殺五

藏蠱

治吐衄血白茅花一錢水一盞煎六分温服

又新綿燒灰一錢入少麝温酒調米飲亦可

觧肌丸治外搏風邪内挾痰飲寒熱往来煩渴

頰赤心忪減食熱在上焦欬嗽有血

防風　地骨皮　等分末燒沙糖丸食後嚥

蘇湯服一丸

水鑑兒遺血呼胎風人多不識上厠犯之三歲

上觧後有鮮血並服　梨一顆去心人琥珀

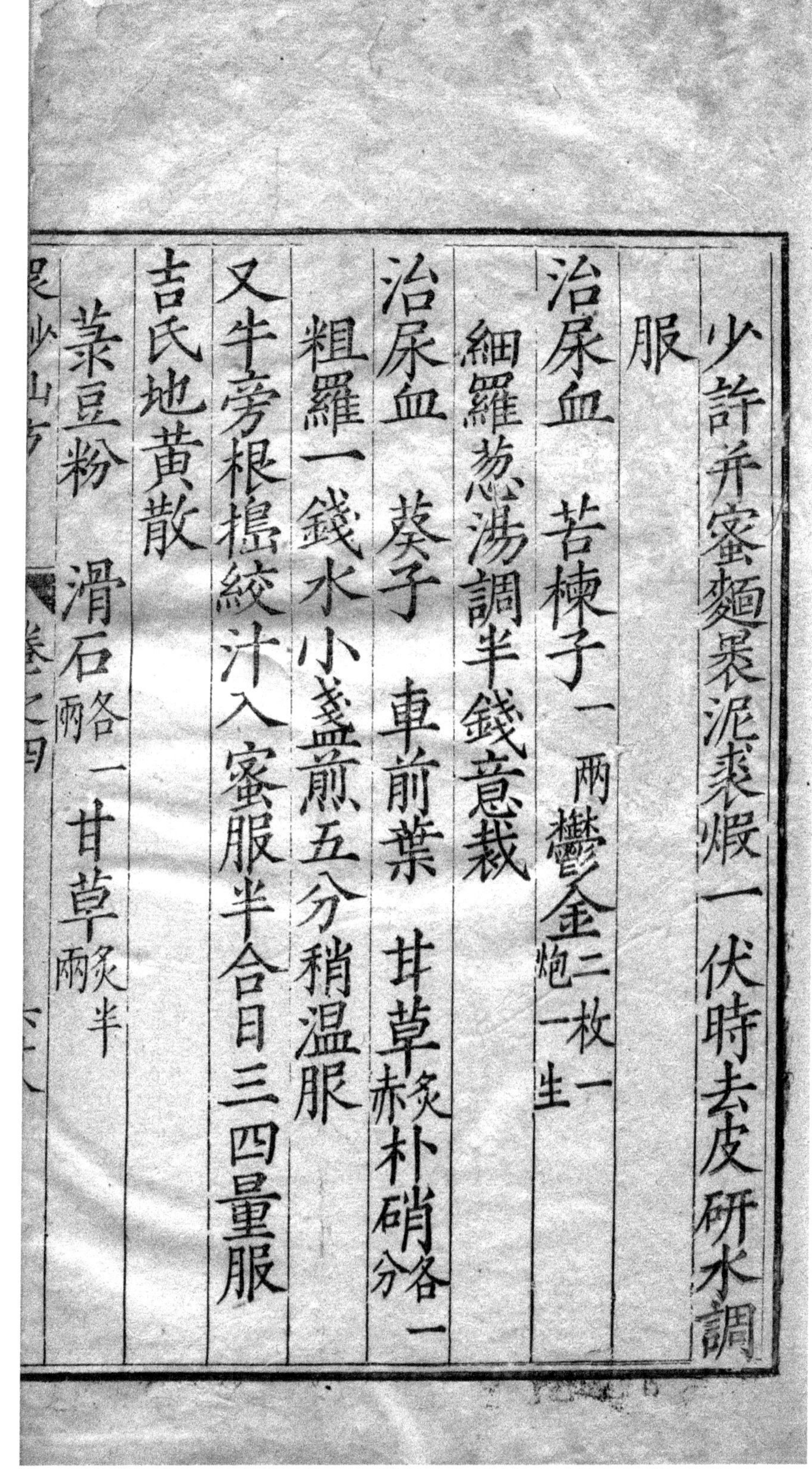

少許幷蜜麵裹泥裹煨一伏時去皮研水調服

治尿血　苦楝子一兩　鬱金二枚一炮一生

細羅葱湯調半錢意裁

治尿血　葵子　車前葉　甘草炙赤　朴硝各一分

粗羅一錢水小盞煎五分稍溫服

又牛旁根搗絞汁入蜜服半合日三四量服

吉氏地黃散

菉豆粉　滑石各一兩　甘草炙半兩

兒心脾肝積熱，如大人脾受病傳腎，有三陰三陽脉；兒八歲下只有三陽脉，故心脾肝受病不傳腎，傳小腸，小腸風熱極，故尿血。新汲水服二錢。忌熱食酸鹹。

桃葉湯　治大腸不通，臍腹煩悶。

桃葉一握　木通二兩　燈心五大束　川朴硝一兩　葱白七莖

剉，醋漿水二大碗，煎十餘沸，去柤，傾盆中，稍温，坐兒盆內，帕裹柤熨臍下，冷即出之，後喫

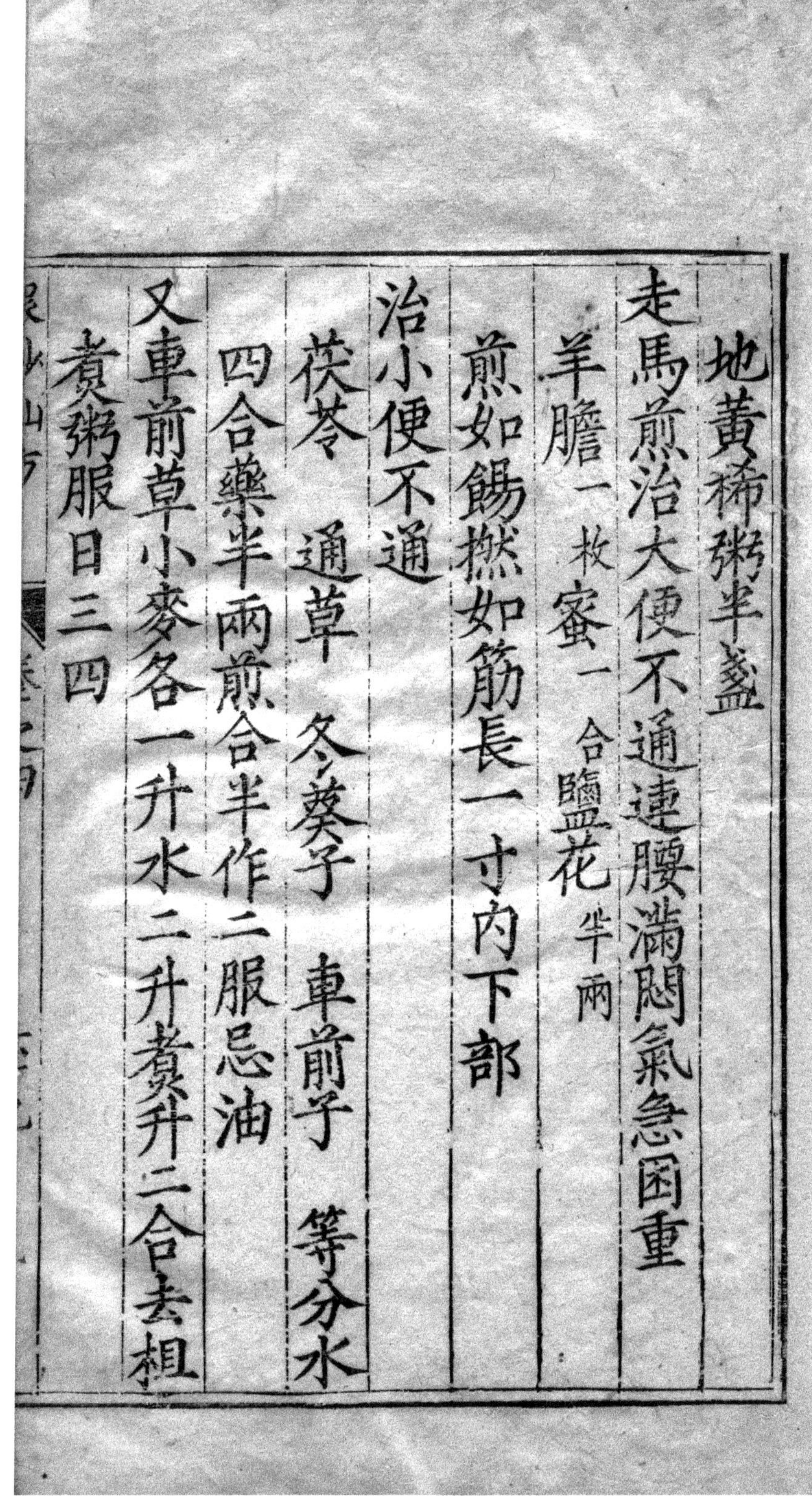

地黄稀粥半盞

走馬煎治大便不通逮腰滿悶氣急困重

羊膽一枚 蜜一合 鹽花半兩

煎如餳撚如筋長一寸內下部

治小便不通

茯苓 通草 冬葵子 車前子 等分水

四合藥半兩煎合半作二服忌油

又車前草小麥各一升水二升煮升二合去柤

煮粥服日三四

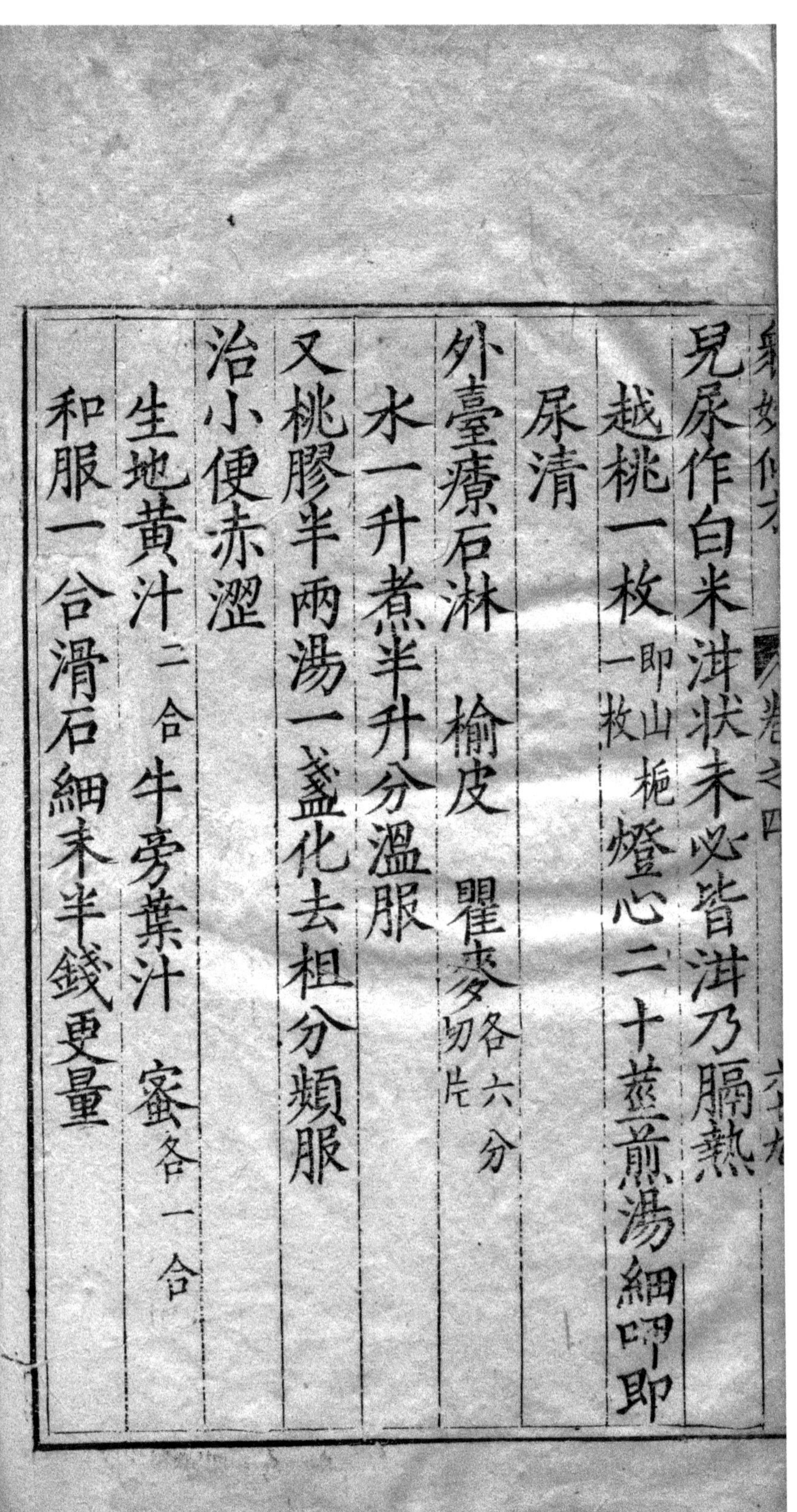

兒尿作白米泔狀未必皆泔乃膈熱

越桃一枚即山梔一枚　燈心二十莖煎湯細呷即

尿清

外臺療石淋　榆皮　瞿麥各六分切片

水一升煮半升分溫服

又桃膠半兩湯一盞化去柤分頻服

治小便赤澀

生地黃汁二合　牛蒡葉汁　蜜各一合

和服一合滑石細末半錢更量

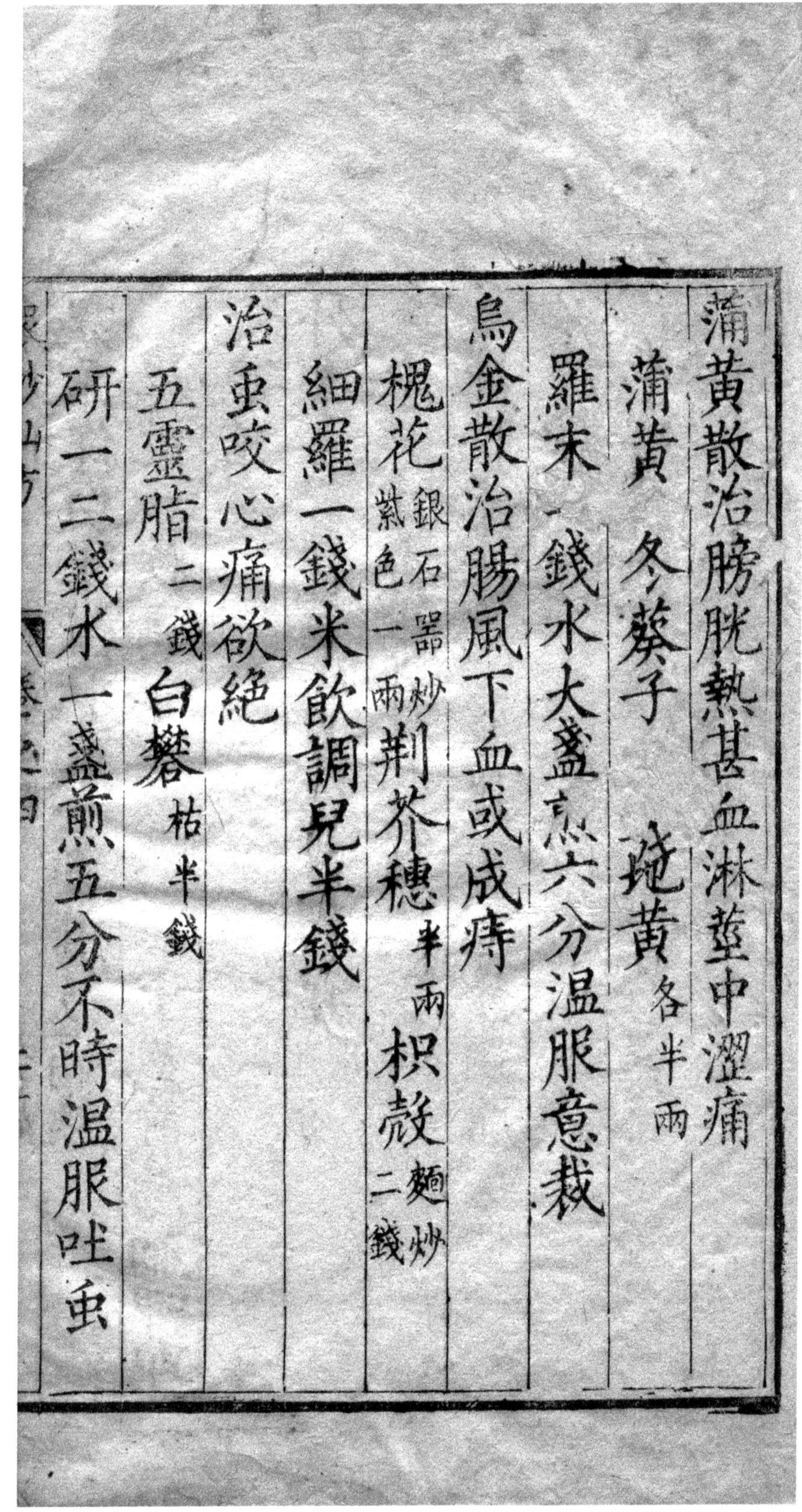

蒲黃散治膀胱熱甚血淋莖中澀痛

蒲黃　冬葵子　𤯝黃各半兩

羅末一錢水大盞煎六分溫服意裁

烏金散治腸風下血或成痔

槐花銀石器炒紫色一兩　荆芥穗半兩　枳殼麪炒二錢

細羅一錢米飲調兒半錢

治蚘咬心痛欲絶

五靈脂二錢　白礬枯半錢

研一二錢水一盞煎五分不時溫服吐蚘

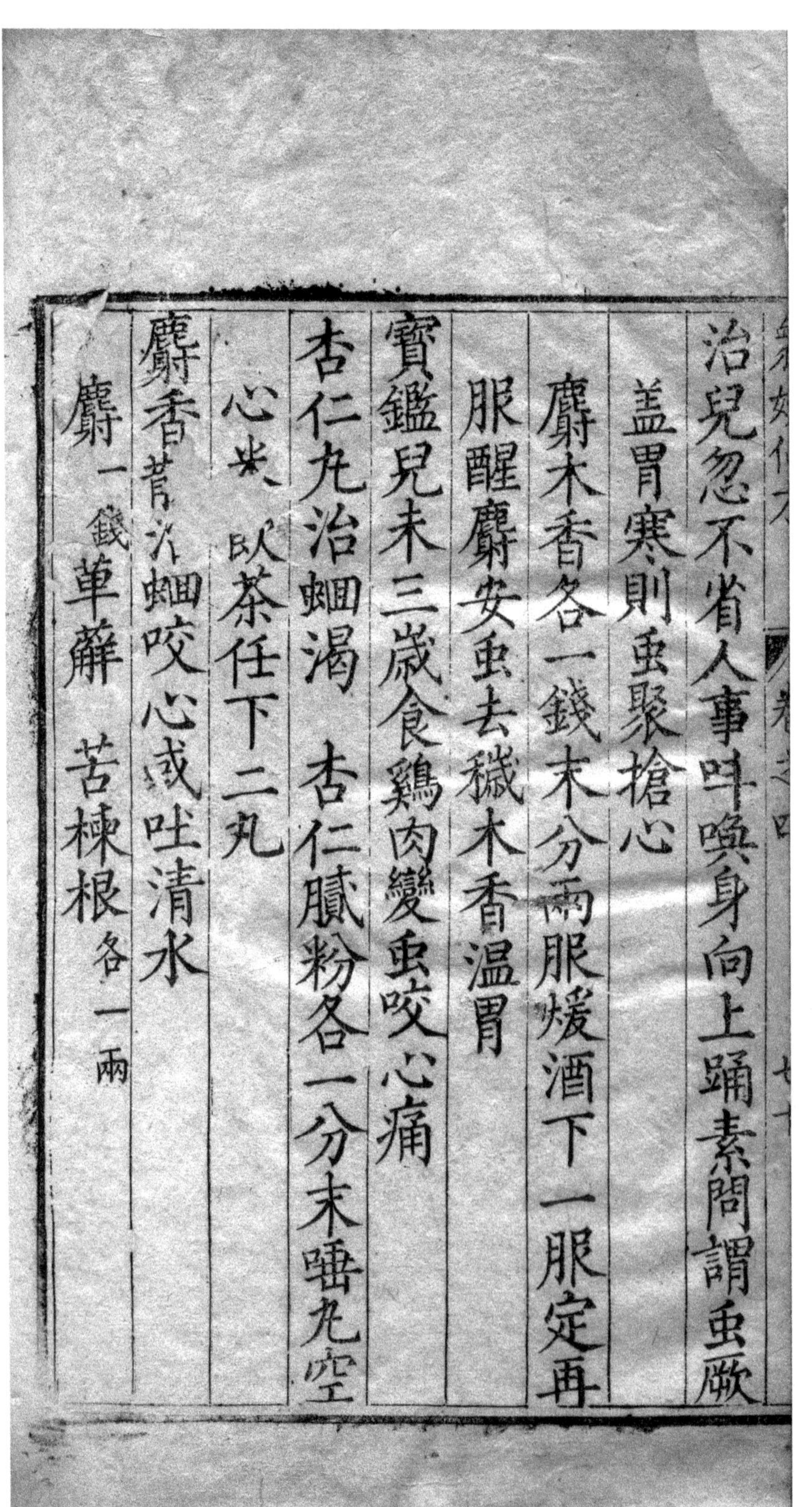

治兒忽不省人事叫喚身向上踊素問謂虫厥
盖胃寒則虫聚搶心
麝木香各一錢末分兩服煖酒下一服定再
服醒麝安虫去穢木香溫胃

寶鑑兒未三歲食鷄肉變虫咬心痛
杏仁丸治蛔渴　杏仁膩粉各一分末唾丸空
心米飲茶任下二丸
麝香膏治蛔咬心或吐清水
麝一錢　萆薢　苦楝根各一兩

細羅籂猪膽三枚汁和曝研末蕪荑湯調半錢䘖栽

肘後㳄方兒腹痛大汗名寒疝

治疝車前子根苗乾末紅㯋兒酒下一錢

牛旁膏治陰腫

生牛旁汁二大盞煎膏 赤小豆半兩 桂一分 和膏塗

金匱救卒死吐利不知何病 馬糞一丸絞汁灌無濕者水煮乾者取汁

又擣韭汁灌鼻中劇者灌兩耳仲景灌口

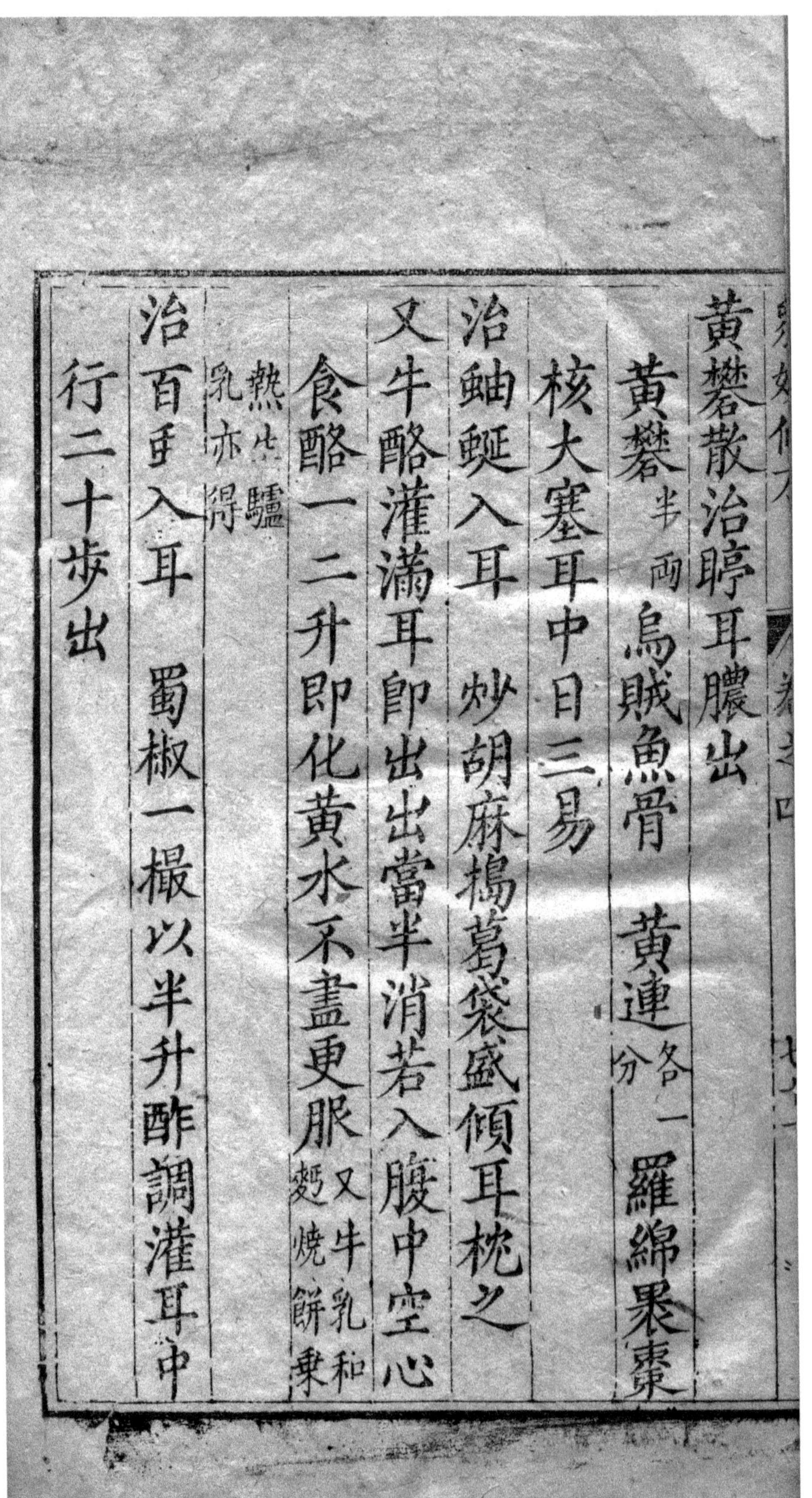

黄礬散治聤耳膿出

黄礬半兩 烏賊魚骨 黄連各一分 羅綿裹棗核大塞耳中日三易

治蚰蜒入耳 炒胡麻搗葛袋盛傾耳枕之

又牛酪灌滿耳即出出當半消若入腹中空心食酪一二升即化黄水不盡更服又牛乳和麪燒餅乘熱出驢乳亦得

治百虫入耳 蜀椒一撮以半升酢調灌耳中行二十步出

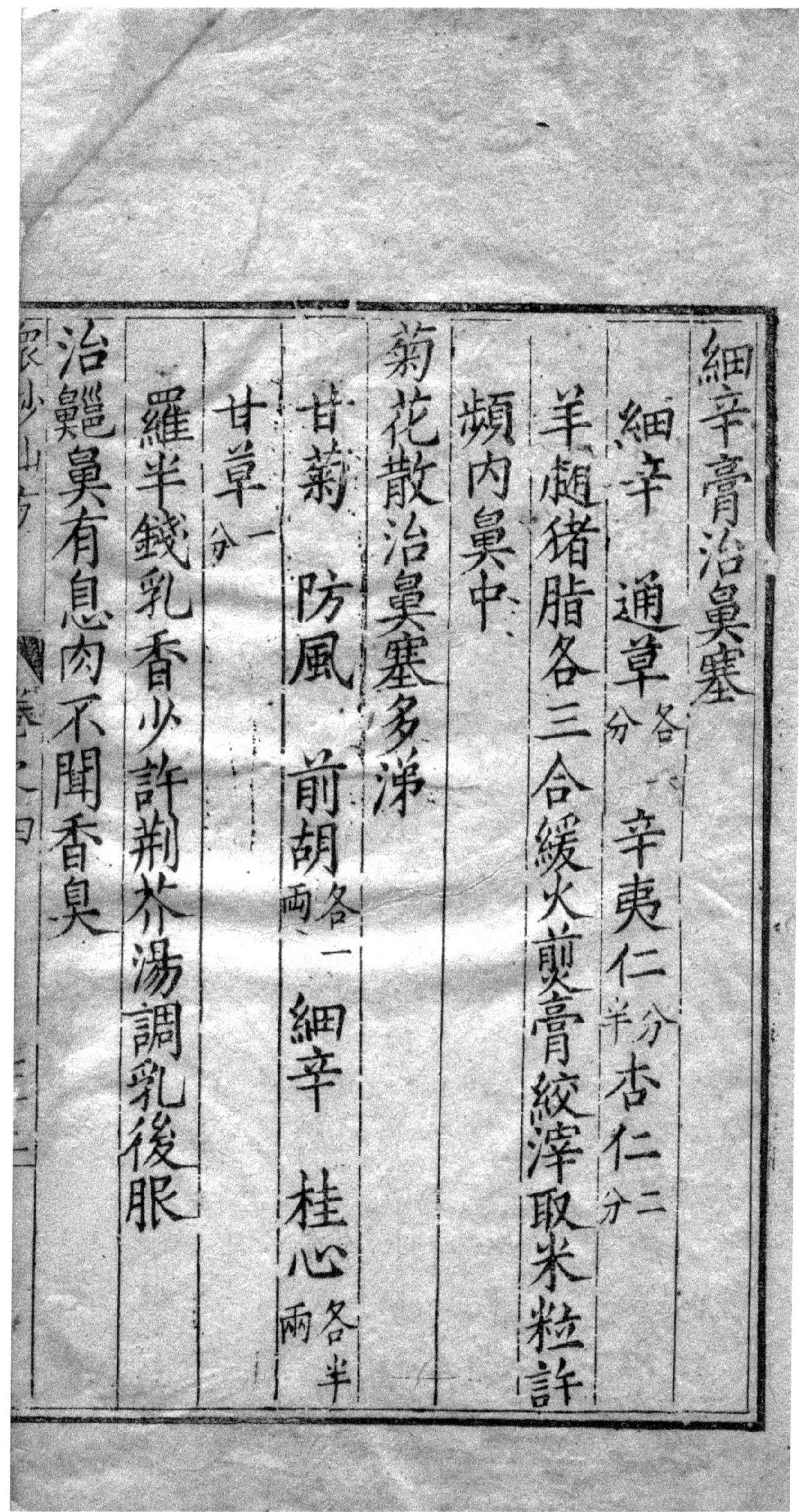

細辛膏治鼻塞

細辛　通草各分　辛夷仁分半　杏仁二分

羊髓猪脂各三合緩火煎膏絞滓取米粒許

頻内鼻中

菊花散治鼻塞多涕

甘菊　防風　前胡各一兩　細辛　桂心各半兩

甘草一分

羅半錢乳香少許荊芥湯調乳後服

治齆鼻有息肉不聞香臭

瓜蒂　細辛各半兩　散如綠豆大塞鼻須臾通

百益餅　治小兒寒熱驚風食積吐瀉肚脹頭疼痰嗽痢疾

滑石一兩水飛　寒石麵一兩　巴豆五十粒　大半夏二十粒姜製

右為細末醋糊為丸如菉豆大一歲二歲者二丸三四歲者三丸五六歲者四丸漸加姜湯下

治口瘡桑白汁生地黃汁赤蜜各半合和細敷

治口瘡不得飲乳　飲羊乳佳食療含羖羊生

乳

治積年口瘡薔薇膏　薔薇根一升水七升煮三升去柤含久即吐少入咽亦佳

治鵞口重舌熱瘡　柘樹根水煎濃汁去柤更煎日三四塗

治冬月唇乾裂血　擣桃仁猪脂和敷

治唇瘡久不瘥　八月藍葉十斤絞汁洗三日瘥

外臺療唇腫口白瘡桑木白皮汁塗

諸病無急于咽喉死人最急急治之

白礬白僵蚕等分末生薑水調一錢兩服愈

如牙關禁用去皮巴豆七粒擦油在四指大

方紙上紅箸斜卷去箸著男左女右鼻中一

半點火即時烟透喉中牙關隨開白礬少許

吹喉中壓下熱涎即安

奪命散治喉痺

朴硝　白礬　天南星　等分末半錢水一

盞煎二分大人加至三錢

治月內兒發丹

青藍汁五合竹瀝七合和量服

嬰孺丹發暴卒者不治治丹極驗無如水中藥

水藻爛搗厚敷三分乾即易

養生土虺丹發兩手指作紅絲漸行至關節便

殺人並治惡瘡虫咬

大赤足蜈蚣二條 白礬 膽礬各一錢 麝

細末一剌耳許針撥破瘡口安藥醋麵糊紙

貼日一換膿血盡好肉生貼膏藥

浴棗根湯治五色丹
棗根四兩 丹參兩 菊花兩半
細剉二兩水五升煎三升避風浴
嬰孺丹發從背或走兩足赤如火
景天草十兩 珍珠一分 杵為泥封
丹發腹下至卵者不治
麻黃炒 升麻各二分 硝石四分
為末井華水服方寸匕日三一加大黃半分
巢氏丹發從背起遍身如細纈名茱萸火丹一

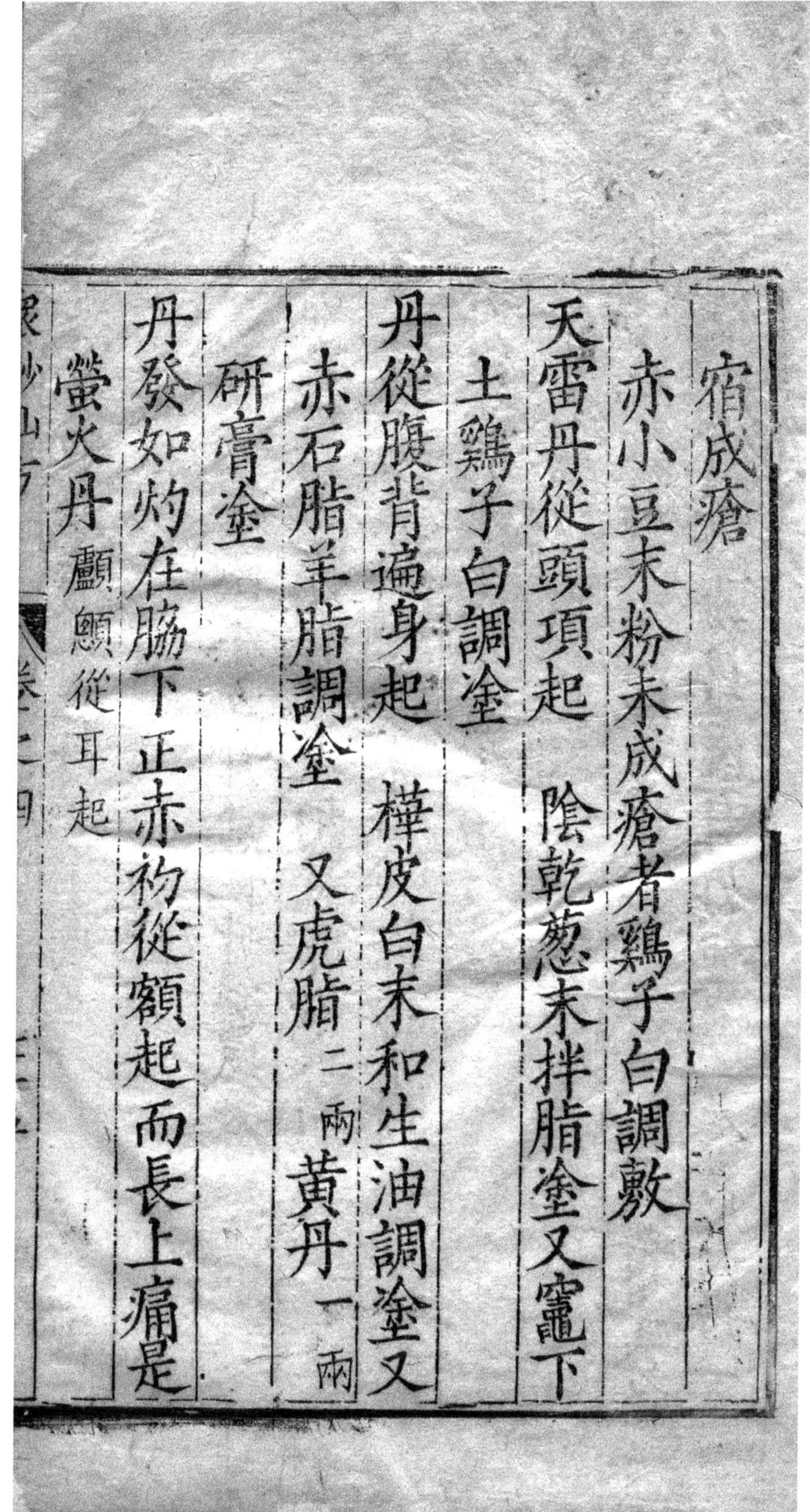

宿成瘡

赤小豆末粉未成瘡者鷄子白調敷

天雷丹從頭項起　陰乾葱末拌脂塗又竈下土鷄子白調塗

丹從腹背遍身起　樺皮白末和生油調塗又赤石脂羊脂調塗　又虎脂二兩黃丹一兩研膏塗

丹發如灼在脇下正赤初從額起而長上痛是螢火丹　顱顖從耳起

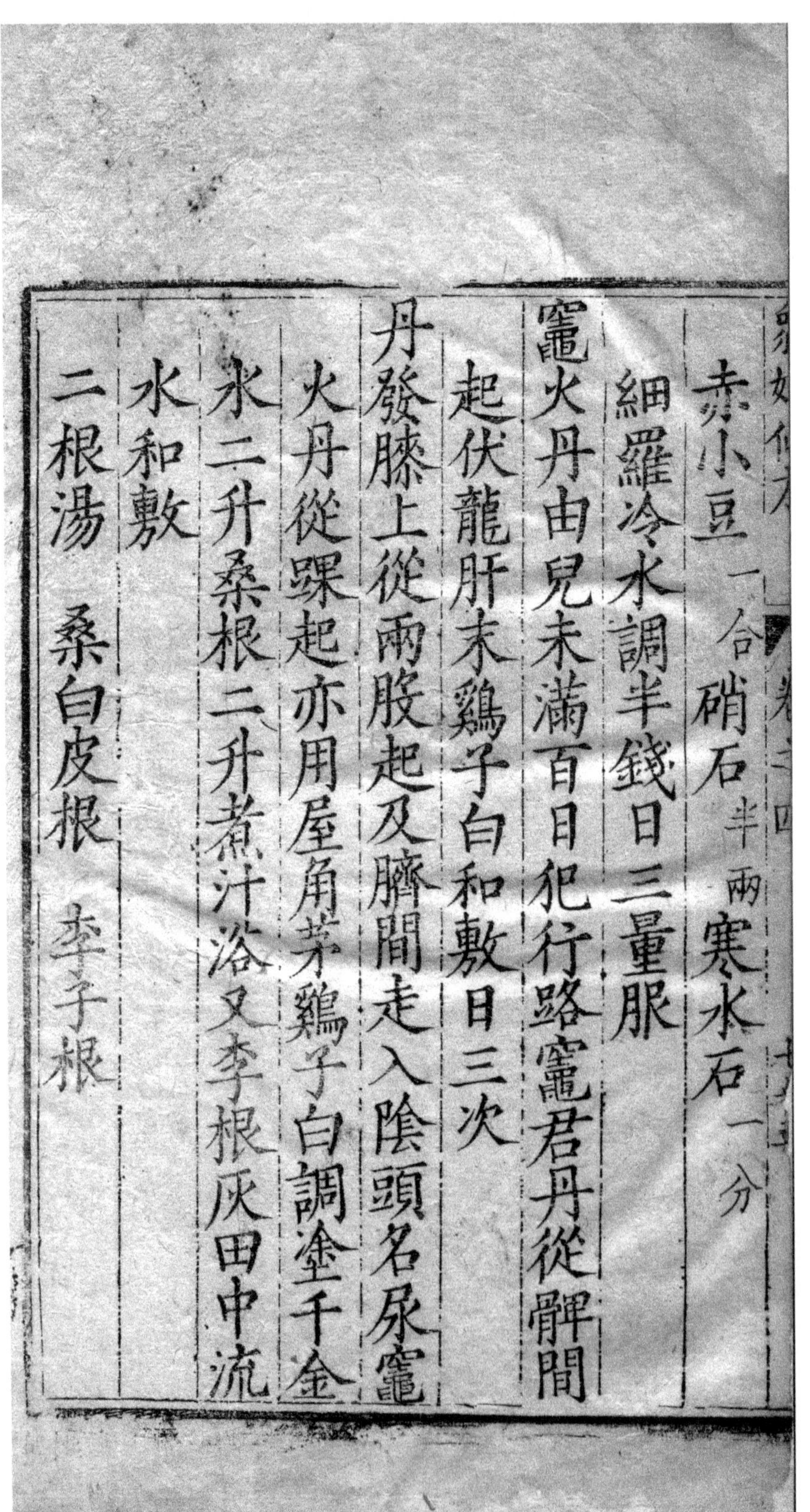

赤小豆一合 硝石半兩 寒水石一分

細羅冷水調半錢日三量服

竈火丹由兒未滿百日犯行路竈君丹從髀閒起伏龍肝末鷄子白和敷日三次

丹發膝上從兩股起及臍閒走入陰頭名尿竈火丹從踝起亦用屋角茅鷄子白調塗千金水二升桑根二升煮汁浴又李根灰田中流水和敷

二根湯 桑白皮根 李子根

等分細剉三匙水兩碗煎一碗避風淋患處

治赤遊腫或如丹煩渴渾身赤溜壯熱

菉豆粉　鉛白霜　細研芸薹汁調塗

取鉛霜法將鉛石上打薄搵地坑可鉛片大以杵搗坑實滿坑著醋鉛盖經宿取霜如珠

如煩渴服解熱飲子

麥門冬　小蘆根　竹葉　乾葛　木漏蘆

犀角　等分半兩水四合煎一合不時徐服

治走馬胎赤腫入心腹不救

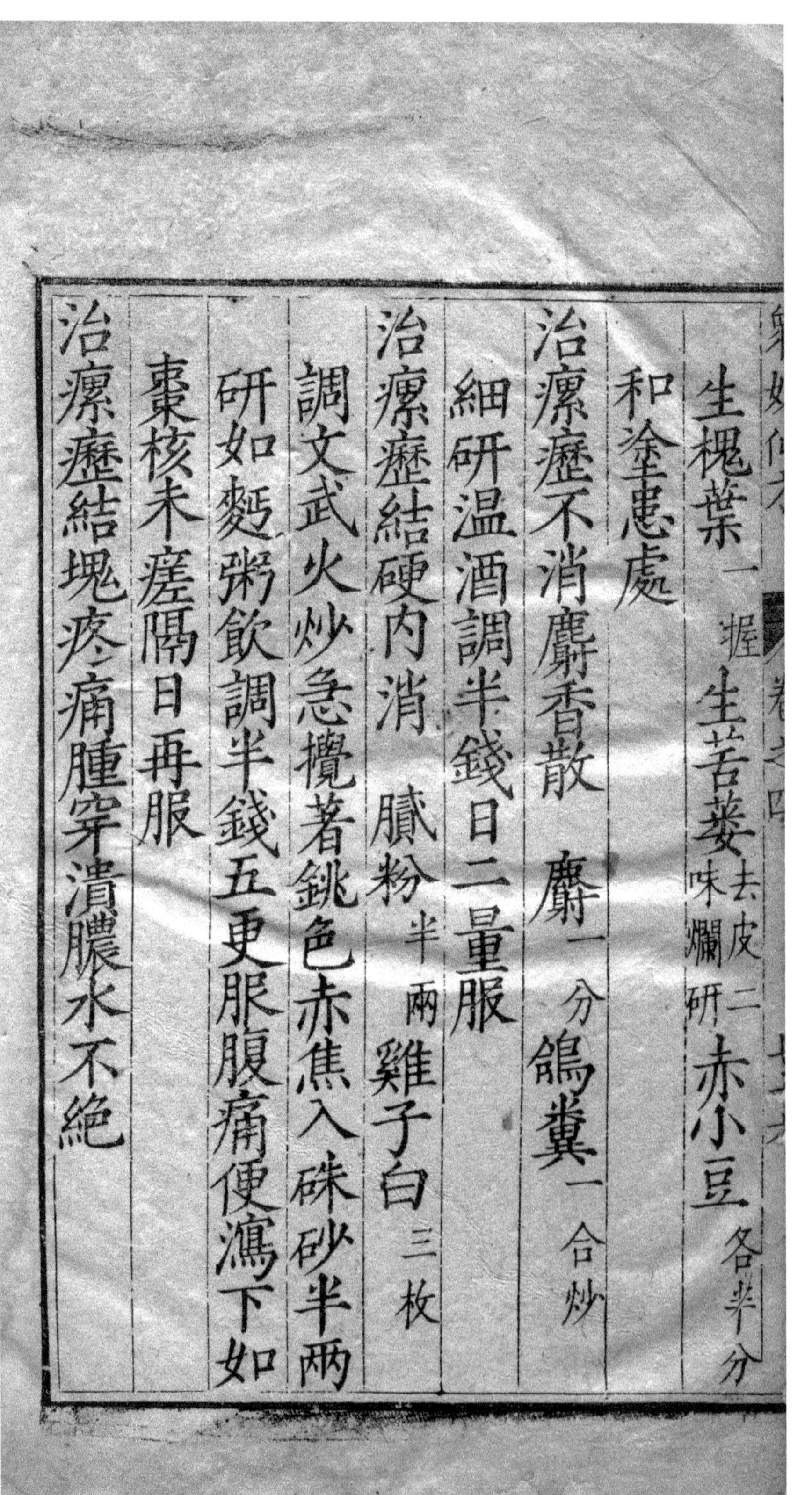

生槐葉一握 生苦蔞去皮二味爛研 赤小豆各半分

和塗患處

治瘰癧不消麝香散 麝一分 鴿糞一合炒

細研温酒調半錢日二量服

治瘰癧結硬内消 膩粉半兩 雞子白三枚

調文武火炒急攪著銚色赤焦入硃砂半兩

研如麪粥飲調半錢五更服腹痛便瀉下如

棗核未瘥隔日再服

治瘰癧結塊疼痛腫穿潰膿水不絶

薄荷陰乾皁莢十梃長尺二不蚛者去黑皮酥炙焦碗大
碎酒一斗浸三宿曝更浸三宿酒盡爲度焙羅燒飯丸如梧子食前黄耆湯下二十丸兒減

蓬莪术散消項氣磨宿滯積氣
羅豬靨一枚針穿麻油燈焰燒熟破開入藥末一字含嚥津忌油鹽雞魚日三稍退徐服半月除根

治魚骨鯁 鸕鷀屎服方寸匕又橘皮湯沙糖

魚網灰首一覆虎狼屎灰猪膏和雞子可選吞

治食中吞髮繞喉　亂髮灰酒調一錢

治蛇蝎螫　小蒜汁服相敷又葵汁服

聖惠白礬甘草等分羅如蛇咬心神煩躁眼前暗黑新汲水調半錢如腫亦白礬塩漿水萵苣根等分煎三五沸淋洗腫消如末及合藥用耳塞入咬處釅醋滴少許

治蝎毒　蝎雄者咬痛止一處雌者痛牵諸處雄者井底泥塗雌者屋霤溝下泥敷若值無

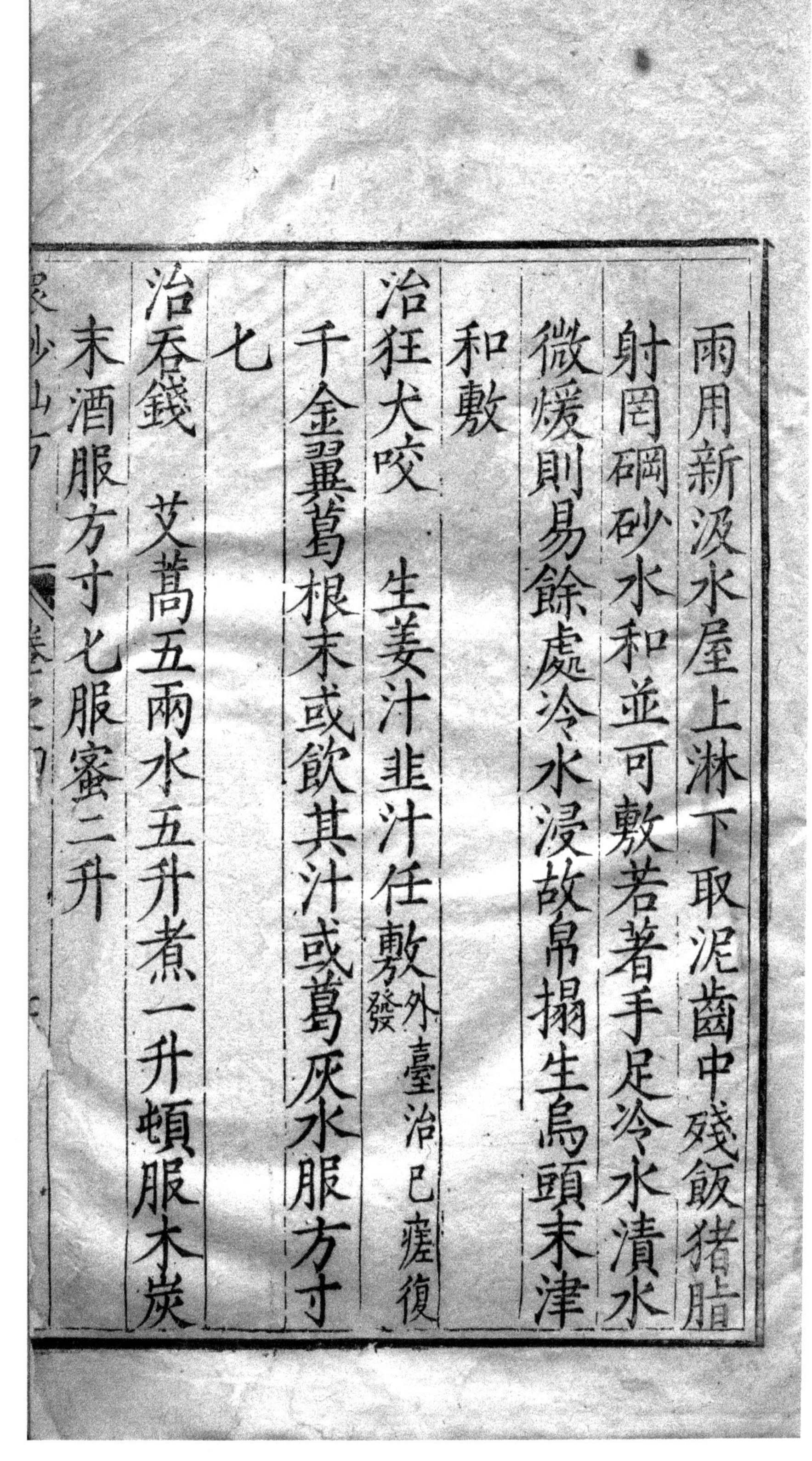

兩用新汲水屋上淋下取泥齒中殘飯猪脂射罔磠砂水和並可敷若著手足冷水漬水微煖則易餘處冷水浸故帛搨生烏頭末津和敷

治狂犬咬　生姜汁韭汁任敷（外臺治已瘥復發）千金翼葛根末或飲其汁或葛灰水服方寸匕

治吞錢　艾蒿五兩水五升煮一升頓服木炭末酒服方寸匕服蜜二升

治吞金銀釵鐶指彄　白糖漸食多益佳雁
鵞毛灰飲服

治誤吞錢物在喉　南燭根灰湯調下若齒骨
灰磨刀水調服一錢

玉錯散治一切骨鯁或竹木簽刺喉中
蓖麻仁一兩研膏旋入寒水石末乾成散取
一捻致舌根深處冷水嚥鯁物自不見

治鯁若吞錢　半夏二分　白歛一分
為末酒姜汁服方寸七

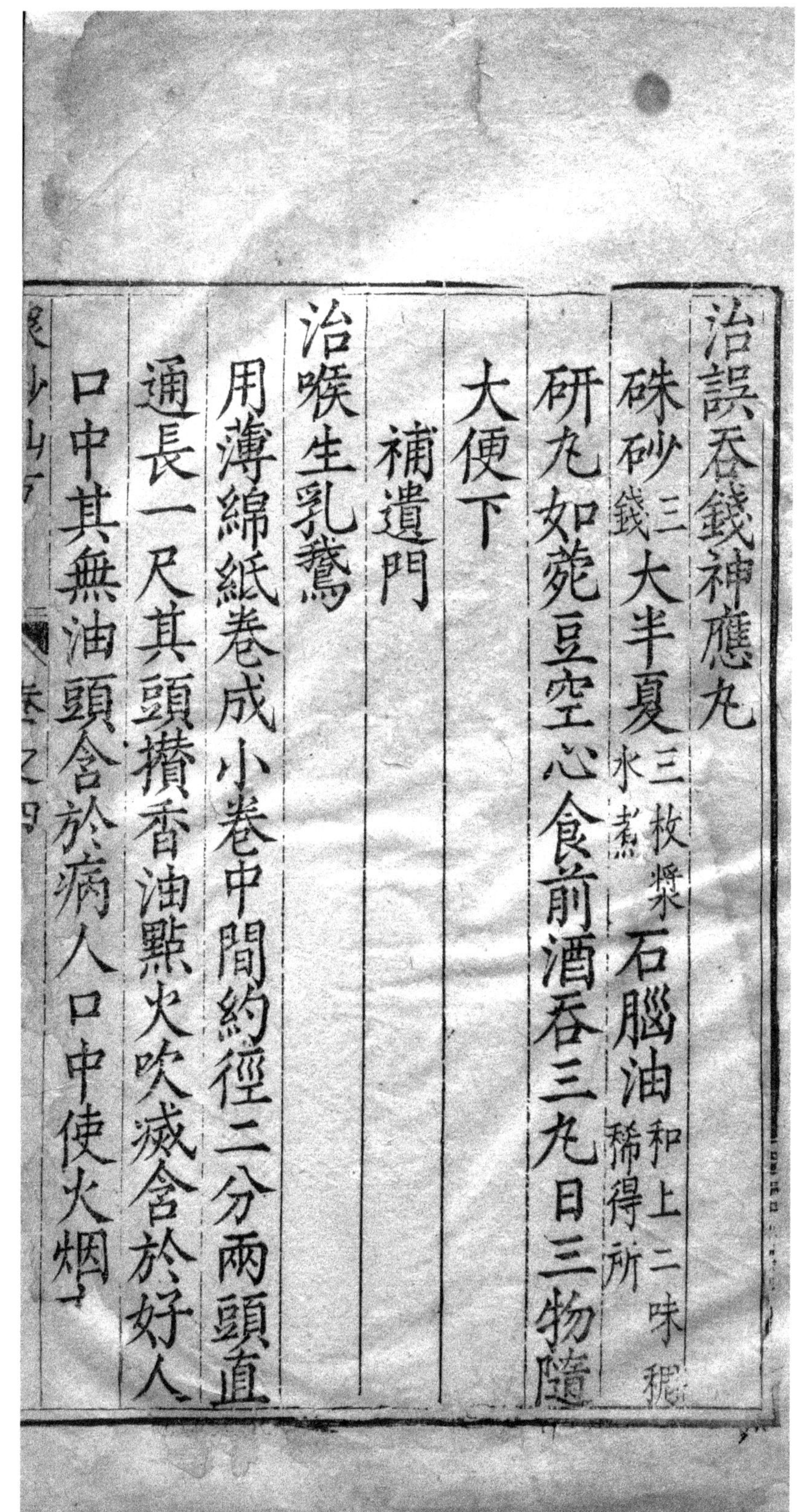

治誤吞錢神應丸

硃砂三錢 大半夏三枚漿水煮 石腦油和上二味稀稠得所

研丸如菀豆空心食前酒吞三丸日三物隨

大便下

補遺門

治喉生乳鵞

用薄綿紙卷成小卷中間約徑二分兩頭直

通長一尺其頭攢香油點火吹滅含於好人

口中其無油頭含於病人口中使火烟

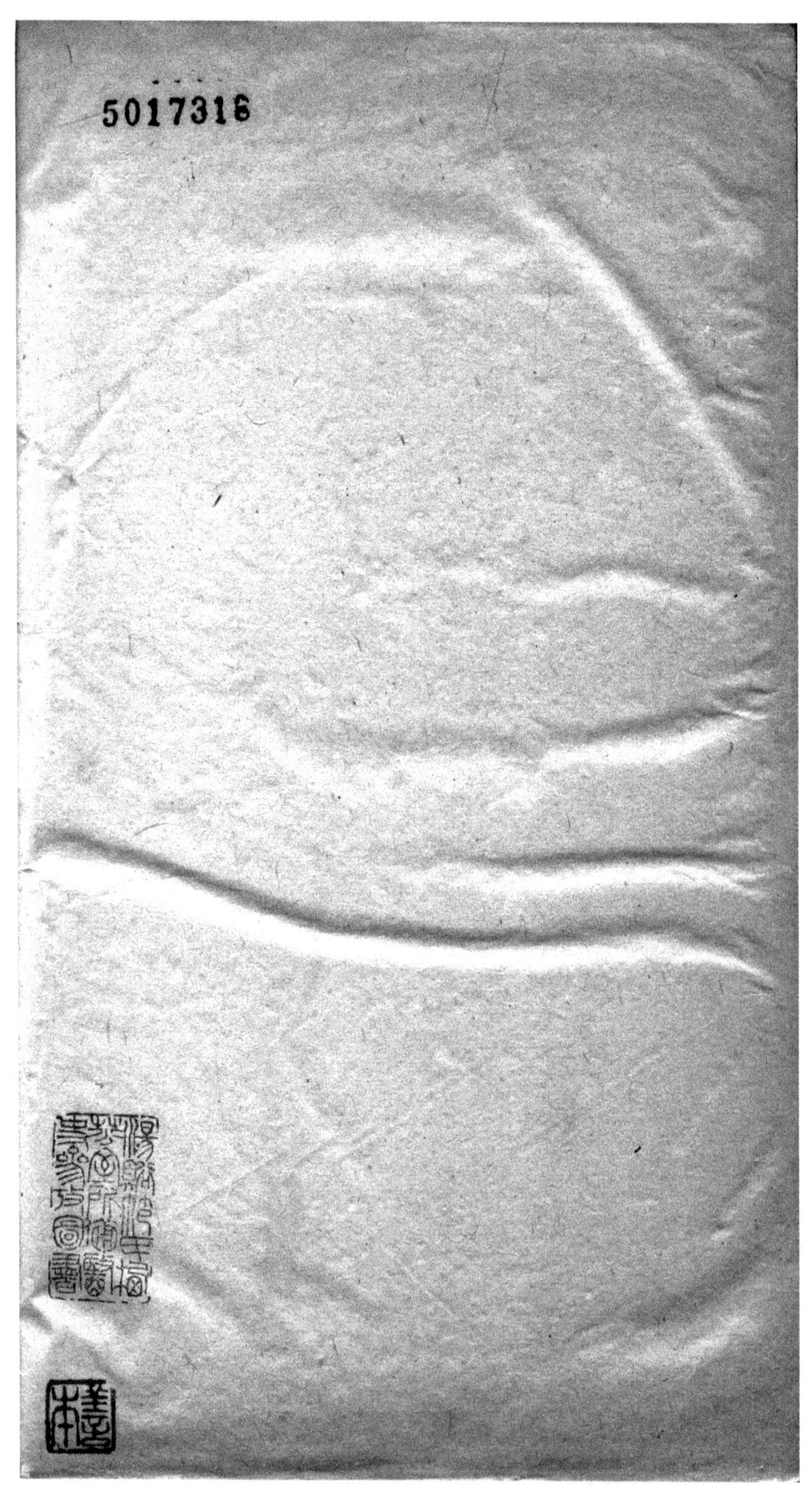